向心 公转

XIANG XIN | GONG ZHUAN

花清晨◎著

国际文化出版公司

图书在版编目（CIP）数据

向心公转／花清晨著．－北京：国际文化出版公司，
2009.10

ISBN 978-7-80173-941-4

I．向… II．花… III．长篇小说－中国－当代
IV.I247.5

中国版本图书馆 CIP 数据核字（2009）第 137452 号

向心公转

作　　者	花清晨
责任编辑	李　璞
策划编辑	何亚娟
特约编辑	燕　兮
美术编辑	徐燕南
出版发行	国际文化出版公司
经　　销	北京国文润华图书销售公司
印　　刷	三河市华晨印务有限公司
开　　本	710×1000　16开
	20印张　　380千字
版　　次	2009年10月第1版
	2009年10月第1次印刷
书　　号	ISBN 978-7-80173-941-4
定　　价	28.00元

国际文化出版公司
北京朝阳区东土城路乙9号　　邮编：100013
总编室：(010) 64270995　　传真：(010) 64271499
销售热线：(010) 64271187　64279032
传真：(010) 84257656
E-mail：icpc@95777.sina.net
http://www.sinoread.com

目录 contents

目录 contents

With love
For you

第一章
邪恶上司阴谋论

俗话说，人生四大惨事——

久旱逢甘霖，几滴；

他乡遇故知，借钱；

洞房花烛夜，不举；

金榜题名时，重名。

对江文溪来说，还应再加第五大：

蒙上司夸奖，构陷？！

鞋跟激烈地敲在大理石台阶上，"叭叭"作响的声音，让江文溪恨不能插上一对翅膀飞上四楼财务部。她的心都快要蹦出嗓子眼了，这不是真的，这一定不是真的。

终于到了，她猛地推开那道厚重的防盗门——这对她来说就是一道生死门。"砰"的一声，惊住了财务部一屋子的人。

在听到那激烈的撞门声时，所有人的目光投向她。

她瞪着双眸，大喘气，冲到收银主管的桌前："马经理，我还有三天就……"

她的话还没说完，马经理就以手示意断了她的话："小江，这事我们也没办法，超市租赁合约期满了，这块地已经被人标下，转做餐饮行业，这不是我们能做主的。"

紧蹙着眉心，江文溪咬了咬唇，声音都在发颤："可是，还有三天我就要转正了。"

"对，是还有三天，可是我知道，人事部知道，有什么用？江航那边只看合同，就差这三天，哪怕就只有一天，没有正式转正的合同就代表你还在试用期内。现在是金融危机，江航肯同意收下部分正式员工，我们这些所谓的正式员工就要磕头烧香了。"本来马经理的口气很生硬，但看到江文溪那副楚楚可怜的样子，突然不忍心打击她，口气也软了下来，"小江，你在前台收银表现很好，我已经提前给你办了转正手续，但上面一直压着没批，只能说你的运气真的是太……"

"太衰了……我知道。"江文溪咬着唇，接下了马经理没好意思说出口的话。

马经理惋惜地叹了一口气："小江，去人事部早些办手续吧，把工资领了，早点出去重新找份工作。"

不知道是怎样出了财务部的那道生死门，江文溪一脸沮丧地靠在过道的墙上，深深地闭上了眼。

每一天，她起得比鸡早，吃得比猪少，干得比牛多，睡得比狗晚，国庆节期间累死累活地忙了整整六天，好容易休息了一天，结果休完了一来上班，就接到要卷铺盖走人的通知。

毕业才几个月，她都已经失业好多次了，如果加上大四那最后半年，那就是 N 的 N 次方次。

大学里，她学的是会计专业，一心想着毕业后能当个总账会计，考个 CPA，然后顺顺当当地进会计事务所工作，再找个好男人嫁了，这样她一辈子都不用愁了。走出校门之后，她才知道自己有多天真。

没毕业的时候，那些招聘公司一看到她的个人简历，直接甩一边，鼻孔朝天地对她说不收没毕业的。后来毕业了，个人简历依然被甩一边，那些人依然鼻孔朝天地对她说不收应届生不收没行业工作经验的。最后被逼急了，她还当了一回"面霸"，强行冲到人家公司去面试，因为她要是不做"面霸"就得回去天天吃面霸，结果是那次很受伤，被人家保安当成精神病患者给轰了出来。

　　最终，残酷的现实告诉她，一份好的工作等于能力加运气加关系，三者比重为1：2：7。俗话说得好，学好数理化，不如有个好老爸。可怜孤家寡人的她，偏偏就是父母死得早，就连一直照顾她的舅舅也在她刚上大学的时候英勇殉职了。

　　不知碰壁多少次，万念俱灰下，她才会去应聘与会计专业毫无关系的工作。她当过保险推销员，酷暑的天气，每天早上站在公司门外一边做着很不和谐的广播操，一边高喊着"春光乍现，拜访争先"等励志口号，结果，她在去拜访第一个客户的时候，因为中暑而"春光乍现"地晕倒在客户公司门口。她做过某化妆品传销，例会上"妈妈""女儿"乱叫一通的场面震撼得她一周都回不过神，结果，花了不少钱买一堆化妆品却一样也没卖出去，全部抹在了自己的脸上，连脚底板也不放过。瞧，经过一个夏天，她还是皮肤白白净净的。

　　再数数，她还做过牙刷推销员、药店促销员，马路上发过宣传单，肯德基里扫过厕所……可这些工作都不是长久的。好容易找了一个超市收银员，没事可以仰望一下财务部的同事，还可以每天数着大把不属于自己的钞票，梦想着也许有一天，她就可以从小小的收银员晋升到财务部，可老天为什么就这么残忍地剥夺了她想要拥有一份正式工作这般渺小的理想？

　　再过三天，她就可以转正了啊……

　　浓密而微湿的眼睫掀起，江文溪轻拍了拍脸，强忍着眨了几下，不得不面对现实，承认自己命衰。

　　捏着拳头，立直了身体，她给自己打气：没关系，一定还可以再找到工作的。李妍说她就是一只拍、打、捏、踩都不死的万年小强。

　　抓了抓头发，她往员工电梯走去，远远地就望见三位高层和一位非本超市的人，拥着一位满头银白色头发的大叔先一步进了电梯。

　　从那位银白色头发大叔的背影可以看出他的身材颀长而神秘，浑然散发的气息与他那一头银白色的头发完全不搭。

　　她在心中念着：真是不和谐的一个大叔。

　　顿住了脚步没有前行，江文溪并没有认为即将离开就可以与那几位高层共挤一部电梯。这时，她听到身后三个和她一样远远等着另一部电梯到来的女同事在窃窃私语，似乎讨论的就是那个头发与身材完全不搭的大叔。

忍不住，她伸长了耳朵。

"天啊，没想到江航的乐总这么帅。"

"对啊对啊，你看他那头飞扬又迷人的银白色头发，前几天听说的时候还不敢相信，今天见到了本人，不但没显一丝老气，反而更添一份魅力。"

"不知道他那头银白色头发在哪个发廊染的，我好想把头发染成他那个颜色。"

"得了吧你，你还当你是林青霞了。"

"切——"

"真是个人间罕见的极品。"

"就是就是，最让人兴奋的是，以后我们天天都能看到这个极品了。"

"对对对，真太兴奋了。"

"错，我现在是亢奋。"

"……"

江航？那不就是主管口中害她失业的那家鬼公司吗？

江文溪咬着牙，攥着拳，在心中唾弃这三个花痴一样的正式员工，不知道是饥不择食，还是脑袋刚好被门给夹了，庆幸能够保住饭碗也就算了，竟然还在这里虚伪地称赞那个头发花白的大叔很帅，真是见鬼了。

猛地抬头，她狠瞪向电梯，那个害她失业的中年大叔，就算是身材好又怎样，总之，这世上没有人再比他更罗刹更见鬼的。

只是一秒，她就像是被雷劈了一样，不，确切地形容，她是被电打了。

在电梯合上的那一刹，她看清了那个鹤立鸡群的白发大叔的真面目。

年轻帅气的脸庞棱角分明，电梯间的灯光打在他的五官之上更显个性，银白色的头发随性地散在前额，一双漂亮的眼眸微眯着，斜视着身旁侃侃而谈的高管，一双手抄在西装裤口袋里，微扬的唇角勾勒出一抹邪气而迷人的弧线，似在嘲弄。

原来他不是大叔，只不过是染了头发……

鲜少看过有男人能把黑社会制服一样的黑色西装穿得如此性格，直到身后三个正式员工蔑视着从身边挤过，江文溪才回过神。

天啊，她居然对着那个有着"天使般面孔，魔鬼般身材"却是害她失业的罪魁祸首发花痴，这真是没天理了。

她懊恼地拍了拍头，快步跟上前进了电梯，心中不停地诅咒着那个有着撒旦之心的白发魔男一定会比她更衰更倒霉。

由于还在试用期，江文溪只花了一天的时间，就将工作全部交接完毕，明天她就可以不用上班了。

屋漏偏逢连夜雨。

做人可不可以不要这么倒霉。

刚爬上六楼，累了一天的江文溪就看到自家门上贴着催缴水电物业费的几张通知单。还好她刚领了一个月的工资加国庆节期间的加班费，但是她必须省吃俭用一段时间，直到找到工作为止。

摸出钥匙，开了门，她沮丧地将包扔在沙发上，随即整个人也跟着倒了下去，来不及哀声叹气，一阵欢快的手机铃声响了起来："如果我有仙女棒，变大变小变漂亮……"

从包里翻出手机，来电显示是一个陌生的电话，她按了接听键："喂，你好！"

夹杂着吵闹的声音，好友李妍甜美的嗓音响起："溪溪啊，快点来酒吧替我助阵。"

"妍妍，你怎么又跑到酒吧去了？"口气略带责备，江文溪有些为难，"已经很晚了，我想早点休息，明天还要——"直觉就要脱口说出"明天还要上班"，还好她总算是打住了，不免有些难过。

李妍嚷着："要什么要？这里有头臭熊欺负我，你快点过来给我助阵啦，输人不输阵。"

"啊？那头熊欺负你啊，可是你都比我厉害的啊，我去了也只能在那儿竖电线杆呀。"咬着唇，江文溪小声地拒绝，"妍妍，我真的想睡觉……"

"睡你个头，你明天不是晚班吗？"李妍不顾江文溪的反对，强硬地说，"我不管，你给我快点过来，不然我杀到你家，你知道我手段的。快点过来啊！知不知道Ｋ．Ｏ．，中山路上新开的一家酒吧，快点打车过来。就这么说定了，一刻钟之后见不到你人，你就等着受死吧。"

对着发出"嘟嘟"盲音的手机，江文溪深叹了一口气，从沙发上起身走向卫生间。

水池里放满了水，江文溪将脸埋进了水里，隔了好一会儿，直到透不过气，才抬起头，目不转睛地盯着镜中的人，脸色苍白得像只鬼，晶莹的水珠顺着脸颊慢慢滑落，渗进口中。

双手撑着台面，她抿了抿唇，对着镜子叹了一口气。

只是她一个人在发傻而已，她多么希望眼前的镜子是一面魔镜，忍不住喃喃自语："镜子啊镜子，我不要你告诉我我是这天下最美丽的女人，我只要你赐我一个能干得长久的工作……"

可惜镜子终究还是面普通的镜子，那里面除了映着她那张疲惫不堪的脸没有任何变化。

客厅里，手机又响了起来，不用想就知道还是李妍打来的。江文溪赶紧将脸上的水珠用毛巾擦干，顺了顺头发，快步走出卫生间，接起电话应付那个催魂似的姑奶奶，迅速抓起皮包便出了门。

急匆匆地赶到Ｋ.Ｏ.，进了门，江文溪就开始到处找寻李妍的身影。还好这间酒吧与李妍平时玩的那些格调乱七八糟的不太相同，起码灯光够亮，歌曲放得也不是那种很吵人的电子音乐，客人大多都是那种安安静静喝着酒的。

"溪溪，这里！"

江文溪寻声望过去，便看到李妍隔了几桌冲她挥着手。江文溪锁紧了眉头，李妍身旁坐着三个男人，只有其中一位她见过，看这情形就知道李妍一定又认识了什么男人，拉着她来"有福共享，有难同当"。

硬着头皮，她迈着僵硬的步子走了过去。

李妍一把抓过她，指着她的鼻子控诉："让你十五分钟赶到，你怎么磨叽了四十分钟？"

面对李妍的责怪，她的脸微微一热，有些结巴："哦，路……路上塞车……"

今天她光荣地再次成为无业游民，在没找到工作之前，她都不可以随意地"潇洒走一回"，只能选择挤公交。当然，这事她可没脸对李妍说出口，要是让李妍知道她又丢了工作，一定又会鄙视好一阵子。

"塞车？又不是晚高峰，怎么可能塞车？"李妍狐疑地看着她。

双颊滚烫，江文溪很紧张，她最不擅于撒谎，在李妍身旁的空位坐了下来，含糊地说："火……火车挡道……"

"火车？！"李妍刚想说"你家到中山路哪有火车道"，便被身旁一名男士给打断了："好了，你朋友来这么久了，都不介绍一下。"

这时，李妍才反应过来，搂着江文溪说："这是我的闺密江文溪，长江的江，文学的文，小溪的溪。"然后指着刚才解围的长相很ＭＡＮ的男士对江文溪说，"这位你见过的，就是我和你常说的那头熊——熊亦伟，今天刚升级成为我的男友就急巴巴地介绍给你认识，别说我小气。这两位是他的高中同学，宋新晨和顾廷和。"

江文溪不停地点着头，望着对面三位男士，听着李妍介绍。

李妍今天约她出来的目的，就是给熊亦伟一个正名，另外还想帮她牵一下红线。

一番介绍下来，她只记住熊亦伟和宋新晨不但是同学，还是李妍的同事，三人同在一家广告公司任职，那个话不多，一直保持着微笑的顾廷和是一位人民警察。

她不禁想到，大舅生前也是一名警察。

可能因为警察的缘故，她不免对顾廷和多关注了几眼，浓眉大眼，给人一种俊朗的感觉，他的唇不太薄也不太厚，那模样仿佛天生适合微笑。

再抬眼看顾廷和，他也正好微笑着看她，四目相对让她没来由一阵紧张，赶紧垂下眼帘，抓起面前的杯子喝了一口，却不料竟被杯中的酒呛到了。

这情形刚巧被李妍撞见，调侃她："要看帅哥就正大光明地看，偷偷摸摸做什么？"

江文溪伸手掐向李妍的腰，要她闭嘴。

李妍却搂着她对顾廷和笑道："小顾，我们家溪溪的大舅可是位立过很多大功的刑警哦，这丫头从小见到英勇的警察叔叔就会走不动路，你别见怪啊。"

扬了扬唇角，顾廷和深深地看了一眼江文溪说："江永明警长生前屡破奇案的事迹我听过很多。"

江文溪惊愕地抬起头，怔怔地看着顾廷和："你认识我大舅？"

顾廷和喝了一口酒，惋惜地说："如果几年前江警长没有因公殉职，我可以跟随在江警长身后，学习到更多的经验。"

"哦——"江文溪淡淡地应了一声，想到大舅不免一阵神伤。

李妍天生就是一个活跃分子，知道江文溪又开始胡思乱想了，便搂着她向在座的两位单身男士死命地推销，说她是害羞又内敛的黄花大闺女，逗得大家不停地哈哈大笑。

从头至尾，江文溪只能配合地坐在那儿傻笑，时不时瞄几眼好友。她打心底佩服李妍，同样都是人，李妍却是八面玲珑，在公司里人缘好业绩好，备受领导器重，换作她……也许早就被扫地出门了。

K.O.最吸引人的地方，就是每晚十一点举行一场拳皇PK赛，抽到桌号的两桌客人可各选两名选手参加对决，获胜的一桌当晚消费全免。因而每晚十一点便是K.O.最热闹的时分。

幸运的是，江文溪所在的16号桌被抽中，宋新晨、顾廷和两人被推出去和7号桌客人PK，李妍尖叫着拉着熊亦伟上前助阵，留下不愿去的江文溪独自一人。

江文溪素来娴静，话又不多，对电玩更是一窍不通，望着正前方那超大屏幕上不停对打的卡通人物，搞不清谁对谁。她有些意兴阑珊，听到全场的人对着那大屏幕呐喊助威，渐渐地，她的心变得越来越苦涩忧郁。

这里，那些对着屏幕高喊的人都应该有一份良好的工作吧，不会像她这样是一个倒霉的失业者。对于不停地往返各个招聘现场，她早已疲惫，不但始终没有找到自己喜欢的岗位，就连一份可以糊口的饭碗她都保不住，在校时美好的梦想被现实打击到了冰点。

掠了一下额际的碎发，她颤着手端起面前的FOUR SEASON，递至唇边，猛地一口灌下……

"溪溪，宋新晨可是大出风头，赢了7号桌的客人，今晚我们想怎么吃喝都可以。"李妍兴奋地冲回座位，却看到江文溪端着一杯酒坐在那儿发傻，这才注意到桌上摆了几个空杯，赶紧一把夺下她手中的酒杯，"要死啦！你知道你喝了几杯FOUR SEASON？"

头好晕，耳边回荡着李妍的河东狮吼，好吵。

江文溪甩了甩头，抬起迷蒙醉眼看着李妍，傻里傻气地笑着："好好喝，再帮我点一杯。"

李妍叉着腰狠狠瞪着她："点你个头。"

顾廷和轻咳了一声："李妍，江小姐可能喝多了，不如先送她回去好了。"

熊亦伟和宋新晨点了点头，决定由熊亦伟开车先送江文溪回去。

江文溪那双含笑的迷蒙醉眼里，蕴藏的黯然神情让李妍的心猛地一紧，似乎只要一瞬间，她就有可能哭出来。这丫头昨天不是还好好的吗？今天是怎么了？李妍不禁皱了皱眉，口气也软了一些："哎哟，早知道不把你一人丢这儿了，是我不对。走了，我们回家。"

"我不要回家，我还要喝。"江文溪缓缓站起身，冲着不远处的服务生招了招手。

"好好，我陪你回家喝。"李妍及时扶住江文溪摇摇欲坠的身体，哄着她，回头对顾廷和与宋新晨道歉，"不好意思，平时滴酒不沾的她今天也不知道怎么喝了这么多，估计是我们刚才冷落了她。"

江文溪的步调有些摇摇晃晃，却不肯让李妍扶她。

熊亦伟朝两位好友点了点头，跟在两位小姐身后。

酒吧里的音乐由刚才激昂的拳皇打斗之声变成了平静舒缓、旋律优美动人的乐曲，透彻悠扬的钢琴声交织着大提琴沉郁的抒情旋律，使整个酒吧里洋溢着一种恬淡的氛围。

江文溪顿住了脚步，凝视着小小的舞池里正在翩翩起舞的几对情侣。

灯光打在那一头银白色的头发上，那耀眼的光芒猛然刺进她的双目间。随着音乐的舞动，银白色头发的主人一个旋转身，她终于看清了那张面孔。

噢，是那个害她失业的白发魔男！

是他，都是他！如果不是他，她也不会惨得变成无业游民。她要去打爆那个该死家伙的头，让他知道万恶的资本家在和谐社会是要受到民众制裁的。

她随手抄起身旁酒桌上的一啤酒瓶，猛地将酒瓶砸成两半，"哐"的一声惊住了那桌的客人。

无视那几位客人，她摇晃着身体向舞池走去。

李妍正要追去，却被那桌的客人给拉住嚷着赔啤酒。

嘴角处噙着的一抹微笑在瞬间僵住了，乐天松开了扶在曾紫乔腰间的手，将她自然地挡在了身后，扫了一眼眼前连一根汗毛都伤不到他的半截啤酒瓶，目光冷冷地落在了那个正拿着酒瓶对着他的醉酒女人。

轻摆了摆手，他示意手下退下。

曾紫乔微笑着立在他的身后，语调轻快地调侃："某人刚才还信誓旦旦地说没女人，这不就找上门了。"

一声尖锐的女声冲破那悠扬的音乐声在酒吧大堂响起："白发魔男，还我工作来！"

刹那间，所有客人全向舞池行注目礼。

刚解决完啤酒的事，李妍便听到江文溪的尖叫声，侧过头就看到她正举着酒瓶对着 K.O. 的老板。

这丢人的丫头居然又失业了？！难怪平日里胆小如鼠的她会莫名其妙地去惹人家酒吧老板。明明不会喝酒，还拿鸡尾酒当果汁喝了那么多，早知道会这样，死活都不会叫她来酒吧。

"溪溪——"李妍惊呼一声，拉着熊亦伟快步跑过去，才刚跑几步，便被几位身穿黑色制服的酒吧保镖拦住了。

这边，正在喝着酒的顾廷和和宋新晨听到叫声，抬头便看见江文溪拿着酒瓶意欲伤人，急忙起身。

乐天锁紧眉头，抿紧了唇角，凝视着眼前这个喊着要他还她工作的女人，不由得额上的青筋微露。找他闹男女关系的女人很多，但是找他拼命要工作的女人，她是第一个。江航的人事制度相对来说还算完善，这么多年来没发生过有人因为离职而闹上门的恶性事件。

这个女人，刚才叫他什么？白发魔男？

他最讨厌别人拿他那头银白色的头发说事，这个女人显然在进 K.O. 之前没有好好打听过他乐天是什么人，没人敢在他面前举着酒瓶骂他"白发魔男"还这么嚣张的。

速度奇快，他一把夺下那个还在滴着酒的半个酒瓶，随手往吧台里一扔，冷冷地说："给你十秒钟，立刻在我眼前消失。"

手中的酒瓶被夺走了，白发魔男命令式的语句像一把利刃刺激着江文溪那被酒精侵蚀的薄弱意识。

望着空空的两手，她猛然抬起头向他扑了过去，死命地抓着他的衬衫领襟大喊着："你这个白发魔男，你这个坏家伙，还我啤酒瓶，还我工作，还我工作，还我工作……"

紧接着，几道优美的弧线在两人之间弹起，他衬衫上胸前的扣子被她扯得全蹦了开来，露出了结实健硕的麦色胸膛。

乐天额上的青筋暴起，宣告着隐忍的怒气已濒临爆发的边缘，骤然，他的手反扣住这个疯女人的手腕，怒道："别怪我没给你机会！"

曾紫乔眨了眨眼，暗自赞叹着乐天的好身材，但见他真的动了怒，生怕他撕了这位喝多的女人，连忙上前劝阻："阿天，她喝多了。"

这时，顾廷和手持着证件走了过来："警察。"

乐天微眯着眼，冷冷地扫了一眼那张证件，抬眸望着眼前这个叫顾廷和的警察，嘴角泛起一抹冷笑，抓着江文溪的力道加重了，似要将她的手腕捏断，拽着她往后退了几步。

两位保镖迅速挡在了顾廷和的面前。

顾廷和嘴角微动，一脸严肃："这位先生，请你先放开这位小姐。"

头晕沉沉的，手腕被捏得很疼，江文溪努力地想甩掉那只抓得她很痛的大掌，可怎么也掰不开，她愤恨地俯下头，冲着那可恶的手背狠狠地咬了下去。

"松口！"乐天对顾廷和的话置若罔闻，盯着江文溪的双眸似要喷出火来，抓着她手腕，连带她的身体来回晃动，试图让她松口，"你给我松口！"

江文溪被前后左右来回晃动，胃里犹如翻江倒海，忍受不住这剧烈的晃动，终于松开了口，但手依旧仍抓着他的衬衫不放，痛苦地说了一句："我要吐了……"

顿时，乐天脸色大变，急怒道："你敢给我——"

可他的话没说完，江文溪已经趴在他的胸前狂呕了起来。

围观的人跟着一片嘘声，面对那扑鼻而来的刺激酸味，不约而同地皱起了眉，对那位可怜的帅哥老板深表同情。

胸前肌肤上阵阵黏湿的感觉和鼻下刺激恶心的味道，让乐天僵直着身体立在那儿一动不动。他咬着牙深深地闭上了眼，复睁开，对着身旁的手下怒吼一声："把这个女人给我拉开，带到楼上去！"

话音一落，两位保镖便将伏在他身上的女人拉开了。

曾紫乔拿了一块毛巾递给他，挑了挑眉揶揄："虽然你身材不错，但，我代表上帝同情你。"

看见江文溪被人架走，顾廷和推开其中一位保镖："请你们放开这位小姐，不然我有权控告你们非法挟持，请你们去警局走一趟。"

乐天阴寒着脸，用毛巾正擦着胸前污秽的呕吐物，听到顾廷和的话，抬眸看向眼前这位警察，冷冷地反问："非法挟持？"

这里那么多双眼睛看着，那女人意图要伤害他，还张口咬他的手背，上面两排深深的牙印正渗着血丝，这么明显的证据，还能让这个警察说他非法挟持？不知道是他上辈子和当警察的有仇，还是他天生就长了一副罪犯脸。

顾廷和看到乐天手背上的牙齿印，抿紧了唇。

乐天甩手将毛巾扔在地上，脸冰寒得能刮下一层霜，瞪了一眼那个警察转身迈上二楼的楼梯。

"请你放开她。"顾廷和欲追上前，两名保镖迅速拦在他的身前，其中一人面无表情地说："顾警官，刚才那位酒醉闹事的女客人已经说得很明白，是要我们老板还她工作。现在我们老板带她到楼上是去处理人事关系，如果顾警官能够把工作还给她，那么请便；如果不能，并要告本店挟持伤人，那请在这儿等着，等那位小姐酒醒了，顾警官问清楚了，拿得出证据了，欢迎随时告我们！K.O.的大门24小时为N市的所有警局敞开！"

顾廷和一双黑眸死盯着乐天的背影，处理人事劳务纠纷，只要不是涉及人身安全及个人财产，都不在他的职责范围之内。他咬紧了牙根，只能眼睁睁地看着江文溪被架上二楼。

李妍捂着脸，在心里直骂江文溪是个猪头，刚刚为省下了一顿酒钱而庆幸，这下子好了，帅哥老板怒了，全泡汤了。她真想扔下那个丢脸的家伙不管了，但见顾廷和与那帅哥老板争执，转念想到那个被人架走的丢脸家伙是她的闺密，她咬了咬牙，松了手，死命地推着眼前高大的保镖，大叫着江文溪的名字。

刚迈上二楼楼梯的曾紫乔回头望了一眼，对一旁的服务生说："带她一起上二楼吧。"

微湿的头发可以看出刚刚冲洗过的痕迹，已经换了一身干净衣服的乐天，点燃了一根烟在欧式的沙发上坐了下来，一双锐利黑眸直盯着对面沙发上发出均匀呼吸的女人，看不出任何情绪。

淡淡的烟雾在他的手指间萦绕着，慢慢升腾，飘散开来，四周的空气里都充斥着浓浓的火药味。

李妍低垂着眼望着睡得一头死猪似的江文溪，不停地绞着手指。

自进了这间办公室，李妍便做了详细解释，从江文溪父母双亡孤苦零丁无依无靠，到她从小品学兼优吃苦耐劳是个不可多得的上进青年，再到失业无数次生计已成问题，总之能把她说得有多惨就有多惨，只希望眼前的乐总能给她一次机会。

可任凭李妍唾沫星子飞溅，坐在对面的乐天连眼睛眨也不眨一下。

实在是没辙，李妍的目光只好投向一旁同样抽着烟的漂亮女人。

曾紫乔收到求助信号，不由得笑了起来，随性地弹了弹烟灰，偏过头看向满脸怒气的乐天："对了，刚才你那套衣服我让人丢了，你现在穿的这身衣服，发票放在你办公桌上了。"

乐天挑着眉，疑惑地望了望曾紫乔，她从来就不是个会多事的女人，除了对她老公，她明显话中有话。

望着在笑的漂亮女人，李妍得到了暗示再度开口："乐总，对于我朋友非……非礼您的事，我代她再次向您道歉。您大人大量，能不能再给我朋友一次机会？那份工作对她真的很重要。"

乐天依旧默默地吸着烟，不答话。

"乐总，关于那套衣服，我知道应该不便宜，若您要我朋友赔，说实话，以她失业的频率，我想那套衣服的钱，她一年内都不一定能赔得出来。"看了看江文溪，李妍决定豁出去了，这会儿就算是打雷，她也醒不过来，索性黑她黑到底，"乐总，江航买下原来超市那块地是要经营酒店的。你瞧我们溪溪，相貌身材都不差，只可惜身高不及一米六八，做迎宾显然不够海拔，但酒店总会要招一些刷锅洗碗拖地抹桌子的大妈大婶，比起那些整天会张家长李家短的阿妈阿婶，我们溪溪绝对是个好人选，您叫她向东她绝不会向西，您叫她站着她绝不敢坐着，该说的不该说的她绝对不会乱说一个字。我们家溪溪一听话，二肯干，三嘴巴牢，四，也是最重要的一点，就是便宜——"

"便宜？"熄灭了手中的烟，曾紫乔终于忍不住爆笑了起来。

"对！超便宜。"瞧见乐总的黑眸里总算闪烁起异样的光芒，李妍从沙发上弹起，"乐总，想想您那身衣服吧，总要有人为此买单，不是您，就是我们溪溪。请您再给她一次工作的机会吧，您可以以赔偿衣服损失为借口，只要支付她生活费就可以了，这样您的衣服有人买单了，她也不用天天在家啃地板，为贵公司省下了人力资源成本，又解决了一个失业人口，减轻了党和人民的重担，为国家创造和谐社会而做出了巨大贡献。一箭数雕，何乐而不为呢？"

斜靠在一边的曾紫乔捂着嘴不停地笑着，她从没听过有人这样"推销"自己朋友的。

沉默了许久的乐天只是淡淡地勾了勾唇角，终于抛出了一句话："明天，让她带着简历去原超市四楼人事部报道。"

李妍不停地点首哈腰，激动地在心中紧握起拳头，她成功了，总算把江文溪这个废柴给推销出去了，而且还见识到了白发帅哥魅惑无限的邪气一笑，脑子里立即蹦出两句打油诗：不以风骚惊天下，就以淫荡动世人。

江文溪拎着刚从生日蛋糕店里取出来的生日蛋糕，穿过两条小巷就到了市中级人民法院的门口。

今天是大舅四十岁生日。她从早上一起床就开始惦念着诱人的水果蛋糕，求了妈妈很久，妈妈才答应让她去蛋糕店取蛋糕。妈妈说，大舅作为控方证人做完证供，待审判结束之后就可以回家吃饭切生日蛋糕。

江文溪望着长长的几十层台阶，一直通向庄严肃穆的法院大门，十分好奇。拎着蛋糕，她快步爬上那高高的台阶。

刚踏入法院的大厅，她看到墙上国徽和天秤的图案，感受到法院庄严的气氛，开始有些害怕。守卫很快拦住了她，她摆了摆手，急忙说出了大舅的名字，并表示只是在这里等大舅出来。守卫一听是江警长的甥女，并未阻拦，还告诉她江警长在三楼审判四庭。

等了约莫二十多分钟，她没有看到大舅，趁守卫没留意，悄悄地爬上三楼。

"……本院认为，被告人××违背妇女意志强行与妇女发生性关系，其行为已构成强奸罪，N市人民检察院对其指控事实清楚，证据充分，罪名成立，依照《中华人民共和国刑法》第二百六十三条之规定，犯强奸罪判处有期徒刑四年……"

她立在楼梯过道口，远远地听到前方审判庭里传出的审判结果。

十四岁的她对"强奸"二字早已有了概念，知道那种事对女性的身心会造成极大的伤害。她攥紧拳头，在心中大骂着那个万恶的强奸犯，判处四年真是太便宜他了，应该判终身监禁才对。将来，她一定要像大舅一样，做一个除暴安良的好警察。

前方的门打开了，她看到两名庭警押着一个年纪约莫二十一二岁的青年男子出来了。那人奋力地挣扎着，声音早已嘶哑，但还在不停地喊着："我是被冤枉的，我没有犯强奸罪！我没有！我是被冤枉的！我不服！我要上诉！我没有犯强奸罪——"

　　她怔怔地看着那名年轻的强奸犯，面部满是憎恨愤怒的神情，原本俊朗的面部轮廓在淡淡的走廊光线里时明时暗，显得异常狰狞。

　　她被他的表情吓住了，心中害怕，手一颤一松，只听"叭"的一声蛋糕摔下楼梯。她慌忙地要去捡起那盒蛋糕，却忘了自己正挡在楼梯口的去路。脚下一滑，差一点就要摔下楼梯时，身体一轻，她被迅速地抱开。

　　是大舅。

　　"小溪。"

　　"大舅，蛋糕……"她的心怦怦跳个不停，心疼地盯着已摔散的蛋糕。

　　这时，那名年轻的强奸犯已被押下楼梯，踩过那盒蛋糕，他回首恶瞪着她的大舅江永明，疯狂地怒吼着："江永明，我没有强奸人！是你无能，你根本就不配当警察！你会遭报应的，江永明，我咒你全家不得好死——"

　　江永明抱着身体在不停颤抖的江文溪，轻拍着她的肩头，说："小溪，别怕，大舅在……"

　　"我是被冤枉的，我没有犯强奸罪！我没有！我是被冤枉的！我不服！我要上诉！我没有犯强奸罪——"

　　"江永明，我没有强奸人！是你无能，你根本就不配当警察！你会遭报应的，江永明，我咒你全家不得好死——"

　　"我没有强奸人——"

　　"我没有犯强奸罪！我没有——"

　　不要再喊了，不要再喊了。

　　"啊——"江文溪捂着耳朵尖叫着从床上坐起。

　　她大喘着气，睁开眼看清周围的布置，才发觉又做了那个恶梦。十年过去了，她依然忘不了当年在法庭听到那个年轻犯人的嘶喊。那天从法院回去，她的双耳就听不见任何东西，为了治疗听力，不得不休学一年。

　　后来没过多久，大舅便离了婚，舅母带着表姐江文慧去了美国。之后的一场车祸，使大舅再也见不到表姐文慧。表姐去世之后，大舅明明很悲伤却一直硬撑着拼命工作。

　　也许是老天可怜她，一次轮胎爆炸，她又能听到声音了，可是整个人也变了。

　　没过两年，她的父母也因在山里考查，遇到山体崩塌去世。她刚考上大学没多久，大舅意外出车祸，抢救无效，当场死亡。

　　正如那个犯人诅咒一样，他们江家的人都不得好死。

　　或许某一天，下一个死亡的就会是她。

　　她擦了擦额上渗出的密密细汗，觉得口干舌燥，下床倒了杯水，一饮而尽。蓦地，她想起昨晚好像和李妍，还有三个男人在酒吧喝酒，什么时候回到家的，她怎么都不记得了。

这时，手机铃声响了，是李妍打来的。

"死丫头，才睡醒？"

"嗯，做恶梦了……"

"活该！"

"你好没爱……"

"对你有爱有用吗？哼，把毕业证书、身份证、个人简历准备好，赶紧去你原来工作的超市四楼人事部报道。十点之前一定要到啊，记得穿漂亮点。"

之后李妍叽里呱啦说了一大串，大意是昨晚她砸碎酒瓶想打爆白发魔男也就是酒吧老板的头，还像野兽一样撕了他的衣服，抱着他吐了他一身，结果是白发魔男不但没怪罪她，还以德报怨，重新给她一次工作的机会，让她十点钟去原超市四楼报道。

接完了电话，她如同一尊雕塑一样僵立在窗前一动不动。许久，她的身体直直地向床上倒下去，以手蒙脸，羞愧地恨不能找个地洞钻进去。

她错怪了那位白发帅哥。

李妍把她说得如同一个色中急鬼，当着众人的面非礼那位白发帅哥。可这一切，她完全没有印象。

这一次真的是因祸得福，她居然好命地可以进入江航集团工作，一定是爸妈和大舅在天之灵保佑。

她紧张地看了看手机上的时间，已经是八点四十了，再不打理就来不及了。她兴奋地迈着华尔滋的舞步走进卫生间，一个不小心就撞在了门框上。她摸着额头被撞疼的地方，不恼反笑，因为这是上帝在提醒她，她又有工作了，这事是真的。

常言道，上帝为你关上一道门，一定会为你打开另一扇门。这句话对别人来说是真理，对江文溪来说，上帝连一扇窗户都没留给她，更何况是一扇门。

望着手中的破抹布，她无言地嘟着嘴，她就知道上帝不会如此眷顾她。

她天真地以为那个白发魔男是耶稣再世，其实根本就是一个心胸狭窄报复心极重的卑鄙小人。

试用期三个月，每月一千块，对于试用期的薪资待遇她根本就不期待有什么突破，最让她悲愤的是每月需扣除五百块用于支付那晚上她毁掉的衬衫和西裤。

上帝啊，那一白一黑的两块布料是黄金织的吗？与奔驰相差一个字，那件

衬衫就要三千多块，沾了马克思哲学其中两个字，那条西裤就要四千多块？为什么一定要将那套衣服扔了，洗洗不是一样穿吗？只赔干洗费，她现在就可以掏出来啊。

有钱人真是只会造孽哟！

更可悲的是，她找李妍哭诉，李妍不但不安慰她，还说江航肯收她，是她走了狗屎运。

她实在是想不通，素来好脾气的她，怎么可能喝醉了酒就会变成暴力狂。

她现任的工作岗位说好听点叫前台接待，说难听点就是办公室打杂小妹。比起之前在超市做收银员，似乎她更加沦丧了。

常言道：生，容易；活，容易；生活，不容易。

为了生存，她认了。

她不停地安慰自己：江文溪，知道现在有多少人失业吗？你还能有份打杂的工作可以做做，你知足了吧。

操持着手中的抹布，她咬着牙将考勤钟擦得亮亮的，还有一分钟就到上班时间了，她也可以松口气了。

虽然以前在超市待过近三个月，可在这四楼办公区上班不过是半个月而已。仅这半个月，她就见识到了，每天早上八点二十五分至八点三十分之间，电话总会非常有规律地几秒钟一响。

这时，同为前台接待的杨敏会抢着去接总机电话。电话一挂，她就会看到杨敏抽出某位同事的考勤卡往那考勤机里一插，"吧嗒"，完成了任务。有时候在二十九分左右，杨敏会同时抽出好多张考勤卡，"吧嗒吧嗒"，一一打个遍。坐在一旁的她，只能眨巴着眼，惊奇地看着这一切。

今天杨敏迟到了，她庆幸没人打电话过来要求代打卡。说句实在的，不是她没有同情心，而是泥菩萨过江，自身难保。她不过才来半个月，若是因为被人事部或是什么经理逮着她代打卡，害她又丢了工作，她真不如去死了算了。

刚准备去洗手间搓洗抹布，这时，总机电话铃声响起。她的头皮一阵发麻，犹豫了一下，不得不回头，用甜到发腻的声音接起电话："您好，这里是江航大酒店！"

电话那头传来一个陌生的声音："小杨，我赵宝胜，帮我打个卡。"

她愣了愣，有些错愕："我不是杨敏，她还没来……"

"不是杨敏？你是新来的那个吧？"

"……嗯。"她轻应。

电话那头又说："我在楼下，你先帮我打个卡，一会儿我就上去。"

"哦……"她为难地应了一声，对着两排考勤卡上的名字，小心翼翼地问，

"不好意思，能不能麻烦你再说一次你的姓名？还有部门……"

电话那头沉默了几秒，随即听筒里传来因气愤而发出的极不均匀的呼吸声："你怎么当前台的，连公司员工名字都记不住？"这边话音刚落，考勤钟便奏起了"致爱丽丝"的美妙音乐，那人急了起来："工程一部赵宝胜。"

"哦，工程一部赵宝胜，"她抓着电话听筒，目光急扫着考勤卡，"你等一下别挂，这里没有一个叫赵宝胜的。"

"怎么没有？第一排第三个！"

"那个……第一排第三个叫马小云，不叫赵宝胜……"

"你眼睛是不是有问题？！怎么没有？！"

"等一下……找到了，在第二排倒数第三个，"她抽出好不容易找到的考勤卡，刚要插卡却发现时钟上显示的时间已经是八点三十一分，她硬着头皮，"但是……现在是八点三十一分，你确定还要我代你打卡吗？"

"当然要打，不然这一分钟的电话费就白费了。"完全不一样的陌生声音在江文溪的身后响起，听似漫不经心却是带着命令的口吻。

回转头，江文溪瞪大着双眼望着身后那头久违的银白色头发，惊愕地张着嘴说不出话来。她刚想将手中的考勤卡收起，就被人无情地抽走，只听"吧嗒"一声，那卡片上被强行盖上了迟到的时间罪证。

乐天慢慢地回转身，望着满脸惊慌的江文溪，淡淡地勾起唇角审视着她，下一秒便欺近她，迫使她向后退了一步，刚好抵在前台边缘不能动弹，从她手中拿过电话听筒，那里面早已一片盲音，轻轻地挂上，然后抬眸淡淡地道："做得很好。"

声音不大不小，恰到好处，无论站在大厅的哪个角落都可以听得一清二楚。

什么意思？为什么要这样说？她以为他会严厉地批评她。

透过他那若有若无的笑意，霎时，江文溪浑身徒然起了一阵寒意，猛地偏过头看向大厅入口处，那里立着一排同事，其中包括杨敏。此时此刻，一个个正愤恨地恶瞪着她，尤其是杨敏，看她的眼神恨不能剥了她的皮。

刹那间，她整个人犹如被人泼了一盆冷水，从上到下凉透了。

她终于明白了白发魔男那句话的真正意思，他故意当着众人的面歪曲她有意拖延时间，害那个赵宝胜迟到，是存心想在他面前表现……

她直觉脱口而出："我没有……"

"嗯？"乐天挑了挑眉，似乎很期待她说下去。

她终于领教到这个白发魔男的恶劣手段，不但在金钱上压榨她，还要在人际关系上让她变得众叛亲离，简直是没见过比他更坏的了。现在，她已然百口莫辩。

李妍和她说白发魔男怎么通情达理，怎么以德报怨，现在她怀疑根本就是这家伙伺机报复。

乐天很满意地看着江文溪有口不能言的表情，转身对着门口立着的一堆员工，云淡风轻地说："你们一个个都站在那儿做什么？怎么不打卡？"

话音刚落，一个个急忙涌向考勤钟，打完了卡，还面带笑容地向他行完礼才回自己的办公室。

江文溪望着他们"愉快"的表情浑身冒汗。

直到整个大厅内的人全散光了，乐天冷冷地看了一眼她才向自己的办公室迈去。

俗话说，人生四大惨事——

久旱逢甘霖，几滴；他乡遇故知，借钱；洞房花烛夜，不举；金榜题名时，重名。

对江文溪来说，还应再加第五大：蒙上司夸奖，构陷！

因为代打卡事件，人事部当天上午就下了处罚通知，工程一部的赵宝胜迟到且请人代打卡，罚款两百块；前台接待杨敏因代打卡证据不足，给予警告处分，若有再犯，予以辞退；所有迟到的，一律按公司人事制度执行；再发现有代打卡现象，一律严惩不怠。

这一道通知，让站在地狱门口摇摇欲坠的江文溪直接跌向了地狱的第十八层。

杨敏再没和江文溪说过一句话，其他同事对她皆一副"横眉冷对千夫指"的模样。接踵而来越来越多的琐碎之事，全部落在了她的头上，完全超出了一个前台接待的工作范围。如今，她不仅是打杂的，还成了跑腿的。

对于这种情形，她只能打落了牙齿往肚里咽。有时候想想，真想辞去这份工作算了，回首又想想，如果她就这么辞了工作，不是正中那个白发魔男的下怀吗？那些委屈不就白受了吗？所以她决定忍了，如果可能，她一定要把受的这些委屈统统还回去。

不过，这种可能性是微乎其微，所以她也只能放在脑子里意淫了……　每天中午，她都是被排在最后一个吃午饭。饭菜不但全凉了，而且只剩下最后一点稀烂的蔬菜，她已经很多天没有吃到肉了。今天好不容易看到有一块猪排，明明就没有人会比她吃得更晚，那个打菜的师傅偏偏睁着眼说瞎话，说没菜了。

望着玻璃后仅有的一块猪排，又望了望自己餐盘里的几根烂青菜，她咬了咬牙，终于鼓起勇气，以蚊子哼哼的声音对打菜师傅说："那不是还有一块吗？怎么就没有了？"

打菜师傅看都不看她一眼,冷哼一声:"那不是准备给你的。"

"每天又不会有人比我吃得更晚……"还有谁会比她吃饭更晚,明摆着就是那打菜师傅故意刁难她。

楼下饭店正在装修之中,预计明年五一前开业。

这些日子,乐天忙得头昏脑涨,还要在集团总部和饭店来回奔波,难得有一天中午去员工餐厅用餐,却让他看到这令人皱眉的一幕。

他往打菜窗口走去,本来倚在一旁不说话的打菜师傅一见他走过去,立即将最后一块猪排和其他菜盛好装进餐盘里,笑眯眯地递给他。

他没有接餐盘,目光落在一旁的江文溪身上,淡扫了一眼她餐盘里的饭菜,再看看自己的饭菜,大致明白发生了什么事。

江文溪只敢在心中咒骂白发魔男"强盗",撇着嘴,端着餐盘在一旁的空桌前坐了下来,气愤地捣弄着盘中几根烂青菜。

乐天回首注视她吃饭的气愤模样,有一种说不明的情绪,他以为上次打卡事件过后,她会主动离开这里,结果是,她坚挺下来了。

他抬手看了看时间,已经是十二点三十五分,员工用餐时间是从中午十一点半开始,这会儿偌大的员工餐厅只剩下他和她两人就餐,听到刚才她和马师傅的对话,也就是说她每天都是要到这会儿才能吃午饭。

关于打卡事件,他是利用她杀鸡儆猴,整顿不良风气,但这并不代表他以江航集团总经理的职位去欺压一个小小的前台接待。

与手下员工抢饭菜,这种事只会使他自贬身份。

他对那位师傅说:"还有没有菜?有的话就现炒两道,待会儿端到那桌。"

那位师傅连称有菜,一脸狐疑地看着他走向那个出卖同事的小丫头。

感受到对面一道阴影投过来,江文溪抬了抬眼睛,便瞧见白发魔男在她对面坐了下来。

餐厅这么大,这么多空桌他不坐,偏偏坐在她对面。

咽下口中难吃的青菜,她端起餐盘打算坐隔壁一桌,刚起身便听到他低沉的嗓音:"坐下,还有菜没上。"

他的声音很轻,但每个字都非常清晰地传入她的耳朵里。

身体就像是被钉子钉住了一般,她舔了舔嘴唇上的油渍,难以置信地望着他。白发魔男刚才对打菜师傅说加菜,难道是因为她?

江文溪不经意间以舌舔唇的小动作,在男人的眼中成了一种致命的诱惑。乐天也不例外,微眯着眼凝视着她。

她有一张清雅的容颜,算不上特别的漂亮,但那一双沉静而黑白分明的眸子,却是给人极为深刻的印象。这让他想起在 K.O. 那晚,她拿着酒瓶对着他讨要工作的神情，与现在完全两样。一个是张牙舞爪的野猫，一个是胆小怯懦的白鼠。

他淡淡地又吐了一个字："坐。"

江文溪知道自己应该有骨气地坐另一桌，可是脚就是移不动。

坐，可能会消化不良，但可以不用吃冷饭和烂青菜；走，一定吃冷饭和烂青菜，但可以吃得轻松自在。

坐？还是走？

一阵犹豫，她小心翼翼地抬眸看向他，正好对上他的目光。面对那深色瞳仁里散发出专注的光芒，她的脸不由得微微泛红。不得不承认，这男人英气逼人，浑身上下带着一种致命的诱惑和危险的气息。

在胃和味之间，最终，她选择了味。

她咬着唇，小心翼翼地坐回原位。

不一会儿，加菜上桌了。

乐天夹着菜，吃了几口饭菜，却看到江文溪并未动筷子，他挑了挑眉："怎么不吃？"

"看到你没胃口……"江文溪想都没想，直接将脑子里的想法说了出来。

乐天差点被口中的饭菜噎着，咳了几声，脸色黑青。第一次，他从女人的口中听到这种话——他会让人没胃口？

话一出口，江文溪恨不得咬掉自己的舌头。她不是觉得他的长相倒胃口，而是以他的身份与她同桌坐在这里，面对面地用餐，让她倍感压力，所以才会觉得没胃口。

"乐总，我不是那个意思，其实……"见到乐天越来越难看的脸色，她吓得没敢再解释下去。

沉默，让人窒息的沉默。

未久，乐天将筷子"叭"地放在桌上，俊脸生寒，冷冷地看了一眼不知所措的江文溪，起身便离开了员工餐厅。

顿时，江文溪像泄了气的皮球，她为自己口不择言，说话不动脑子的白痴行为而感到沮丧，她真的不是故意那样说的。她又要倒霉了，白发魔男的心眼比针孔还要小，上次她不过是吐他一身，他就施离间计。这一次她说他让人没胃口，还不知道要怎样整她。也许，今天就是她在这里的最后一天了，她又要失业了……

她哭丧着脸，盯着面前的菜，心想：反正结局都是要走，但是她不能放过这最后一顿饭。古代死刑犯，还是吃饱了最后一顿才上路的呢，何况面前还有一块她想了很多天的猪排。

抓起筷子，她狼吞虎咽地吃起来。

晚上，江文溪告诉李妍，她又得罪白发魔男了，说他让人没胃口。李妍听了一下子从沙发上跳起，以食指戳着她的脑袋，一个劲地说她长了个猪脑，那样秀色可餐的大帅哥被她说成"让人没胃口"？让人倒胃口的明明就是她。还说，她等着受死吧，很快又可以卷铺盖回家了。

她当时真的是直觉反应，谁知道白发魔男反应那么激烈。

事实呢，并没有江文溪想得那么糟，员工餐厅里得罪白发魔男之后，她有大半个月没见到他，害她整天提心吊胆。

唯一有变动的就是杨敏临时被调到人事部去了，留下她一人被全楼层的同事奴役着，更加暗无天日。

累了一天，她回到家里往床上一躺，就不想再动。

目光瞥见柜子里挂着的一套非常淑女的粉色套装，她就头大。

李妍的堂姐李雯这周五结婚，本来李妍是李雯姐的伴娘，可上周末李妍不知道从哪儿听来一个说辞，就是当过三次伴娘的女人以后很难嫁出去。李妍这个卖友求荣的家伙，为了自己日后的幸福，不顾她死活，极力向李雯姐推荐她，还将新买的一套粉色套装免费奉献出来。

李雯姐将李妍狠狠地修理了一顿之后，亲自上门请她帮这个忙，还让她不要担心，挡酒的事有伴郎就行，如果伴郎不行还有新郎，她只要站在新娘旁边露出笑容就可以了。

如果只是站在一旁卖笑，她当然没问题，但是万一她被宾客灌了酒之后又做出什么不可理喻的事来，她可不想再莫名其妙地赔人家一套衣服钱。

李妍再三保证，如果婚宴上她喝多了，会直接把她打晕送回家，保证不会再出现酒吧事件让她损失一毛钱。

在李妍和李雯两堂姐妹的强猛攻势下，她的脑袋变成了一团浆糊，最终思及李雯姐临时再去请人做伴娘确实不太容易，于是点头答应了。

今天，她向行政部经理请假，行政部经理却冷淡地对她说："根据新发的人事通知，我没权力批你的假，你直接找乐总签字吧。"

行政部经理口中那所谓的新发的人事通知，是她下午才打好的好不好，执行日期是从下月一号开始。她心里清楚，不是行政部经理没权批假，而是因为代打卡的事，行政部经理没少挨批，怎么可能轻易批她的假。

想到大半个月前她在餐厅得罪白发魔男的事，她唯有硬着头皮，拿着请假条敲响了他办公室的门。在听到"进来"那低沉的声调时，她怀揣一颗忐忑不安的心推开了那道门。

白发魔男正以其修长的手指翻着文件，她进去之后，他连眼抬都没抬，直

到她将请假条递到他的眼皮底下，他才从那一堆文件之中抬起头看她，既没发话，也没签字。

偌大的办公室内，一时间寂静得仿佛只能听见自己的心跳声。

在白发魔男的注视下，她感觉到自己的脸颊犹如火烧一般，心都快要跳出嗓子眼了，因为请假理由她写的是考试。

未久，他的目光从她的脸上移开，她便看到他拿起笔签了字。

拿着请假条，她诚惶诚恐地退出了总经理办公室。扫了一眼那上面龙飞凤舞的签名，她不禁一怔。

乐天？那个什么邻国的口香糖不也是叫这个名字吗？

"噗哧——"她躺在床上不由得轻笑出声。白发魔男的名字还真是好笑，居然是口香糖的名字。明天，她就去超市买一瓶这牌子的口香糖。对他，她不敢怒不敢言，那么把他当口香糖用牙齿死命地蹂躏，总可以吧。谁让他叫这么个名字，她正愁找不着泄愤的机会呢。

第二章

命运让人无言以对

虽说兔子不吃窝边草，

但，有草何必又乱跑？

With love
For you

周五一大早，江文溪就赶到李雯的家，化妆师正在给李雯化妆。李妍看到一脸素颜的她，碎念几句，拿起化妆品便在她的脸上折腾起来。

片刻之后，她看到镜子里的脸，怔了五分钟才回过神，然后指着镜中自己对李妍说："难怪人家说现在的水货越来越多，你看，现在与刚才相比，简直是化腐朽为神奇。"

李妍用手指戳了下她的脑袋，说："最腐朽的就是你这个猪脑袋，听过没有，没有丑女人，只有懒女人。"

江文溪摸了摸被戳痛的脑袋，嘟着嘴道："我连基本温饱都解决不了，还在乎什么懒女人丑女人。"

约莫一个小时之后，新郎周成带着一堆人历尽万难终于冲进了新房，她才知道今晚身负重任的伴郎竟是顾廷和。

顾廷和乍见江文溪的那一刹，怔了怔，数秒之后，便冲着她微微一笑。

江文溪心想，他笑起来真好看。

后来，她知道原来顾廷和是周成的表弟。

虽然有参加过婚宴，但江文溪从未给人当过伴娘，经过一天的劳累，她才知道原来结婚是多么的累人。眼下晚宴迎宾，陪着新人站了一个多小时，她感觉脚已经不属于自己了。离晚宴开席约莫还有一刻钟的样子，据说还有两位重要的贵宾没到。

顾廷和见她锁着眉心，目光顺着看向她脚上那双细高跟，不禁皱了皱眉，挨近她，小声说："你要不要去那边休息一下？"

被顾廷和这样一说，她的脸蓦地一红，急忙摇了摇头："不用。"新娘子比她还累，都没坐到一边，她怎么能坐到一边去。

"再坚持一会儿。"

顾廷和微微一笑，让她不由得想起白天的时候，他一直照顾自己，不仅新郎新娘就连不认识的人都打趣他们，说要不要考虑发展一下，害她一天都挺尴尬的。

就在江文溪走神之际，其中一位贵宾来了。

江文溪含笑抬眸，当看清面前那张她每晚睡觉之前都会诅咒几百遍的熟悉面孔时，连忙偏过身，往后退了一两步，试图让来人忽视她这位伴娘的存在。

新郎周成是江航的法律顾问，乐天应邀参加周成的婚宴。他抱歉因塞车这么晚才到，周成热情地上前握住他的手，声称人来就好。

在看到身为伴郎的顾廷和时，乐天眉目轻挑，唇角微扬，神情自然而坦荡。

顾廷和回以浅浅一笑，伸出右手，为上次在 K.O. 的事表示歉意。

乐天礼节性地回握，收回手，目光便落在新娘身后一直偏着头的伴娘身上，有些眼熟，不由得多注目了几眼。

是她？！

"赶紧合个影。"摄影师说。

李雯偏头找伴娘，却看见江文溪垂着头离她有两米之远。

"溪溪，过来照相了。"

一旁的李妍见江文溪低垂着头，当她是见着自己的上司白发帅哥害羞了，于是小推了她一下。

这一推，江文溪被迫往前迈了两步，视线范围内正好扫到一身银灰色的西装。紧握着拳头，她心一横，抬起双眸，摆出一副"好巧"的笑容对上面前那双漆黑如墨的眼眸。

乐天轻挑了挑唇角，露出淡淡的笑意，以极轻的声音说道："这考试的时间可真是久，从早到晚，辛苦了。"

顿时，她窘得胀红了脸，唯有眨巴眼睛，干笑了两声。

乐天淡扫了一眼，便立在新郎的身旁。

虽然隔着新郎新娘，江文溪依然能感受到乐天身上散发出领导迫人的气势，胸腔内难以平复的心在怦怦跳个不停，对着数码相机的镜头，她咧开了嘴角，无声地念着"cheese"，才勉强摆出一丝尚可控制面部不再抽搐的笑容。

合完了影，她紧张地用余光瞥了瞥乐天，发现他压根就没有再注意自己，不由得松了一口气。

短暂的走神，最后一位重要的贵宾也来临了。

江文溪瞪着双眸，望着迎面走来一位西装笔挺，戴着一副金色眼镜的英俊男士，及身边挽着他，一袭白色长裙美丽优雅的女士。

好一对郎才女貌的登对佳人。

新郎周成热情地迎上前："方子贺，你终于来了，还以为你赶不过来呢。"

那位被称作方子贺的男士笑了笑说："老同学结婚，我怎么样也要赶过来。"

"来，给你介绍下，江航集团的乐总乐天，本市年轻有为帅气多金的黄金单身汉。"周成热情地为二人介绍，"乐总，这位是我大学同学方子贺，曾是我们S大最厉害的铁嘴鸡律师，这位是他的妻子周梦珂小姐。不过如今这人啊都崇洋媚外，这都不在国内发展了，拿绿卡的。"

从方子贺携周梦珂进门的那一刹，乐天就已经看到了他们。

无情的岁月似乎并未在二人的脸人留上任何痕迹，相反，留给他的，却是让他永远都不想抹去的一头银白色头发。

周梦珂在见到乐天的那一瞬间，脸色变得异常苍白，望着他那头银白色的头发，嘴唇动了动，想说什么却硬生生地忍住了。

方子贺搁在妻子腰间的手不经意间收紧了，随即又松开，向乐天伸出右手："好久不见。"

乐天淡淡地笑着，礼节性地回握："好久不见。"

"你们俩认识？"周成惊讶。

"故友，"方子贺回道，"大约有十年不见了。"

故友？乐天淡淡地笑了笑。

不待新郎周成再度问话，司仪急匆匆地走过来，说："还有五分钟就开始了，快合个影，要叙旧的里面请，新郎新娘快准备准备。"

"快快快，一起合个影。"

江文溪的视线尚未从乐天和那对夫妻身上拉回，期待多听点什么八卦，就被再度拉着大合照。

方子贺携着妻子周梦珂往宴会厅步去。当两人迈过那道鲜花拱门，江文溪无意中瞥见那位律师夫人回首，一双饱含着忧郁神色的眼眸向她的方向望来，不，确切地说，她是在看白发魔男。

她顿感好奇，目光顺势向乐天看去，他正皱着眉头看着那位律师夫人，直到那两人的身影消失在鲜花拱门下，他才跟着进了宴会大厅。

这时，李妍用手臂捅了捅江文溪，小声地说："哎，你有没有注意你们乐总和那位方太太的眼神很不寻常？"

江文溪皱了皱眉，说："有吗？换作任何一个人都会多看他一眼吧，谁叫他顶着一头那么招眼的头发。"

李妍白了她一眼："就你这眼色，不知道当年怎么好意思跟我们说要当一名像你大舅那样的刑警。"

"只能说明我没你那么三八。"江文溪的目光再度看向前方的鲜花拱门，回味起之前那位方太太暧昧不明的眼神，似乎和白发魔男真的不寻常。

可是，就算这两人之间真有什么，关她江文溪什么事呢。

顾廷和虽没听见两人在讨论什么，但瞧见江文溪说李妍三八，便上前调侃："论三八，你怎么可能是李妍的对手？她家小熊可是爱称她李八婆。"

"死顾廷和，你作死哦。"李妍追着要打他。

"众目睽睽之下胆敢袭警。"顾廷和佯装严肃，"好了，我要和表哥进场了，我在里面等你。"这句话是对江文溪说的，听起来十分的暧昧。

李妍鄙夷地戳了他一下："原来警察也会勾引良家妇女，快滚进去吧，待会儿喝酒的时候看我不整死你。"

江文溪的脸微微泛红，同为刑警，顾廷和与严肃古板的大舅真是好大差别，大舅是绝对不会在众人面前这样轻松嬉笑，而顾廷和完全颠覆了她心中刑警的原本形象。

在司仪的妙语连珠下，新人互换了定情信物钻戒，吻了长达一分多钟，众人才罢休。

礼花声声响起，众人举杯同贺。

江文溪随着新人终于入座宴席，万万没有想到，乐天和那对夫妻就坐在隔壁桌。偏偏就那么巧，乐天坐的位置就在她的斜对面，只要她一个抬头就能看到那头耀眼的银白色头发。偶尔，她撞上他若有若无皮笑肉不笑的笑容，便感觉全身毛孔张开，汗毛直竖，想要夹菜的欲望顿时消失得无影无踪。

顾廷和常听李妍说江文溪很害羞，见她坐在那儿一动不动，便主动为她夹菜，说："刚才只是第一轮程序，现在不吃，过会儿就没机会了。表嫂待会儿一换装，你连上洗手间的机会都没有。"

她一脸茫然地望着他，为什么警察可以知道得这么详细，仿佛他曾经结过婚似的。

事实正如顾廷和说的那样，李雯一换装，她必须在李雯之前起身，冲向化妆室，将李雯要更换的晚装准备好。甚至到李雯换好了第三套晚装，她连主桌的边都没挨过。

接下来就要挨个敬酒，她跟在李雯身后尚未迈进宴会大厅，便浑身紧张，声称要先去一趟洗手间。李雯笑着安慰她，说有顾廷和在，尽管放心。

她羞赧得脸一红，急忙往洗手间的方向走去。

她不承认自己笨，而是认为装潢设计师很无聊，为了体现饭店的独特风格，将整个过道设计成不规则的环行。经服务生的多次提示，她沿着弯弯曲曲的走廊绕了两圈，总算是找到了洗手间。

正要推开洗手间的门，里面走出一位漂亮的女人。

女人冲江文溪淡淡一笑。怔了数秒，江文溪才反应过来，是那位律师夫人周梦珂，便含笑对她点头。

想起李妍的话，江文溪不禁回首望了望周梦珂的背影，她很少见到这样漂亮娴静的女人。席间，她偷偷地观察了乐天、周梦珂和方子贺不下数次，没有特别的发现，三人看起来再正常不过，甚至没有看到乐天与周梦珂之间出现她以为会有的眉目传情。

李雯姐说，周梦珂是 S 市公安局周局的掌上明珠，与年轻有为的律师方子贺于十多年前就认识了，两人恋爱长跑了多年才步入婚姻的殿堂，一直待在美国直到昨天才回国。

思及方子贺声称他和白发魔男是故友，又十年未见，加之白发魔男与周梦

珂暧昧不明的眼神，想来十多年之前，应是一场说不清道不明的三角关系。

十多年前的事？那，白发魔男现在究竟多大了？

江文溪脑中浮现起他那张帅气迷人的脸庞，排除那头耀眼略显沧桑的银白色头发，他最多不超过三十岁。

咦，她好好地干吗研究起白发魔男今年贵庚？也许是受了李妍的影响，她也变得有些三八。对着镜子，她不禁耸了耸肩，反正她又没资格去做娱记，何必对人家的隐私这样好奇。

顺了顺头发，她出了洗手间。

立在长长的过道中央，她不禁皱起了眉，往宴会厅的方向究竟是该向左还是向右？再三犹豫，并诅咒那个设计师无良，她选择向右方走去。

在过道拐角处，她听到一个男人的声音传来，似乎在对什么人发着火。正当她想回避，选择往另一方向走时，她听到那个男人怒喝一声："周梦珂，和我在一起十年了，你还是没有忘记过他。"

江文溪觉得自己并不是一个好奇心很重的人，但在李妍的熏陶下，她不得不承认，她变质了，变得不纯粹了，变得低级趣味了。

好奇心的驱使，她缓缓地向前移动脚步。就在要看到拐角处对话的男女主角时，她的胳膊被人猛地拉住，下一秒她便落入一个结实的怀抱之中。

尚来不及惊叫出声，唇已被人以食指轻点止住。

她惊愕地瞪大着双眸，入眼的竟是一对深邃的眼眸，其间闪过一丝难解的沉郁。

要命，居然是……是白发魔男！

果不其然，事实再次证明：一、洗手间绝对是发生意外事故的密集地；二、背后绝不可乱非议人；三、好奇心可以杀死一只猫。

他的脸离她好近，他的目光沉静而悠远，看不出任何情绪。

她颤抖着身体，以只有两人方能听到的声音对他说："乐……乐总，我……我什么都没有看到……也没有听到……"

他注视着惊慌失措的她，并没有放开她的意思，而是将脸欺近她，他的唇离她的唇只有一寸。

拐角那边，方子贺的声音再次响起："现在后悔了？那你当初为什么不选择相信他？他在那里待了四年，为什么我要带你去的时候你不肯去？为什么要选择我？！"

蓦地，女人的声音响起，带着些许疲惫："你今晚喝多了，我不想和你吵。十年了，如果你非要这样想，我也没什么好说的。"

"周梦珂，你给我站住！"

伴随着男人怒吼的声音响起，江文溪只感到眼前一暗，淡淡的酒气扑面而来，下一秒唇便被密实地封住。

难以置信，她只不过是上个洗手间，好奇地八卦一下，也可以被上司强吻。

她拼命地挣扎着，嘴唇稍有点空隙，便狠狠地咬了一口那个侵犯者的嘴唇。

乐天吃痛，带着怒意，用手硬生生地扳过她的脸，再次吻上她的唇。她羞愤地抬起脚用力踢他，却被他敏捷地躲过。

脚步声越来越近，他不给她丝毫挣扎的空间，一手扣住她的后脑贴近自己，一手紧紧环住她的细腰并抓住她想要挥打的手臂，右腿挤进她的双腿之间防止她因挣扎而乱踢，将她抵在墙壁上疯狂而炽烈地吻着她，吞去她所有强烈的抗议。

他的身体呈一种压迫的姿势，吻着她的唇热烈而辗转。

从未感受过唇齿交融的江文溪，被他紧紧地拥吻着，渐渐地，她放弃了挣扎，脑子开始混沌起来，全身的细胞随着狂乱的心跳而膨胀。

不知过了多久，隔着衣料，掌心接触下，乐天感受到怀中的女人在不停地颤抖，呼吸急促，随即放松了手指的力道。带着一种罪孽感，他将唇缓缓地移开，近距离地凝视着怀中的女人，她像只受到惊吓的小动物，紧紧阖住的眼睫像蝶翼般颤动，渗出点点湿意，那种我见犹怜的姿态让他深深闭起了眼。

他承认他很卑鄙，为了让她心里好过些，他的手轻轻抚上她的头，将她的脸埋进自己的怀中，紧紧地抱着她，在她耳边低低地安抚："对不起，就当帮我个忙。"

身后，一个深沉的声音响起："阿天，十年未见，你的作风还真是一点都没变。"

乐天松开紧拥着江文溪的手臂，改将她紧紧地揽在身旁，转过身望着从小一起长大的好兄弟，嘴角轻抬："我从小就缺乏耐心。"

听来十分暧昧的一句话。

方子贺低笑了一声，伸手将木讷的妻子周梦珂揽在身旁，盯着一直倚在乐天怀中低垂着头，长发遮住半边脸的江文溪说："阿天，不为我们介绍一下吗？虽说是今天的伴娘，你也应当郑重地介绍一下。"

"我的……未婚妻，江文溪。"感受到怀中之人身体猛然一僵，乐天揽住她腰的手稍稍施了力，他不允许这时候出一点点差错。

江文溪并没有如他预期的一样笑脸迎人，依在他的身侧，死咬着嘴唇，依旧是低垂着脸，好容易才将隐忍了半天的悲愤之色压了下去，却听到他称她是未婚妻。就算她再笨再傻，她也明白她被白发魔男平白地利用了。不但被他强吻，现在还被强逼着演一场情人相见分外眼红的烂戏码。

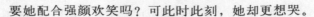

要她配合强颜欢笑吗？可此时此刻，她却更想哭。

得不到江文溪的配合，乐天被迫伸出手，将她贴在耳际的发丝轻轻抚开，技巧性地将她眼角的湿意抚去，以食指将她的下颌轻轻挑起，迫她看向他，轻声问："怎么了？害臊了？这是我从小玩到大的好兄弟方子贺，还有弟妹周梦珂。"

江文溪在这似情人之间才会有的呢喃低语中抬起头，对上他那双情意绵绵的眼眸，心陡然震动了一下，那里蕴藏的暖暖情意似要将人融化。只是瞬间，她便清醒过来，这一切都是假的，面前揽着她的可恶男人在利用她，在作戏。

究竟是什么样的人，会让他这个坏心眼的人大费周章？

她转过脸望向她之前想窥探的男女主角，勉强轻点了点头，看似羞涩而含蓄。

方子贺笑了笑："看来我和梦珂回来对了，什么时候请吃喜酒？"

乐天眯起眼睛，偏头看了一眼令他不解的江文溪，说："放心，一定会通知你和弟妹的，届时你只要包一个大红包就好了。"

"好，就这么说定了。"方子贺看着江文溪的衣服又道，"伴娘应该要回去陪新娘子敬酒了。等我和梦珂回 S 市安顿好，我们再出来聚聚，到时候好好聊聊。我和梦珂先进去了。"

乐天淡淡地笑着："一言为定。"

周梦珂僵直着身体任由方子贺揽着她向宴会厅走去。她的脸色始终是苍白的，脑中一直想着方才的那一幕。单凭那身衣服，她便知道乐天怀中的女人是那个伴娘，刚才在洗手间碰到的那个女孩。

十年之后再见，却是让她见到他和别人忘情亲吻的画面。她以为十年的时间，她可以完完全全地忘掉他。可是再见，尤其是当看到他拥着别的女人时，她的心口之处隐隐作痛，难以呼吸。

她多么地嫉妒那个年轻平凡的女孩。

但，这又怪得了谁？

正如子贺说的，十年前，是她没有选择信任他，是她没有选择等他，是她选择了放弃他。在他最痛苦的四年里，她甚至连去看都不愿看他一眼。如今，他又风光地立于人前，她有什么资格去嫉妒别人？

"你该死心了。"就在周梦珂暗自神伤的时候，耳边传来丈夫冷冷的声音，不禁苦笑。是的，她早该死心了，从不信任乐天的那一刻起，从选择离开他的那一天起。

直到见不到方子贺和周梦珂的背影，乐天才松开了揽住江文溪腰的手，并向后退了一步，轻咳了几声，方启口："刚才……我很抱歉。情非得已，希望你不要往心里去……"

江文溪强忍着不让泪水滴落，抬眸看着他："不要往心里去？如果你上个洗手间被人莫名其妙地强吻了，你会不往心里去吗？"

　　见到她快要落泪的模样，乐天明白方才的道歉有多烂。他一只手抄在西装裤口袋里，另一只手握起的拳头又松开，叹了一口气，说："你想要怎样补偿，尽管提出来吧。"

　　江文溪闻言，一言未发。

　　补偿？她敢要什么补偿？刚才的事说出去，没有人会相信她是被强吻，更多的人会认为她矫柔造作，和大帅哥上司接吻，这种美事简直是得了便宜还卖乖。现在这个社会，就算是被人潜规则，也是人家看得起你。

　　这事，算她倒霉吧。

　　李雯姐还在等她呢，她已耽误了好长时间。

　　再次抹了抹眼角，她挺直了身体转身往宴会厅的方向跑去。

　　这时，一位服务生端着一盘水果拼盘经过，她没看清一头撞了上去，将服务生手中的水果拼盘撞飞了出去。

　　"哐啷"几声，刺耳的陶瓷碎裂声刺激着江文溪的双耳，一旁墙壁上照过来的强光，让她不适应地微眯了眯眼，立在原地一动不动。

　　那名服务生连连道歉，急忙和另一位服务生蹲下收拾地上的水果和果盘碎片。

　　"很抱歉，没弄脏您的衣服吧？"两名服务生收拾完了，再一次向江文溪道歉。

　　江文溪紧蹙着眉心，木讷地摇了摇头，两名服务生顿时松了一口气，离开了。

　　乐天无意想伤害她，静静地立在她的身后看着眼前发生的一切。

　　见她立在那儿一动不动，他以为她还在为刚才的事难堪。一时间，他不知道该说什么好，从口袋里摸出打火机想点一支烟，突然想到什么，停止了手中的动作，他便道："那套衣服的钱就算了。这个月发工资，我会让财务将上个月的扣款补发给你。明天，人事部会给你办理转正手续。"

　　话音刚落，只见眼前的人迅速一个转身，接着"啪"的一声，一记响亮的耳光狠狠地落在了他的脸颊之上。

　　"你以为你是总经理，是我的上司，长得比别人帅，钱比别人多，个子比别人高，就可以为所欲为？补偿？谁稀罕你的补偿！甩你一巴掌算是便宜你了！"江文溪完全没了之前柔弱的模样，凶悍得就像街头的泼妇。

　　江文溪莫名其妙的转变，让乐天有一瞬的错愕，但脸颊上火辣的痛楚让他很快由震惊转为恼怒。紧握着打火机的手太过于用力，指关节处微微泛白，咬着牙，他冷笑出声："一巴掌换一个吻，这是你要的？"

江文溪一双怒眸回瞪他："一巴掌？我恨不能再甩你几巴掌，你这个变态大色狼！"

说着，她举起手还想再甩他一巴掌，手腕却被他紧紧地攥住。

"你别得寸进尺了！"乐天冷冷地看着她。

这时，隔壁包间走出来一个人，瞧见两人张弓拔弩的气势，尴尬地笑了两声："麻烦，借过。"

乐天拉着她往旁边移了移，方便那人通过。

待见不到那人的身影，江文溪用力地甩开乐天的大掌，冷哼了一声："衣冠禽兽！"并不忘狠狠地踢了他一脚，转身便往宴会大厅走去。

乐天盯着她的身影直到消失在走廊拐弯处，摸了摸被打的脸颊，脸色阴沉，心中更是一种难以言语的苦涩。

他背抵着墙壁，从口袋里摸出了一支烟点燃，深深地吸了一口，盯着手中这支烟一点一点地燃烧，出了神。

他以为十年过去了，终于可以忘记那一生都抹不去的污点，直到再见到方子贺和周梦珂，他才明白他一直在自欺欺人。

一个是曾经从小玩到大感情甚至胜过亲兄弟的好兄弟，一个是曾经深爱发誓非卿不娶的女人，这两张面孔交织在一起，往事又如蔓藤一般扭曲攀爬在心间，心底那道被强压了十年的伤口再度裂开来。

记忆深处，刚入狱的第一夜，那紧握着冰冷铁窗栏杆不放的是他的双手，他声声声嘶力竭的呼喊回荡在整间监室，甚至整个监区，也因此换来了与同室犯人的一场撕斗。就在那一夜之后，他被单独关押，原本满头的黑发也在那一夜变白，因此后来他还得了个外号，叫"小白"。

监警一次次的警告，同室犯人一次次的嘲弄，终于有一天让他彻底认清了，就算是被冤枉的，就算是他喊破喉咙，他也必须在这里服刑直至四年期满。

起初，他天天都会期待梦珂会去看他，听他解释，他没有强奸那个女孩，他是被冤枉的。时间一点一滴地流逝，梦珂没有去看过他，只有子贺看过他三次，每次都只是简短几句慰问。

那时候，只是隔着一扇铁窗，他已经感觉到兄弟之情到了尽头。最后一次，子贺对他说学业很忙，以后可能没有多少时间再来看他，临别之前，子贺终于向他提到了梦珂，梦珂只给了他三个字"算了吧"。他只是笑了笑，对子贺说，以后别再来了。

渐渐地，他习惯了狱中的生活，并认识了改变他未来人生的另一个人——江怀深。那时候的他和深叔并不熟，直到深叔出狱前一天，对他说，以后出来有什么困难，尽管找他。深叔没有给他留住处和任何联络方式，当时他只是觉得很好笑，这样出去之后就算有困难，他也不一定能找到他。

经过那四年，所有梦都醒了。

四年之后，踏出那里，迎接他的只有一场大雨。他在雨中立了很久，他要让这场雨冲去那四年里的一切，清清白白地从头来过。但是，他大学只念了一年，并且有案底，在现实社会处处受排挤，更何况他身上烙印的是最耻辱的罪名——强奸罪。

也许冥冥之中自有天意，老天终于对他开了眼。在他生活最困难最潦倒的时候，深叔出现了，他至今都不知道深叔是如何找到他的。之后，深叔带他进入了江航。

"记住！进了这个门，你就不再是从前的乐天，以前的一切不管好的坏的你统统都要放下。从今往后，没有人会再看不起你。"

如今他在江航的地位一人之下万人之上，在整个行业内，没有人不知道他乐天的名字。

淡白色的烟雾在这昏暗的走廊里慢慢升腾，再慢慢散去，灰烬一截一截地跌落在地，不溅起一点儿声响，犹如那四年里的一场恶梦，留下的只有这白色的灰烬了。

被那个江文溪打了一巴掌，算是他活该吧，毕竟是他侵犯她在先。

他会吻她并非只是方子贺和周梦珂的出现让他忆起了当年的事，而是无意中听到了方子贺与周梦珂的争吵。从周梦珂整晚追随他的目光之中，他读到了他最不想见到的讯息。

所有的一切都随当年的事烟消云散，他不想给任何人造成错觉，过去了便是过去了。

或许，他今晚酒是喝多了点。

熄了烟，他烦燥地扒了扒头发，阴沉着脸往宴会大厅步去。

"叭"的一声，一个气球在眼前爆炸，把江文溪吓了一跳。

"江文溪！你死哪儿去了？！上个洗手间掉坑里了？！表姐找不到你，都快急疯了，还以为你被人拐卖了！"江文溪尚未迈进宴会大厅，李妍便凶神恶煞地从门口蹿了出来对她一番咆哮。

方才那个气球也是李妍弄爆的。

江文溪直觉以双手按了按耳朵附近的穴位，迷茫地盯着大理石拼花地面，只是瞬间，体内烦躁的气焰消失得无影无踪。

她抬起头，一脸无辜："哪有掉坑里？我上完洗手间就出来了，都怪这个破走廊，搞什么环形……"一想到乐天抱住她强吻的事，她的脸颊犹如火烧

一般。

"这也能迷路？我怀疑就算在你身上装个GPS全球定位系统，你还是会走丢。快点，敬酒了，还犯什么傻？"李妍拉着她就走。

"人家哪有你说得那么不济……"

"切！别说地球人，火星人都知道。"李妍留意到江文溪的脸很红，一脸狐疑，"咦？你刚才究竟做什么去了？上个洗手间怎么脸这么红？还有，你嘴唇上的唇膏怎么没了？"

"那……那个……很热，唇膏是上洗手间搽掉的。不和你说了，李雯姐还在等我呢。"

远远地，她看见乐天走过来，紧张地挣开李妍的手，别过脸。

李妍不知情，还主动和乐天打了声招呼。

乐天淡淡地应了一声，经过江文溪身边的时候，看到她的一丝笑容，他强抑在心中的怒气只好压了下去，冷冷地回瞪了一眼，便迈进了宴会大厅。

他干吗要瞪她，明明是他无礼在先。

江文溪就知道有钱人都是这副德性。

"快进去，还发什么愣？唉，败给你了。"李妍见她一脸白痴样就受不了。

江文溪急忙跟着快步走进宴会大厅。

一直让江文溪觉得很可怕的敬酒场面居然是那样的和谐，根本无需她喝什么酒。周成的同事同学，只是意思意思就全撤了，一个个转战新房，他们扬言要让新郎周成有个永生难忘的新婚之夜。

俗语说得好，流氓不可怕，就怕流氓有文化。这一事实，在外表极其斯文的律师们身上得到了充分的证明。

周成和李雯心中明白，这些个平日里披着羊皮实则全是狼的斯文败类，已准备好各种各样的道具迎接他们。

方子贺与周梦珂因长途奔波过于劳累，提前回酒店休息，未参加这场混战。

临别之际，方子贺对江文溪说了一句"到时别忘了给我们一份喜帖"，江文溪足足愣了好久，才反应过来他指的是哪桩事，唯有红着脸尴尬地笑了笑。

李妍对此事穷追猛打，问她怎么会认识方子贺夫妇的，还有喜帖是怎么一回事。挡不住李妍的八卦劲，她将李妍拉到无人的地方，才老实交待了事情的始末。

李妍听完之后抱着她尖叫："江文溪，你总算做了一件你人生中最像人样的事了。"

她皱着眉无声抗议，难道她以前做的都不是人事？

李妍叹了声气，说："我说吧，上次帮你到山神庙求的签管用，签文说你今年桃花运旺。唉，其实我本来想把顾廷和介绍给你，可是看看你大舅……唉，算了。还好不枉我当初唾沫星乱溅，让你有机会在那个白发帅哥眼皮底下晃悠，所以呢这个三有一无的极品，你一定要抓牢了。"

又来了……三有一无……

有钱、有房、有车、无老婆……

她无力地翻了翻白眼："别瞎扯了，我觉得我今年应该命犯太岁才对。"

送走所有宾客，李雯怕周成的那些同事闹过头了吓到江文溪，让她直接回去休息了。

直到回到家中，躺在床上，她的脑子里都甩不掉乐天的影子，或许说，她更多的惊讶是从那个吻中感受到了他心中的苦意，一种无法说出口的苦意。

其实，他会吻她，是自尊心作祟吧，为了在兄弟和旧情人面前掩饰自己内心的落寞，才会抓住刚好经过的她。换句话说，若是当时换作其他女人经过，他一样都会吻的，只不过经过的刚好是她。

对，事实就是这样。

虽然，他冒犯了她，可是从心底来讲，她反倒有些同情他，这样她也不会太在意。而李妍的幻想，完全是多余。他和她，就算是地球逆转也不可能会有交集。所以说，李妍完全是兴奋过了头。对她来说，最好的选择便是忘了今晚发生的一切。相比较而言，她居然更期待的是，能保住那份工作就好。

李妍戳着她的脑袋骂她白痴，一个吻可以用来换很多东西。

对，这一次，她承认她有点白痴，但出卖自己的那种事情她根本做不来。大舅教导她"君子爱财，取之有道"，虽然她不是君子，但道理是一样的。她始终坚持，往坏的想，算她倒霉，往好的想，助人为乐也是种美德。

也许，还有一种说不出来的感觉……

这一夜，江文溪睡得极沉，甚至闹钟的声音都没听到，眼一睁已是七点半，匆匆打理好，出了门。

她知道自己的资质比别人略差几分，只有埋头少说话多做事。虽是一个小小的前台接待，但似乎她永远都比里面办公室的人要忙很多。李妍安慰她："命运如此安排，没办法逆转，能享受时就好好享受吧。"

是的，享受。

越享，越受……

洗手间永远是女人八卦的绝佳地点。

一忙起来，江文溪连上洗手间的时间都是硬挤出来的。本来八卦不关她的事，她也不想偷听，但外面三个女人从进来到现在，都过了十多分钟了，依然没有出去的意思，且越聊越起劲，矛头又莫名其妙地指向了她。

"听集团总部的人说，乐总这段时间就像是吃了炸药包似的，他们每天一个个都是把脑袋提在手上做事。"

"我们不也差不多，这些天你见过谁敢大喘气？"

"我昨天还听说小马被乐总训了整整一个上午。"

"真是倒霉，调到这边来什么好处没有，还整天神经紧绷，真怀念以前在总部的日子。"

"对了，你们知不知道？听说乐总心情不好是因为那个前台接待。"

"啊，不是吧？怎么可能？是谁把乐总和那个女人扯在一起的？真是让我想死的心都有了。"

"快说来听听。"

"小杨不是临时从前台调到人事部了嘛，她说，那个江文溪是原来这里超市的收银员，后来超市被我们江航收购了，也不知她怎么就认识咱们乐总了，才从超市办完交接手续就转到我们这里了。"

"嗦嘎——我看八成是有一腿了。"

"不是八成，是百分百。前几天，人事部刚替她办过转正手续，你见谁一个月就转正的？除了被挖墙角挖过来的。你们还记不记得当时代打卡那事，当时那么多人事后都被批评了，连行政人事都跟着倒霉，就她一人没事。"

"不过后来行政部的人故意整她，中午一到就餐时间整个楼层就没人了，办公室就安排她留守，有人吃完回来替她，她才能下去。"

"对，说到这事，记得半个月前不，行政部莫名其妙地又发了一道通知，让每个办公室人员中午轮流用餐。据餐厅老马说，那天她是最后一个去用餐的，没什么菜了，结果乐总刚好也去用餐，还让老马特地又炒了两个菜，然后两人同桌吃饭。"

"要死了，我在江航待了三年也没和乐总同桌吃过饭啊。作孽哦，你们谁有豆腐，让我撞死了算了。"

"撞她身上，她胸前的豆腐最大。"

"去你的！别打岔。后来不知两人说了什么，闹了别扭，据说乐总狠拍了桌子就走了，连饭都没吃。"

"真有这事？那女人不会真是上面派来的无间道吧？不然凭什么乐总会这样特别待她？我看我们以后还是小心点为妙。"

"我拒绝接受这个事实。作孽哦，真是一棵鲜草插在牛粪上。"

"你少花痴了。走了。"

直到听不见三位同事的脚步声，江文溪才敢打开洗手间的门走出来。

原来她后来每天能够吃到热饭热菜是他的命令。关于转正这事，当时接到人事部通知，她也吓了一跳。还有，这个月发工资的时候，她盯着银行ＡＴＭ机的屏幕看了半天，工资一分也不少，也就说那套衣服的钱，根本就没扣她的。后来转念，也许是因为那个吻，他觉得亏欠她吧，这样，她也没觉得不好意思，但也不至于像那三个八婆说的那么难听啊。

听那三个八婆的意思，他最近火气较大，并且还在持续中，可是她觉得该气的人是她，婚宴那晚吃亏的明明是她。而且她哪里和他有一腿了，明明一直在受他压迫，如果有肢体接触，那也是被逼的……

谣言，就是在这些三八口中这样传开的。

估计她出去，同事们都要戴有色眼镜看她了。

江文溪刚回到前台，就看见设计部的吕菲找她："小江，快把这本壁布样本送到楼下对面广场，乐总在那儿等着。"

"啊？我去送？"她惊讶地望着吕菲，但凡能够接近白发魔男的差事都不可能轮到她头上，稍稍有点风吹草动，里面那些花蝴蝶便会前赴后继地扑上去了。

"嗯，快点，下去交给乐总就可以了。"吕菲将重重的一本壁布样本塞给她，顿时舒了一口气。最近乐总阴晴不定，刚在电话里发了一顿火，这会儿她要下去送这本样本，肯定还会被训，所以吃枪子这种倒霉的事就让"闲人"去做好了。

接过那本重得要死的壁布样本，江文溪的身体跟着颤了两下。

这什么东西，怎么这么重？

"乐总的车你认识吧？"见江文溪摇了摇头，吕菲报了车牌号，"快点下去吧。"

吕菲说话快得犹如激光枪，江文溪本打算再问清楚点无奈已被推进了电梯。

她撇了撇嘴，抱着手中的样本，脑子里重复着吕菲说的车牌号，念着念着，就只剩下车牌号的最后两位——8和6。

出了电梯，刺鼻的味道扑面而来。饭店正在紧锣密鼓地装修着，电钻、切割机发出的噪音折磨着人的意志，满地全是装修材料的废料。

江文溪锁着眉心，一手捂着鼻子一手抱着资料，踮着脚尖穿过装修现场。

出了门，站在广场路边上，她左右张望，找寻那辆标记为四个圈，车牌号最后两位是8和6的黑色轿车。

她望着来来往往的车辆，等了约莫五分钟，也没见着吕菲说的那辆车。

突然间，一个尖锐的女声破空而出："抢劫啊！"

她听到叫声偏过头，便看见一个身穿咖啡夹克的男子手中抓着一个黑色皮包向她这边急奔而来，其后一位四五十岁的中年妇女一边追着他，一边哭喊着："抢劫啊！抢劫啊！"

听到这声声哭喊，她的头莫名地开始隐隐作痛，耳朵里又嗡嗡作响，她难受地甩了甩头。

这时，那个身穿咖啡夹克的男人正好从她身旁擦身而过，一边跑着一边将包里的东西扔了出来，然后将整个皮包扔在了她的脚下，手中抓着一个牛皮纸信封向前方奔去。

中年妇女刚刚追上，便无力地跌了下来，抱着空包痛哭起来。

中年妇女的哭声在她的耳边徘徊。

她望着前方奔跑的男子，刹那间，心底涌上一股异常愤怒的情绪，她迈开腿就朝着他追去："前面那个穿咖啡夹克的站住！"

那人回头望着又有人追上来，急忙要穿过马路。还有七八秒交通信号灯就要转为绿灯了，一旦转为绿灯，想要抓到那人根本就不可能了。

毫不犹豫，她操起手中的壁布样本，使出浑身的力气大力地朝那名男子扔去。绿灯亮起的同时，样本砸中了他的脑袋，他向前跌倒，手中的牛皮信封也摔了出去。

迎面第一辆黑色的轿车刚起动，一个急刹车便停了下来。两边刚起步的车子相继停下，一时间，整个路口变得混乱起来。

那名抢劫的男子从地上挣扎着爬起，摸着被砸肿的后脑，还想去捡地上的牛皮信封。

江文溪速度极快，三步并作两步冲到路中央，伸手刚想擒住那人，谁知他反手就一掌甩过来。还好，她眼明手快，侧身躲过这一巴掌，一只手迅速扣住他的右肩，另一只手抓住他的手腕反手一拧，将他的左手曲到身背后用力地按在地上，怒道："看你往哪儿跑！"

乐天坐在车内，双手按在方向盘上，阴寒着脸凝视着不远处那个赤手空拳抓抢劫犯的女人。幸好他刹车及时，不然车子就撞上去了。

坐在副驾的沈先非闭了闭眼，舒了一口气，看到乐天的脸色很坏，说："你还好吧。"

"嗯。"乐天紧绷着俊脸轻哼了一声，紧盯前方那抹身影，愤恨地咬紧了牙，大力地打了方向盘，将车子开到一旁的慢车道上。

将车停稳，他打开车门下了车，带着一身的怒气，"嘭"地将车门甩上。

走到路中央，他看到了那本他急要的壁布样本，被砸得散落了一地，满腔的怒火已然到了濒临爆发的边缘。

他让人把样本送下来，只因为多等了两个红灯的时间，现在就弄成了这样？！

又是那个江文溪！

沈先非下了车，看到一地的壁布样本，皱了皱眉，不确定地问了一句："是我那个样本？"

乐天冷着脸，抿紧着唇角，俯下身去捡地上散落的壁布样本。沈先非跟着将壁布样本一张一张捡起。

牛皮纸信封里装的是两万块钱。那位四五十岁的中年妇女刚从银行取出来，准备交到医院付老公的医药费，在银行的时候就被人盯上了，出了银行门，走了没多远就遇上抢劫。江文溪捉到那名抢劫男子，无疑是救了她全家。她拉着江文溪的手不停地说着"谢谢"。

周围乱哄哄的声音，让江文溪觉得头一阵眩晕，捂着耳朵，她抬头望向天空，太阳耀眼刺目的光线让她眯起了眼。骤然间，她从浑沌中清醒过来，她在等那四个圈的黑色轿车，把样本送给白发魔男。看到自己空无一物的双手，一瞬间，她如同溺入冰寒的大海。

样本呢？怎么不见了？这么多人围在这里做什么？造成交通堵塞是不道德的。她好像要送资料给白发魔男，怎么跑来看人家抓贼？这些人干吗盯着她，抓贼不关她的事啦，别拉她的手，快松手啊。

挣脱被抓住的手，她急急地推开人群，四处找寻那个厚重的壁布样本夹。弯着身体，目光顺着马路地面一寸寸搜寻，就是不见那本样本。

怎么办？怎么办？

她急得直挠头发，明明抓在手上好好的，怎么就莫明其妙不见了？

难不成时空扭曲了？样本也学会穿越了？

"小姐，你是不是在找一个资料夹？"

听到路人甲的声音，她激动地像小鸡啄米似的连连点头："对对对。"

"哦，那边，被两个男人捡了。"

被两个男人捡了？收废品也出现竞争？

她急转身，望向一旁的慢车道，当看清标记为四个圈的黑色轿车以及立在车旁整理某样很眼熟东西的男子，她抚住额头，在心中呼唤着上帝。

她快步小跑过去，颤微微地叫了一声："乐总……"

乐天脸色阴沉，双手的指关节因用力而泛白，他抬眸冷淡地看了江文溪一眼，然后转向身旁的沈先非："有没有什么问题？"

"没什么问题，只是活页夹松了。"沈先非将样本资料夹合上，望了一眼一旁在瑟瑟发抖的女孩，然后拍了拍乐天的背，"你还是好好地休息一下吧，我自己打车回去，有什么问题我电话你。"

"嗯。"乐天轻应了一声。

沈先非走了之后，乐天眉心深锁，转身直视身后的江文溪，一言不发。

江文溪低垂着头，整张脸涨得通红，想了想，她决定还是要解释一下，她真的不是有意把样本弄丢的。她抬起头刚想开口，却被冰冷的语调吓住了："谁让你送样本下来的？！"

她本来想说吕菲，但转念一想，觉得这时候不应该扮小人背后捅人家，所以，她选择了沉默，双眸为难地看着白发魔男。

下一秒，白发魔男薄薄的嘴唇便吐出她最不想听到的话："上去！收拾东西！"

收拾东西？是叫她卷铺盖走人？！

她瞪大了双眼，目光急切地看着他。

那个，这份工作，她才做了一个多月，而且被他硬说欠他好几千块，如果连这份每月任人剥削的工作都丢了，她拿什么还钱？就算不用脑子想的，她也可以预想到今后的日子会有多凄惨。上次在饭店被他强吻，她都没胆说要辞职，因为她没节操地不想以后天天喝稀饭啃馒头。

她抓了抓头发，嘴唇微颤，急道："乐……乐总，你听我解释——"

乐天面色冷淡，沉声怒道："解释什么？解释你上班时间不务正业，帮人家抓贼？！"

"帮人家抓贼？！"她不可思议地望着他。她平时连只耗子都不敢抓，怎么可能帮人家抓贼？虽然她是激进一代的热血青年，而且很想帮人家抓贼，但是以她大学期间一百米跑二十几秒的龟速，外加软弱无能的性格，这种见义勇为帮人家抓贼的事绝对不是她能去做的，那样就太抬举她了，"乐……乐总，我想你一定误会了，我最多只是去看人家抓贼……"

她的解释让乐天不由得眯起眼审视她，在她的脸上，他只看到了惶恐、疑惑、迷茫。她跟他说，她在看人家抓贼？是他睁眼瞎，还是她睁眼说瞎话？敢情是嫌他最近日子过得太闷，专门说笑话来给他听的。若不是他亲眼看到她将那个男的抓住的全过程，他真以为自己是睁眼瞎。摆在眼前的事实，她都可以撒谎撒得面不改色心不跳。

"我知道我上班时间看人家抓贼不对……"她留意到乐天嘴角之处那若有若无的讽笑，语无伦次地硬着头皮请求，"乐总，那套衣服的钱我会还你，你再给我一次机会吧……"

衣服？上次他给了她很好的机会可以不用再扣工资，她十分有骨气的宁可甩他一耳光都拒绝赔偿，今天，同样为了钱，她却开口要把钱还他，只为再给她一次机会。

这女人究竟在算计什么？

他讽笑望着一脸不知所措的她，渐渐地，嘴角的笑容从他线条冷硬的面部隐去。他从没有像现在这般生气，除了在酒吧她吐了他一身的那晚。眼眸之中蓦地闪出精芒，毫不留情地撂下冰冷的话语："上去！收拾东西。我不想说第三次。"

江文溪静静地立在车前一动不动，委屈的痛楚掠上胸口，一阵酸涩直向上涌，咬着牙，快步向公司大门走去。

出了电梯，她就看到吕菲站着前台似在等她。

吕菲一见到她，劈头就问："江文溪，让你送个样本你怎么也能出乱子？"

面对盛气凌人的吕菲，她懒懒地抬了抬眼睛，生平第一次，她不想理任何人。按照白发魔男的意思，她要收拾东西，卷铺盖走人。

吕菲看到她这种爱理不理的样子就火冒三丈，凭什么这个又蠢又笨的女人只是下去送一个样本就能被调到总部，而她却被乐总狠狠地训了。

吕菲越想越气："你到底和乐总乱说了什么？"

她听到这尖锐的质问，不禁皱起了眉头，她不喜欢听噪音。停下手中的动作，她抬眸木然地望着吕菲，淡淡地回道："乐总就在楼下，你自己下楼去问他好了。"

"你——"

没搭理吕菲，她收拾好东西，往电梯口走去。

"你神气什么？看你调到集团总部能神气多久。"

关上电梯的那一刹，她听到吕菲尖酸的语调，一脸莫名，明明被炒了，却还以为她调走了。也许离开这里是对的，不用每天看这些三八的脸色。

她背着包，迈出公司门，垂头丧气正打算往附近公交车站台走去，却看见白发魔男倚在车前抽着烟，似在等人。

乐天熄了指间的半支烟，淡淡地看了她一眼，说："上车！"

她一阵迟疑，怔怔地望着已坐进车内的白发魔男，清俊侧脸上的表情不似在玩笑。

"你还愣在那儿做什么？叫你上车听见没有？！"他挑着眉怒视她，她能不能露出第二种表情？

直到屁股挨着那真皮沙发座位，江文溪都不敢相信她真的就这样坐了进来。

第一次坐这种高档的车子，她紧张得双手双脚都不知道要往哪儿放。

乐天淡淡地瞥了一眼，依旧是冷言冷语："系好安全带！"

她依言，刚将安全带扣上，车头一转便像飞了出去似的。

就算是这车子长得跟黑社会的专用车一样，也没必要这么拼吧。人家过山车在轨道上行驶，那是没有障碍物，这马路上别说四只轮的，就算是没轮的都是到处乱蹿。还有，超速是要罚款，最少也要两百块，两百那也是钱啊……

饱受了十多分钟视觉和精神的双重摧残，她在白发魔男的命令下，终于可以滚下车。如果不是面前还有根柱子可以撑着，让她可以安神、压惊、外带喘两口气，她一定会"横尸"这地下停车场。

她只不过是想保住饭碗，怎么比中彩票还难？

"要不要找人抬你上去？"

听到背后清冷的声音，她小声叽咕了一句："不用了，我很有自知之明……"

当她抬起头却只看到他的背影，她深吸了一口气，背着包，迈着发软的两条腿跟上前。进了电梯，她紧贴着电梯门，好似和他靠近了就会被电打似的。但由于她离电梯门太近了，电梯的门在合到一半，又开了。

乐天以为这女人会自觉地往后挪一挪，孰知电梯开了又合，合了又开，最终他无法忍受地将她往后一拉，隔着她，伸手按了电梯的关门键。

虽然只是一刹那间的接触，后背紧贴着他的胸膛，江文溪闻到他身上散出的淡淡烟草味，一下子僵直了身子，她的一张脸犹如泼了"鸡血"一样，一直延续到耳根。

望着眼前这个愣头愣脑的女人，乐天盯着她红红的耳背，皱着眉头。

真不知道她是单纯，还是单蠢。见过形形色色的女人，像她这样脑筋转不弯的女人还真是头一回遇到。什么听话，什么肯干，什么嘴巴牢，还便宜？简直是……比猪还要笨！

到底是他在折磨她，还是她在折磨他。

乐天冷冷地讽道："没乘过电梯？"

"鸡血"在漫延……

背对着他，身后那无言的威力和压迫感让江文溪的头皮阵阵发麻，心中不停念着"芝麻快开门"。

"叮"的一声，将她从苦海中解救出来。

当"江航集团"几个烫金的铜牌大字跳入她的眼帘，她足足愣了好久，甚至忘了走出电梯。

"发什么呆？！"乐天双手从西装裤口袋抽出，越过她，走出了电梯，径直向办公室走去。

从始至终，江文溪都觉得跟做一场梦似的，正如吕菲说的那样，她狗屎运地被调到了集团总部总经办，从原来一个小小的前台接待，一步登天，进了集团总部的总经办，成为了 "总经理特别助理"。

身为总助是件荣幸的事，但加上"特别"二字，在她看来，意味很深长。

难道真被李妍说中了？她不禁开始怀疑白发魔男是不是因为那个吻，真的打算和她有一腿？

这个"不可能事件"只在她的脑中停留了不到三分钟，便被无情的事实击碎了。

看着眼前厚厚的一叠资料，她的额上开始渗出密密的细汗。

"把这几样产品的详细资料按这个表格做一个汇总，明天开会要用。"说话的是一位戴眼镜看上去三十多岁非常有气质的大姐。

乐天从领着她一进总经办的门，便吩咐这位大姐："以后所有事都丢给她去做。"然后停顿了一秒，补充一句："做不好就重做，直到做好为止。"显然后面这句话是对她说的。

她翻了翻那几份产品资料，除了她能从图片看出来是装饰材料之外，她完全不知道这几份产品资料说的是什么。她大学里主修的是会计，不是英文啊。还有这本，为什么一定是繁体字？她想去死……

她痛苦地抬起头看着眼前的前辈，为难地挤了一句："我能不能申请转部门？财务部就好……"

"可以，只要你能把门上总经办几个字改成财务部三个字，我不反对。"姓严，单名一个素字，是乐天身边最得力的助手。

严素。严肃？

没想到中年大姐也这么幽默，好会说冷笑话。

她认命地垂头继续看资料，三分钟之后再次抬头，硬挤了一丝笑容："那个……有没有现代英汉字典？没有的话，牛津字典也成。没有？那好吧，我去问百度大叔……"

严素嘴角不停地抽搐，盯着江文溪看了三秒钟，俯身在电脑上点击了几下，调出一张表格打印出来，放在江文溪的面前说："好吧，你今天就核对这张工程预算表上的数字，预算表上的工程量和定额单价，参照这张表上的，"她将另一本厚重的文件夹丢在江文溪的面前，打开，手指并在其中一张表上敲了好几下"下班之前在电脑上修改好交给我。"

江文溪望着两张表格，怔了有数秒。

灰土垫层？现浇构件圆钢筋？水泥砂浆防滑坡道？这些都是什么概念……

不过无所谓了，如果真当会计了，什么名字对会计来说都是一个样。

严素看她面露惊诧之色，不由得跟着心中一紧，额上冒黑线：不是要调财务部吗？这么简单的表格，难不成连加减乘除也不会算？幼稚园毕业？

"有问题吗？"严素见她沉默了，忍不住问。

"哦，没问题。"

"下班前能搞定？"

"能。"

严素得到了肯定的答复，总算松了一口气，回到原位，心想：乐天是不是这两天忙昏了头？怎么领了这么个孩子进来？

严素，38岁，单身。

江文溪尊称她一声严姐。

严姐是江文溪在工作上碰到的第一个好人，也是最有耐心教导她的人。工作中，若是她做对了，严姐会给予赞赏，做错了，也只会说一句有则改之，无则加勉。

虽说江文溪顶着一个总经理特别助理的头衔，其实大部分的工作还都是由严姐完成的，她只能跟在后面做一些简单的工作。

在这里，没有人敢给她脸色看，除了一墙之隔的那个男人。

饭店还在装修，白发魔男必须两边跑，虽然每天都能见到他，所幸，面对他的时间加起来不会超过一小时。

那个吻之后，她每次见到他都不太自然，也不明白他为何要将自己安排在他的身边。如果说他心存内疚，可是从日常工作接触中，她完全没有感觉到他究竟哪里内疚了。

就好比刚才开会，她也是第一次参加这种会议，却被他指派做会议记录，可她根本没学过速记，他讲话那么快，还夹杂着那么多专业术语，整个会议从头到尾，她听得是云里雾里。

会议结束后，他就问她要会议纪要，她只能立在他的面前，垂着头，盯着自己的脚尖一言不发。这一站居然就站了一个小时，他没有叫她离开，也没叫她不离开，只是冷冷地看了她一眼，便埋首于一堆公文之中。

但凡进入总经办的人，都会瞄一眼她，不约而同地露出极度同情的眼色。

不过，知道他对她没什么"不良企图"，让她神经放松了不少，起码不用担心再次被非礼。

她时不时抬起头，偷偷地瞄向那个面色清冷的男人。

莫名其妙地成为他的特助也有好几天了，她留意到他那头银白色的头发并不是染的，而是本来就是这样，而关于他那头银白色的头发也是全公司同事最爱八卦的。

偶尔，她会在洗手间内听女同事议论工作中的他，看起来格外的迷人，思维敏捷，态度严谨，眼光独道，处事不惊，即便是额上的青筋直冒，他也会以极为平淡的语气吩咐下属该如何去做事。

现在，从她的角度看上去，全身心投入工作的他，加上那俊朗的外貌，确实是非常迷人。可是，哪有像她们说的那样好，什么鲜少动怒，每次对她，不是横眉瞪眼，就是一副想吃人的模样。她怎么都忘不掉刚进江航时，他陷她于不义的事。

俗话说得好，人为财死，鸟为食亡。如今她为了一斗米而折腰，可见他这人有多么的道貌岸然。

脚真的很痛，她微微动了动右脚，便听到正对面坐着的男人轻咳了几声，吓得她赶紧又站好，不敢乱动。

这几天冷空气突然来袭，也许是受了点寒，乐天感觉嗓子有些发痒，端起杯子想喝口水，却空空如也。

他起身，越过江文溪，走到饮水机前倒了一杯热水，喝了一口。

蓦地，他转过身，凝视着眼前站了约莫一个小时之久的江文溪，皱了皱眉，说："在这里竖电线杆这么久，不用做事？"

"啊？"江文溪猛地抬起头，对上乐天幽黑的双眸，垂下眼帘，想了几秒，小声地说，"你又没让我出去……"

又是这种眼神，又是这种语气……

连咳嗽了几声，乐天烦躁地走回办公桌前，将水杯放下，骤然转身，愠道："江文溪，你说你是不是故意的？"

江文溪猛地抬起头，难以置信地望着满脸怒色的他，抽动着嘴角疑惑道："啊？故……故意？"

他那是什么口气？好像她是白痴一样。她干吗像白痴一样故意在这里站一个小时？

他咬紧了牙，在心中咒了一声，如果不是见过她的真面目，他还真会被她逼真的演技蒙混过去。

不知道当初是不是灵魂出窍，才会相信她朋友的话，同意给她一次机会，更是鬼上身的才会拿她当挡箭牌强吻了她，如果没有那个吻，他根本不可能带她回集团总部。

最让他不可思议的是，以她那天抓贼的身手，那样敏捷，除了沈先非的女人，他想，换做任何一个他认识的女人都不可能做到。还有那晚，她可以一身傲骨不记后果地甩他一记耳光，只为出一口恶气，而眼前的她，完全就是另外一个人，从他将她丢给严素到现在，他就没有见过她哪天不像个小媳妇一样。

他从未见过哪个人，可以像她这样做到转瞬之间变换成另外一个。如果说，她想以这种方式来得到他的注意，她成功了。

这个女人费尽心思混进江航究竟是什么目的？

"江文溪，你不去演戏真的可惜了。"他说。

"演戏？"她对当明星一点欲望都没有，她只想当警察，只可惜身体素质不争气，现在只能当一个任人宰割的绵羊"特助"。

还在演戏？

乐天冷笑出声："江文溪，你想方设法和你朋友在酒吧里演出那场戏，究竟有什么目的？"

"酒吧里？"那天晚上她喝醉了，后来发生的事都是李妍告诉她的，"那天晚上，我喝醉了啊。"

他微微眯眼，缓缓走向她。

好，她想玩，是吧？他陪她，陪她玩到底，看看她究竟能耍出什么花招。

面对一步步逼近的白发魔男，他脸上那种看来有些"不怀好意"的神情让江文溪心底一阵发毛，身子不由自主地慢慢往后退去。

一个一步步往前逼近，一个一步步向后退去。

直到身体抵住了墙壁，再也无路可退，她紧张地双手贴着墙壁，凝视着眼前就连板着脸都看起来那样俊朗的男人。他究竟想干吗？有话就好好说话嘛，干吗非要将她逼得靠墙站。

她窘迫地颤着声说："乐……乐总，你是不是误会了什么？如果你还怪我那晚非……非礼你，可后来你不也'礼'尚往来了吗？"换句话说，还是她比较吃亏啊。

"'礼'尚往来？是吗？照你的话说，那我是不是也该打你一记耳光才算是'礼'尚往来？"他轻勾了勾唇角。

她瞪着双眼，望着他那双看似阳光明媚实则阴沉无比的黑眸，难以置信地微张了张嘴："我什么时候打过你？！"

这男人在瞎掰！上次还说她上班抓贼，根本没有的事，纯属污蔑。

瞬间，他挂在嘴角的淡淡笑容迅速隐去，取而代之的是俊眉向上一挑，难以抑制的怒气："难道那一巴掌是我自己打自己的？！"

她后脑勺抵着墙壁，黑亮的眼睛瞪着他举起的右手，脑子里嗡嗡作响。眼见他的手就要挥下来，她的身体本能地往下缩了缩，声音软软的："我真的不知道你在说什么……"

眼见她这副不知所措的模样，他迟疑了一下，举起的右手缓缓放下向她的脸颊伸去，似要抚摸上她的脸颊。

她困惑地抬眸，在她眨眼的一刹那，他已将手抵在她耳后方的墙壁上，而她被困在墙壁与他之间。

"还在装？那我就帮你回忆回忆！"

帮她回忆？该不会是他又想非礼她了吧？可这里又没有他的情敌和情人，况且她长得这样无公害，何来魅力蒙他三番两次相中？上一次，是在没有防备的情况下才会被他非礼，但这一次绝对不可以。

咬紧了牙根，她抬起双手用力地向前伸去，试图要推开这个变态的男人，孰料，双手尚未触到他的胸膛就被抓住了。

这时，办公室的门被人推了开来。

"阿天，关于饭店装修——"江怀深望着眼前姿势暧昧的一男一女，怔了几秒。

听到江怀深的声音，乐天急忙松开了抓住江文溪的手，急转过身，惊道："江董，什么时候回来的？"

江怀深清了清嗓子，一脸正色："刚刚到。那个……给你们一分钟时间解决，下次记得关好门。"说着，江怀深便退了出去，顺便"好心"地将门带上。

江文溪自来了江航就没见过大老板，听到白发魔男叫了一声"江董"，整个人僵滞，好似站在冰天雪地里再被人泼上一盆冷水，从上到下凉透了。原来大老板长的是那个样，一张脸比电视里黑社会的头目还要冷酷，她在心中惨叹一声：完了，被大老板撞见这种场面，她的饭碗肯定保不住了。

乐天回转头，看到一脸呆滞的她，扬了扬眉，道："还站在这里做什么？还打算再竖一个小时的电线杆？"

如获大赦，她低垂着头，侧着身体，从他身体前的狭小空间艰难地慢慢移过，手刚搭上门把手，又听到他讨厌的声音："下班前，我不管你用什么方式，交一份会议纪要在我办公桌上。"

她撇了撇嘴角，转动门把手逃也似的出了这间办公室。

一出门，她便看到了立在门外的江怀深，一想到他那句"下次记得关好门"，嘴角不由得抽搐了两下，恭敬地行了礼，道一声："江董。"

"嗯。"江怀深细细地审视了她一番，淡淡地应了一声，再度推开办公室的门，迈了进去。

她深深地叹了一口气，两脚无力地走回办公桌前。

严素双手抱臂坐在椅子上，一副看好戏的神情盯着她。

思想斗争了三秒钟，她向严素走过去，轻轻地叫了一声："严姐……"

"会议纪要放你桌上了，看不懂再来问我。"严素淡淡地笑了笑。

"呃？"她回首望见办公桌上的一个文件夹，不好意思笑了笑，"谢谢。"

她刚坐下来，便听严素说："如果下次进乐总办公室的时间比较长，一定要记得把门关上，而且要关好。小心隔墙有耳。"

她的脸一红，急道："严姐，你和江董真的误会了，其实……"

"丫头，其实我只是想说，你和乐总吵架的声音很大，让人没法安心工作。"

"……"

江怀深在沙发上缓缓坐下，随手点了支烟，想了想说："最近辛苦你了。"

乐天也在沙发上坐下，点了一支烟，故作深沉："嗯，Ｋ.Ｏ.开张几个月来生意不错，现在感觉地方太小了，看在我这么辛苦的份上，你要不要考虑把隔壁的地方全买下来送我？"

江怀深哈哈大笑："你这臭小子越来越损。"

Ｋ.Ｏ.虽然位于中山路酒吧街区，但地理位置最特殊，整幢楼独居街东南角，所谓的"隔壁"就是三面是步行街，一面是广场，这些地方都归市政公用事业统一规划。

乐天吐了一口烟，笑道："你不也是？一开口就让人鸡皮疙瘩直起。"

"好了，言归正传，我听说装修出了点问题，有一批板材检验甲醛释放量检测不符合限量标准？"

"嗯，已经退回给供货商了，新材料明天进场，不影响工期。不过，在预算成本最小化前提下，开业时间我不打算提前。日趋严重的环保问题是现代人最为看中的，打造'绿色饭店'将是江航餐饮行业的首要目标。"乐天向江怀深汇报了整个装修进度，并简述了自己的观点，宁可晚几天，也绝不可因为赶着开业，而让客人坐在满是刺激气味的包间里用餐，这也是他坚持对所有进场材料有害物质限量标准严格把关的原因。

江怀深对乐天的能力置信不移，谈完了工作，他若有所思地看着乐天，半响，问了一句："阿天，过年你要30岁了吧。"

乐天挑了挑眉，轻咳了几声，说："深叔，你不用隔三岔五地就提醒我的年纪有多大？"

江怀深笑了笑："刚才那个女孩，就是敢在Ｋ.Ｏ.里当众用酒瓶砸你的那个？"

"嗯。"乐天又咳了一声。

"虽说兔子不吃窝边草，但，有草何必又乱跑？如果有心的话，再送你一句，肥水不流外人田。"

乐天轻轻地弹了弹手中的香烟，烟灰从指间飘落，静静地，落入水晶烟灰缸中。

"阿天，你是时候该找个女人结婚过日子了。"深叔走了许久，这句话一直在乐天的脑中挥之不去。

这么多年来，他不是没有过女人，但他的心始终再没有为谁动过。自从被关进那里，他将他日夜苦等的女人从心里一点一点地慢慢挖出，他便不会再对任何人动情了。不，准确地说，他的情早在那时已经用尽，心也跟着死了。他已经习惯了孤独，孤独地在喧嚣中缓缓地安静，一直安静到所有都变得很默然……

一个心已死的人，如何还能再活一回？

找个女人结婚过日子？

如今以他的身份、金钱、地位，一样都不缺，唯独缺的就是一个女人，一个可以过日子的女人。

他嗤笑一声，静静地看着淡淡的烟雾在手指尖绕过，慢慢地散开，绕过发梢，向空间弥漫。深深地吸了一口，将所有苦涩全数咽下，不让一缕烟飘出来，全部化作乌有埋在心中。

过日子，不过是日子一天天地过。

江文溪轻敲了敲那扇门，里面的人没有反应，她轻轻地打开门，探了个头，看见那个男人闭着眼独自一人斜倚坐在沙发上，默默地抽着烟，发着呆。

"乐总，会议纪要我整理好了。"她硬着头皮挤了一句话，迅速将两页纸放在办公桌上，未待某人发话，便逃也似的出了办公室。

其实，江文溪从进门的那一刹，乐天便微眯着眼在注视着她。

这女人，没有绝色的相貌，最多有双黑亮动人的大眼睛，看似细腻白皙的皮肤和柔亮顺滑的长发；没有高雅的气质，最多举止淑女，只不过有点过了头，换个字眼就是笨得像头猪。

兔子改吃窝边草，那也要草的质量好，何况他又不是一只没品味的变态兔子。

早已和李妍约好，下了班，江文溪就直奔目的地。

李妍出差一周，她郁闷了一周，加上下午被白发魔男折磨了那么久，见到李妍犹如见到了亲人，迫不及待地倾吐了一肚子的苦水。

她越想越觉得白发魔男有些变态，根据在洗手间不小心听到的八卦传闻，据说她是目前待在他身边时间最长的唯一的一个"年轻"的女性助理。之所以强调"年轻"二字，是因为没有像她这样如花似玉般年纪的女性在总经办待超过一个月的。

以他的长相、身份、地位；根据小言定律，身边应该会有很多莺莺燕燕，可是，除了一个已婚的漂亮女人，似乎就没见过不明身份的异性跨进总经办的门，不过经常接到声音嗲到发腻的电话倒是有很多，但除了工作上合作的伙伴，相同的声音她很少会听到第二次。

最终，她宁可总结他变态，也不愿承认他换女人如换衣服。

向心公转

54

　　李妍早在得知江文溪当了乐天的"特别助理"，就激动了很久。今晚又得知那个白发极品帅哥和她的"奸情"被大老板撞破，李妍盯着她邪恶地笑了近半小时。

　　李妍揶揄她："哎，傻丫头，你说那白发帅哥是不是看上你了？"

　　"别损我了。"她的嘴角跟着抽动到近似面瘫，直到李妍的手机铃声响起，李妍才停止了那可怕的笑声。

　　"好了，吃了这个保你消火。"李妍塞了一个小瓶子在她手里，接起了电话。

　　她疑惑地看了看手中的一小瓶东西，竟是"乐天"牌口香糖。整天被折磨得精神差点崩溃，她倒忘了去买一瓶这个牌子的口香糖，丢了一粒在口中，浓浓的咖啡味道让她不由得想到那个可恶的男人就爱有事没事泡杯咖啡。

　　她狠狠地嚼着，牙齿磨合着，就好像在咀嚼着他的肉一样，郁积了许久的心情总算是松弛了下来。

　　李妍接完了电话，对她道："走，去K.O.放松放松，明天一觉醒来，所有不开心，统统抛到脑后。"

　　"你今天不是才回来吗？不好好休息一下吗？"

　　"人生苦短，应及时行乐。"不由分说，李妍拉着她去了K.O.。

　　到了K.O.，见到了等候多时的熊亦伟和顾廷和。"铁三角"中的宋新晨因为被女友召走了，所以只剩下了两块铁，无聊又郁闷。

　　李妍和熊亦伟会经常约她出去玩，只要顾廷和没有任务在身，多半也会有他一个。经过上次婚宴，她和顾廷和也变得熟络起来。

　　由于上次喝酒闹事的教训，从那以后她进了酒吧只敢点果汁。她啜了一口果汁，看向顾廷和浅浅笑道："有好久没见到你了。"

　　顾廷和把玩着手中钥匙，嘴角微扬："还说呢，堂哥结完婚第二天，本想睡个懒觉，就被叫到局子里去了，一直忙到昨天，总算松了一口气。"

　　"哎，这次又遇什么案子，怎么忙这么多天？"熊亦伟好奇。

　　顾廷和故作神秘："嗯，这次的行动代号叫残花败柳。"

　　李妍一听，精神抖擞："噗，一听这代号名字就知道受害者一定是女性。"

　　"没错。受害者是女性，并且是从事某种……'特殊服务'的女性。"顾廷和在说到'特殊服务'几个字时故意顿了顿，加重语气。

　　李妍立即手舞足蹈地叫了起来："我知道了。是不是？是不是？"她冲着顾廷和挤眉弄眼。

　　熊亦伟白了她一眼。

　　顾廷和笑了笑，说："嗯，洗头房的小姐。三个月前，一位小姐来报案，说是好友突然收到一束残败的香槟玫瑰花，上面插着几根垂败的柳枝条。"

"哇，果然是残花败柳，这个作案者真是有够变态。"李妍拉着熊亦伟的衣袖又兴奋地叫了起来。

顾廷和接着说："嗯，收到花之后，她和她朋友虽气，但只当是有人恶作剧，都没放在心上。有一天，她这位朋友出台之后就突然失了踪，好多天都没和她联系，她觉得事情不对，就报了案，三天之后，她朋友的尸体在西郊的桥墩下被发现。尸体已经开始腐烂，经法医验证，死者的被害时间在七天前，死因是被人以其围巾勒死，且死者生前曾遭人鞭打。"

"咦，这么变态。"李妍越听越害怕，紧张地抱住江文溪。

江文溪紧蹙着眉头，双目直盯着顾廷和。

顾廷和又是一笑："一个月之后，又一位小姐来报案，她也收到了同样的一束花，残败的香槟玫瑰花上面插着柳树枝。"

"是不是又死了？"李妍急道。

"嗯，没错。死者是在死亡之后第二天一早，就被人在西郊一个建筑工地发现，死因是被人以其丝袜勒死，死前同样遭人鞭打。"顾廷和望着一言不发、表情专注的江文溪，伸手在她眼前摇了摇，"是不是害怕了？要是怕了我就不说了。"

江文溪回过神，立即道："没有没有，我在听呢。"

"那就好。"顾廷和接着又开始说。

很快，第三位小姐也收到这束残败的香槟玫瑰花。因为之前已死了两名小姐，这第三位小姐收到花后吓得魂不附体，甚至要求住警局里。经过查探，这三位小姐有一个共同特征，都是泰顺人，来到 N 市后，在城西最出名的外来人员集中地做"业务"。经锁定目标后，顾廷和他们那一队人员蹲点了十天，终于将那个变态连环杀手抓住了。原来那个变态杀手就是那条街上花店负责送花的工人，感情上受过刺激，女友就是泰顺人，抛弃了他，他痛恨泰顺人，所以专找泰顺的小姐下手。

"哎，真是够变态。哎？你们怎么知道是那个送花的干的呢？"李妍听了云里雾里。

熊亦伟说："他们不知道，还怎么当刑警。"

李妍翻了个白眼："去。"

"我知道。"沉默了半晌的江文溪突然冒出这三个字，吓了李妍一大跳。

"溪溪，你今天没喝酒，怎么也糊涂了？"

顾廷和听了，便道："说来听听。"

"第一，如果有客人订残花败柳，花店的人一定会好奇，多少会对这位客

人有印象，而这三束花送出去后却查不到是什么人送的，就算是订花的人再保密，也会有蛛丝马迹可寻。要想做到一丝痕迹都不留，除非这人本身就是花店的，故意隐瞒订花人的身份。第二，从近年来比较典型的外来人口输入城市犯罪统计来看，这类犯罪一般选择晚上在城郊结合部作案为主，本案中是西郊。为什么出事的小姐都是城西外来人员集中地区的，而没有其他地区的，案发现场又是西郊？这说明，凶手对城西外来人员集中地区一带非常熟悉。第三，凶手的女友也一定有做过小姐吧？"江文溪一双明亮的眼眸，专注而智慧。

"溪溪——"李妍惊诧地抓住江文溪的胳膊。

"对，没错。"顾廷和眯起双眸，细细地审视着江文溪，眼前的她与平时的她大不相同。

听到顾廷和的答案，李妍惊叫道："溪溪，你怎么知道的？！"

"小顾告诉我的啊。虽然那凶手被女友抛弃，但在N市从事各行各业的泰顺女人大有人在，而不会只是这三个女人，为什么凶手只挑她们三人下手？因为她们是'小姐'。凶手作案都有动机，而且有一定规律可循。从犯罪心理学角度分析，凶手施暴是一种变态人格，这种人主要表现为意识活动和情感活动的障碍，而思维和智力活动并无异常，情感极为不稳定，很容易被激怒。死者身前都曾遭遇鞭打，凶手对小姐有强烈的憎恨情绪。凶手之所以针对小姐，那只有一个原因，他的女友曾经或现在就是一位小姐。既然都是小姐，又同为泰顺人，那这三位小姐没理由不认识凶手的女友，而凶手的女友绝不可能高枕无忧。几条线索一一理顺，目标范围缩小，凶手自然难逃法网。"

"啪啪啪——"，顾廷和拍起了手掌，双眸之中露出赞许之色。

李妍松开江文溪，喃喃地说着："这简直是不可思议，这一定是什么人穿越了，魂附在她身上，以她的资质，完全不可能做出这番推理。"

江文溪不理会李妍的话，盯着顾廷和的双眸，道："刚才的案情全部都是你编的吧？"

顾廷和骤然大笑起来："哈哈哈，这也猜中了。"

"什么？你编的？"李妍拉着江文溪衣服，指着顾廷和对她说，"溪溪，这到底是怎么回事？"

江文溪偏过头，对李妍说："如果我们N市出了这么大个案子，全市早就轰动了，还等着你坐在这里听他说案情？如果三个月这么久都破不了案，城西那些小姐早暴动了，他还能优哉游哉地当伴郎？"

李妍惊愕地看着与往常完全判若两人的江文溪，紧张道："溪溪，为什么刚才你分析案情时一点也不害羞，说话也不会卡壳，口齿伶俐，条理清楚，思维清晰？你确定，你没被什么人附体？"

被李妍这么一说，江文溪蓦地脸一红，窘得一时间说不出话来。

见到江文溪正常的反应，李妍佯装掐着她的脖子："说！你到底是谁？还我家小白溪来。"

"妍妍……是我啦……"江文溪被李妍一闹，差点憋不过气。

李妍终于放开她，但一双眼睛仍像 X 光一样上下扫动个不停，突然一本正经地说："刚才的你，真的和平常的你不同。"

"可能是受我大舅的影响吧，从小我就想当一名警察，大舅那些犯罪心理学的书，我都有看过。"她垂下眼睫，长长卷卷的睫毛遮住了她害羞的神情。

顾廷和怔怔地盯着她细致的侧脸，足足有一分多钟，像是被催眠了一样。

回过神，他轻咳了一声，好奇地问："那你怎么没报考警校？"

这时，李妍伸手轻轻地揽过她，说："唉，你觉得警校会收一个胆子比鼠小，跑步像龟爬，所有体能测试都不及格，偶尔还会晕血的人吗？"

顾廷和轻笑出声。

熊亦伟插了话："女人嘛，当然是温温柔柔的好，出得厅堂，进得厨房。整天和那些犯罪分子打交道，不愁死婆家的人才怪。哎哟！"

李妍在熊亦伟的胳膊上死命地掐着，瞪着眼说："你啊，只配找个保姆过下半辈子了，天天把你当太上皇一样伺候着。"

熊亦伟一下子像个被戳破了气的皮球，连忙转向顾廷和，把话题岔开："你小子就知道忽悠我们，还没说这些天忙什么不见影。"

"在田埂上蹲点蹲了五天五夜，你信吗？"顾廷和扬了扬眉，看着江文溪和李妍，一本正经地说，"你们啊，以后上网小心些，别乱和陌生人瞎聊，这次我们抓的是一个专门利用网络骗财骗色的惯犯。"

"人民英雄，辛苦了。来来来，好些天没见着，喝酒喝酒。"熊亦伟举着啤酒瓶和顾廷和碰了一下。

"对对对，还有我们家溪溪总算有了一份像样的工作。"李妍揽着江文溪，朝她暧昧地挤了挤眼。

江文溪的脸上立即飞起了一抹红云，窘得伸手推了推李妍。

"来来，干杯！干杯！"熊亦伟率先举起了啤酒瓶。

四人都举起了杯子，一边聊着一边喝着，举杯即干，一直闹到很晚，才离开 K.O.。

熊亦伟送李妍回家，送江文溪回家的重任自然便落在了顾廷和的身上。

清冷的冬夜，空气中多的是冰凉刺骨的寒风，几盏昏暗的路灯隐藏在树枝之间，无精打采地散发着光亮。路上已见不到行人的踪影，来往的车辆也不多，偶尔急驰而过一辆，卷起地上片片枯叶，更添了这冬夜的静谧与寒意。

下了出租车，一阵寒风袭来，让江文溪不由得瑟缩了一下。

"很冷？"顾廷和说着便要脱下自己的风衣，被她阻止了："不用了，还有几步我就到家了。你刚喝了不少酒，小心着凉。"

顾廷和淡淡一笑，陪着她一直走到楼下。

"谢谢你。你早点回去吧，不用送我上去了。"她不好意思地说道。

借着几户人家窗户散发出的隐隐光亮，顾廷和望着低垂着头的她，想了一会儿，道："今晚，分析案情的你，充满了自信和睿智，让我很意外，也很惊喜。"

"啊？"她惊诧地抬起头，脸微微一热，"让你见笑了，我只是喜欢看大舅收藏的各种各样有关案情的书籍而已。"

"我家里有很多以侦探破案为题材的漫画和小说，如果你有兴趣的话，下次带给你。"顾廷和说话的声音柔浅如风。

顿时，她的双眸熠熠发亮，有些激动："真……真的？"

"真的。"望着她傻傻的模样，顾廷和忍俊不禁。

她的唇角挂着甜甜的笑意："谢谢你。那，我先上楼了。晚安。"

"嗯，晚安。"顾廷和望着她的背影消失在楼梯间，长长地叹了一口气，又笑着摇了摇头，才转身离开。

翌日，顾廷和送了很多漫画书给江文溪，偶尔也会让李妍约她出来，几个人一起吃顿饭，借机和她聊一聊各类案件，听听她的见解。

还有几天就快要过圣诞节了，顾廷和约她一起吃饭。虽然他一直没有开口向她直接表白，但意思已经非常明显。

她对顾廷和的印象很好，人长得帅气，幽默又风趣，还有一份她最崇拜和迷恋的职业。和他在一起，她会觉得非常的轻松自在，每每和他聊起一些稀奇古怪的案情，让她找回了久违的自信，话也会比平时多一些。

但由始自终，她都当他是朋友，比普通朋友甚至还要好一些的那种，而没有想过有一天会做男女朋友。如果接受了圣诞节的邀请，她不知道这算不算是接受他，同意开始交往。

内心深处，她有些自卑，觉得自己配不上顾廷和，自己又笨又蠢，为人沉闷无趣，根据以往的经验，目前的工作还不知道能够保多久，除了会烧饭做菜做家务，在她身上几乎找不到什么让人心动的优点。

李妍鼓励她，如果对顾廷和有感觉，那就顺从自己的心，试着交往看看。

可她讨厌的性格又开始犹豫不决，想了很久，最后只能抱歉地对顾廷和说，最近工作很忙，不知道那天会不会加班，算是委婉地拒绝了。

顾廷和笑笑，道了一声没关系，等她有空再约，这让她心中十分内疚。

第三章
残害上司必遭责

With love
For you

曾听人说，
喉结是男人身上最性感的部位，
也是男人最阳刚之气的表现，
同时也是罪恶的象征。
性感、阳刚、罪恶，
在眼前男人的身上得到了最好的诠释。

中国并非是一个基督教国家，但随着西方文化的渐渐融入，年轻人渐渐对西方各种节日热衷起来，尤其这西方国家的春节——圣诞节，到了中国显然成了另一个情人节。

平安夜当天，公司上上下下，不管是已婚的还是未婚的，有主的没主的，都在谈论今晚平安夜怎么过。女同胞们的桌上不是各式名样精美的礼品就是娇艳的鲜花，而年轻的男同胞们会时不时将老婆情人送的"爱心"牌手套围巾拿出来炫耀一下。

行情最差的就属身在总经办的江文溪，不但什么礼物没收到，连找个能够谈论此事的人都没有，总经办内唯一一个可以谈心的严姐，似乎对这样的节日完全没有兴趣。虽然严姐也收到了花，可在她的脸上却见不到任何波澜。

江文溪终于在这天见识到了白发魔男的魅力。几乎每个小时都有花店送花过来，这不，一个上午的时间，总经办都可以开花店了。

这一天，也是她进入总经办以来，电话响得最繁忙的一天，可在她转了不过三个甜美的女性电话之后，白发魔男就命她将电话接到传真机上。

对着电脑，江文溪不禁暗自神伤，自从父母和大舅相继去世之后，她最讨厌的就是过节，从清明到端午，到中秋，到元旦，到春节，到元宵，现在她还讨厌一个圣诞节。

昨晚，李妍约她今晚一起去教堂欢度平安夜。在此之前，她有问过李妍平安夜会怎样过，李妍说会和熊亦伟一起过个浪漫的平安夜。可是不知李妍怎么突然又换了个主意，变成大家一起过平安夜。以往每年，都是她和李妍一起去购物广场大血拼，今年李妍一定是怕她太孤单才会这样决定，熊亦伟一定恨死她这个超级大灯泡了。

可她并不知道，去教堂欢度平安夜是顾廷和的提议，他拜托李妍和熊亦伟帮他将她约出来。

正当她想着要送什么礼物给李妍，李妍的电话就来了："下班早点过来。"

"嗯，知道啦。"她刚挂了电话，就看见严素急匆匆地走进办公室，通知她两点开会。

"小江，待会把昨天准备的资料一齐带到会议室，还有，我刚帮乐总泡好了咖啡，你帮忙去茶水间拿下端到会议室，我得先过去准备东西。唉呀，今天真乱。"

鲜少有见到严素这样慌张，她不禁疑惑，严姐是那种即便是天塌下来都可以面不改色心不跳的强人，今日是怎么了。

她连连点头，严素走到门口突然又想到什么，转身对她说："是黑咖啡，白色的咖啡杯和盘子，杯口是古典金边花纹的。"

她又点了点头，尚未走进茶水间，便闻到一股子浓郁的咖啡香气。她不禁小声地嘀咕："造孽！有钱人真是会享受，连开会都要喝咖啡。"

看见饮水机旁放着一个白色古典金边花纹的咖啡杯，她小心地端起。当看到杯中的咖啡黑漆漆的一片，她不禁奇怪：这咖啡颜色怎么这么怪？比她喝过的咖啡要黑很多，简直黑得就跟墨水一样，怪了，还真有种墨水味，连杯子也是冷的，难道严姐刻意泡的冰咖啡？这男人的怪癖还真多。

她小心地一手端着咖啡，一手拿着资料，慢慢走到会议室，将咖啡放在了乐天的位置上，然后隔了一个位置缓缓坐下。

自那次她被白发魔男罚站了一个小时，严素教了她好多会议速记的窍门。第二次会议结果很显著，她能速记个一半下来。之后，每天大大小小的会议不断，几天下来，她独立完成的会议纪要还算差强人意，至少严素不会对着整篇文档大动筋骨。

严素调好了投影机，各部门的人陆续就座，等了约莫两三分钟，乐天与江怀深进了会议室。

乐天留意到江文溪刻意隔了一个位子，略抬了抬眉，没说什么，便坐了下来。

两人之间的位置自然也没人敢坐。

终于，要开始了枯燥又无趣的长达几小时的会议。

乐天扫视了众人一眼，声音略带嘶哑，简明扼要地说了今天会议的主题，接下来就交给了严素。

江文溪坐在他身旁，余光瞥见他以手掩饰着沉重的咳嗽声，明显感觉他是在强抑着。她突然想起好像她罚站的那天，他就已经有点不对劲，怎么都过了快一周了，病情反倒严重了。

蓦地，会议室的灯光全部被关掉，偌大的空间里一片漆黑，只剩下投影机投射出来的强烈光线映照在投影布上，画面是一幢幢造型别致的别墅。

江航旗下涉及的行业较广，但主要以房地产开发、建材装饰以及娱乐餐饮行业为主。投影布上的画面正是江董从欧洲拍摄回来的一些非常经典的别墅实景。

江文溪望着那一幢幢豪华的别墅，移不开目光，双眼熠熠发亮，如果此生她能拥有这样一幢别墅真是死而无憾。

突然间，那一座之隔的某人从口中喷出一口不明液体，猛地从会议桌前站起，晃动的咖啡杯在盘中发出清脆的异响。

坐在会议室另一端的同事以为乐总出了什么事，连忙将灯打开。众人在见到他的模样之后，一个个倒抽一口气，惊愕地说不出话来。

江文溪更是一脸惊讶地抬首凝望着他，他的嘴唇……怎么那么黑？而且嘴角渗出黑色液体，那绝对不是咖啡汁。灯光下，映衬着他那张有些苍白的脸，看上去异常恐怖。

严素迅速将面巾纸递上，乐天接过，表情略滞，若有所思地看了一眼严素，声音嘶哑地对众人说了一句："你们继续。"然后，转身离开了会议室。

江文溪怔怔地看着这诡异的一幕，整个人傻了。

白发魔男竟然当众吐黑血？这几天脸色苍白，咳嗽不停，难道是得了什么不治之症？作孽哦，他还那么年轻。

"小江？"严素冲她使了使眼色。

"……哦。"她急忙起身离开了会议室。

江怀深看了一眼那杯咖啡，清了清嗓子："我们继续。"

出了会议室，乐天便失了踪影。

江文溪回到总经办，依然没有看到他的身影。她只好采取地毯式搜索，一间间办公室去找。

"有没有看到乐总？"她抓着一个同事就问。

那人摇了摇头。

他人究竟上哪儿了？该不会是想不开，像她小时候一样找地方躲起来哭吧。

她刚要走进企划部，这时，企划部的梁小玲像失了火一样地抢在她之前冲进办公室，接着便叫了起来："哎，你们谁拿我的碳素墨水和咖啡杯了？"

"拿那东西做什么？"

"你放哪儿了？"

小梁急道："茶水间啊。"

"你好好的把碳素墨水放茶水间做什么？"

"碳素墨水和咖啡杯有什么必然的联系吗？"

小梁急道："唉哟，不都是那该死的墨水瓶漏了嘛，一时找不着可以装碳素墨水的东西，我怕把桌上的文件弄脏，就只好先倒在我新买的咖啡杯里了。本来想到茶水间找个杯子重装，再把咖啡杯洗干净，结果接了个电话，回头那杯碳素墨水就不见了。唉哟，我好心痛我那个咖啡杯啊，我还没有用过啊，很贵的啊——"

旁边的小刘听着人笑起来："是人都知道你迷恋乐总，还特地跑遍了整个

N 市，才买了个和他一模一样的咖啡杯，你说，该不会是杯子搞错了，那墨水被他当咖啡给喝了吧。"

戴眼镜的李帅哥听了也跟着笑了起来："你们当乐总是白痴还是当严助是白痴，墨水和咖啡会分不清？"

小梁仰天哀号一声："唉，算了，我再重新去买一个得了。"

立在门外的江文溪听到了这番对话，身体仿佛石化了一般。终于回过神，她快步转向茶水间走去。

饮水机的另一侧，一罐茶叶正好挡住了一个一模一样的古典金边花纹咖啡杯，里面的咖啡早已冷却。

原来是她白痴……

明明发觉"咖啡"有问题，明明闻出了墨水的味道，她还当成咖啡给端进会议室。如果他知道是她给他喝的墨水，一定又要气爆了。唉哟，作孽哦，怎么这种乌龙的事情总是倒霉地轮到她头上。

她急忙将咖啡倒了，洗净杯子，犯罪证据一点也不能留下。

她端着咖啡杯回到总经办，推开里间办公室的门，乐天还是不在。将咖啡杯放好，她走到他的办公桌前，想看看他有没有回来过的迹象，仔细看了一下，似乎他出了会议室就不曾回来过。

十分纳闷，她忍不住小声嘀咕："这人究竟跑哪儿了？碳素墨水不就是色素、稳定剂加防腐剂等成分嘛，就算是含有铅类金属和化学防腐剂，会损坏肝、肾等内脏，那也是积蓄性中毒，没这么快反应才对啊。"

刚进办公室，乐天便见到江文溪站在他的办公桌前喃喃自语。当"碳素墨水"四字飘进耳中，他额上的青筋开始颤动。

蓦地，江文溪一个回转身，被立在身后的乐天给吓了一大跳，控制不住地尖叫出声。

乐天不禁皱起了眉头。

她用手轻拍了下胸口，受到惊吓的情绪总算是稍稍平复了一点。勉强挤了一丝笑容，她小心翼翼地问道："乐总，你没什么事吧？"

乐天眉心深锁，目光冷冷地直视她。

前几天冷空气来袭，气温陡降，叫人猝不及防。当时，他只是觉得喉咙有点不舒服，以为是小感冒就没当回事，更没注意防寒保暖。年关将近，每晚忙于应付各类应酬让他疲惫不堪，感冒自然只有加重的份儿。

他让严素泡杯咖啡，是想借助咖啡的浓郁香气提神，谁知道那杯子里装的竟然是碳素墨水！如果不是因为鼻塞，如果不是因为使用投影机而关了会议室的灯，他怎么可能会当众口吐墨水？

刚才去了趟洗手间，他就确定那杯子里装的是什么，经过一番思虑，严素是绝不可能犯这种错误的，原来又是她！为什么这个女人每天总是要弄出点意外让他"惊喜"？！她显然是事先就知道里面装的是墨水，看似还很期待他铅类金属和化学防腐剂积蓄性中毒。

额上的青筋再次暴起，他难受地咳了一声，喉咙嘶哑："咖啡是严助让你泡的？"

江文溪微微一怔，心道：难道真是那墨毒发作了？

"不是，咖啡是严助泡的，但……是我端进会议室的……"她的声音越说越小，不敢看向眼前面如罗刹的乐总。

"没喝过咖啡吗？"乐天纠结着眉心。

她在心中回道：当然有喝过，谁能想到你有那么多爱慕者，还买一样的咖啡杯，况且严姐刻意说了一句黑咖啡，谁知道你人这么变态，说不准喝的咖啡也与众不同。可是这番话她只敢在心里说，真正说出口的话却是："……有，雀巢速溶 1 + 2……"

乐天的嘴角不由得抽动了一下，紧握着拳头走回办公桌前，从左上角的一堆文件中抽出一个黑色的文件夹，"叭"的一声甩在她的面前。

她猛地一惊，屏住了呼吸，心口之处咚咚地急跳，垂在两侧的双手紧张地拉扯着外套的衣摆。

他强扯着嘶哑的嗓子怒道："江文溪，你每天脑子里都装些什么？来了这么久，连最起码的材料配比都不会？别告诉我严助没给过你具体的配比表，看看你复核的预算单，小学加减乘除是怎么学的？是不是要我送你去小学重读？！连最起码的加减乘除都算不好，你是怎么学的会计专业？！咳咳咳——"一连串激烈的咳嗽声让他停止了训喝，整张俊脸变得通红。

血色顿时从江文溪的脸上褪去，紧抓着衣摆的手指更加用力了。

她大学里学的是会计专业，根本从来没有想过有一天从事秘书职业。

"传真机每天都在用，居然还不知哪面朝上哪面朝下？还能发一堆白纸给客户？发完传真难道不知道跟客户确认一下吗？你知不知道你发出去的东西价值多少钱？！咳咳咳——"他又连咳了好多声，一想到昨天早上桑氏集团的桑渝在电话里嘲讽他，他便火冒三丈。

说招了什么人，发了十几张空白传真纸，他不心疼电话费，她还心疼她的传真纸。

桑渝这个女人，他再也没见过有哪个女人比她还会记仇的，不过是有一次在Ｋ.Ｏ.里，他揶揄沈先非，五年了，失忆了，居然还能爱上同一个女人，而且还是那么凶悍的女人，结果好死不死地偏偏被她听到。打那以后，她不但会利用在道场过招时对他出手又狠又准，并且不会放过任何可以打击报复他的机会。

面对他严厉的训斥，她紧咬着唇沉默不语。在进江航之前，她从没用过传真机，第一次发传真，的确是将文件放反了，发了几张白纸给客户。当时，客户打电话来，严姐解释是传真机坏了，并教她怎么使用各种办公设备。昨天，再次发了一堆白纸，其实不是她放反了传真件，而是传真机的确出了毛病，她也有打电话去桑氏问传真是否收到，可是那边电话一直占线，后来她忙于其他事，就把打电话核对传真的事给忘了，的确是她的疏忽。

她真的不是故意的，她也不想的……

委屈的泪水眼眶之中打转了许久，她低垂着头扯了扯嘴角，努力地不让它流下。

这时，办公桌上的电话响起，他以手按了按微痛的太阳穴，并未接。经过方才那一番嘶吼，他的嗓子更加疼痛，头也更加昏沉。

电话铃声依旧不停地在响，江文溪仍然像座雕像一样还立在面前，他不禁又扯着嘶哑的嗓子咆哮："还站在那儿干什么？！接电话！"

噙在眼眶之中的泪水终于还是忍不住地滑落下来，她吸了吸鼻子，接起电话："您好，总经办。"

电话那头，传来一口不知名山区的浓重口音："你好，明华马良诚，我找乐总。"

她掀了掀润湿的长睫，小心翼翼地看向他，瞧见他对她很不耐烦地摆了摆手，便答道："哦，乐总这会儿正在开会，您有什么事和我说吧，我是他的助理，我姓江。"

"不在？那没关系，你记一个邮箱地址，让他把那些图纸发到我邮箱里。"

"好的，您说。"他取了纸笔。

"马良诚三个字的拼音，然后是@后头没有点ｃｏｍ。"

"什……什么？！后头没有点ｃｏｍ？！"不点ｃｏｍ，那点ｃｎ？

挂在脸上的最后一滴眼泪滑落，她双眉微微轻皱，眨了眨双眼，泪腺犹如自来水龙头一般，眼泪在瞬间缩了回去。

"对，后头没有点ｃｏｍ。"

她咬了咬唇，整张脸都皱在了一起："那，后头没有点ｃｏｍ是不是点ｃｎ啊？"

"不是点ｃｎ，是后头——没有——点ｃｏｍ。"那个名叫马良诚的人一字一字地重复。

这位马先生究竟说的是什么火星域名，地方口音那么重，这让她恨不能一头撞在一旁的玻璃墙上。

"哦，后头——没有——点com……"江文溪只好按他的方言记下这奇怪的邮箱。

挂了电话，捏着便笺，她一脸无辜地抬眼望着坐在正对面的乐天，只见他微眯着眼，眼眸之中正闪着一丝难以捉摸的光芒，突然，那好看的眼眉舒展开来，薄唇勾勒出一道淡淡的美丽弧线。

如果她没看错，那应该是在笑，他竟然在笑……

虽然只是嘴角微抬，似笑非笑，但她只要看到他笑，就会头皮一阵发麻，战战兢兢地将便笺条递给他。

在瞧见江文溪的眼泪好似断了线的珍珠一样滴落在地，乐天心中有一种难以言语的烦躁，他最讨厌女人哭，可眼前这个女人一哭，他的脑中会不由自主地想起十年前，无论他骂多少次赶多少次却依然坚决跟在自己身后的周梦珂，甚至他的声音稍稍抬高一些，那时的她，一双明澈温柔的大眼总是这样泪水涟涟，让人无法招架。

女人的眼泪是世上最强的武器，这句话说得一点没错。

马良诚的电话可以说是一阵及时雨，若是换作其他人，他可能直接拍桌子让人滚了。

看到那张便笺条上写着"后头没有"几个娟秀的字，他想到刚才她接电话的样子真够蠢的，不由得勾了勾唇角。

什么后头没有点com，马良诚英文发音不准，再笨的人也能猜到那是hotmail，这都想不到，他真是服了这个笨女人。

拿起纸笔，他写下一串英文字母，连同一个U盘递给了江文溪，哑着嗓子说："把这里面的东西发给马经理。"

她接过纸条，不由得大惊，张了张嘴："ho——hotmail？！后头没有……"

天啊，原来是hotmail……她怎么就没想到呢……

瞬间，她的脸涨得通红，她终于明白他刚才为什么会那样笑，原来是讽笑，讽笑她的愚蠢。

她红着脸，尴尬地连连点头，刚要转身离开，那嘶哑而富有磁性的声音再度响起："发完邮件就去开会，开完会回来整理好会议纪要，然后把这份工程预算重新核算，什么时候算好什么时候再下班。"

血色从她的脸上迅速褪去，她颤着手拿起那个黑色的文件夹，恭敬地点了点头便离开了办公室。

坐在位子上，翻开眼前的文件，她哀叹一声，白发魔男一定是因为她害他喝了墨水而故意整她的，谁都知道今天是平安夜。

每次开会，最少也要一两个小时，现在都已经三点半了，而今天这场会怎么看至少也要到快下班才能结束，加上这么一份工程预算，今晚去教堂狂欢的计划只能是泡汤了。

发完了邮件，她掏出手机，发了一条短信给李妍，道歉说今晚要加班不能去教堂了。

不出三分钟，李妍的电话便打了过来，她小心翼翼地接起，生怕被里面的白发魔男听见。李妍在电话里将白发魔男骂了足足五分钟，听在她的耳朵里不知有多解气。

最后，李妍说不管有多晚，都会等她。

她连连点头，这才挂了手机。

谁知一抬头，便看见白发魔男立在她的办公桌前，寒着一张脸盯着她。

她连忙起身，急道："我这就去开会。"

她快步走出办公室，出了门就迈开两条腿向会议室跑去，好似身后有鬼在追她一样。

乐天看着她落荒而逃的身影哭笑不得，他之所以会将她带进总经办，还有另一个原因，因为她面对他从不敢拿正眼瞧他，每次看见他就会像看见鬼一样。

在严素之前，有过其他助理，但那些年轻漂亮的女孩自以为进了总经办，总是会带有一些想法，他需要的是一个能够专心工作的下属，而不是把心思用在钓金龟上的下属。男性助理在处理一些琐碎的细节问题上，总是比女性要弱一些，因此他不得不将原本是深叔助理的严素调到总经办。

望着她桌上摆放的几本工具书，他不禁哑然。

这女人虽然人笨了点，蠢了点，但的确如她朋友所说，叫她向东她绝不向西，叫她站着她绝不坐着，够听话，也很用功。刚开始来的时候，她做的那些事，简直让人抓狂得想将她一脚端下楼。

起初，严素常常会用很无奈的眼神怀疑他的眼光，渐渐地，会时常听到严素称赞她。

如果这女人的脑袋瓜子能再灵活点就更完美了，但愿她是块金，能够发点光，哪怕是微弱的光芒也可以。

他又咳了好多声，抚了抚有些微热的额头，似乎从喝了那墨水之后，他的头更昏沉了，刚才训她的时候真是费了不少力气，怕是明天连话都要说不出口了。

这该死的重感冒！

一如江文溪想的那样，开完会已是五点半，正好到了下班时间。那份预算

表，以她最快的速度，也要到晚上差不多九点才能做好。

收拾好会议桌上的东西，她的余光扫到那杯"黑咖啡"，趁大家还没发现那里面装的是墨水，她急忙端起，快步走出会议室。

这套咖啡杯是企划部梁小玲的，现在就白发魔男一人知道是她干了这件乌龙事，她不能让其他同事知道是她把墨水当成了咖啡，她得赶快处理掉这套咖啡杯，到时候再重新买一套偷偷还给小梁好了。但是，之前听小梁心痛这套咖啡杯，是因为这套杯子很贵，并且跑了大半个 N 市才买到，她不禁苦起整张脸，为什么她总是拿钱消灾啊？

如果让死去的老爸老妈知道她现在这种窘境，一定会 45 度角仰望天空哀号："作孽哦！我们怎么就生了这么个笨丫头！"

严素看到她脸色怪异地从洗手间出来，关心地问："怎么了？是不是哪里不舒服？"

"哦，没事没事。"她快步走回办公桌前，打开文件夹。

刚刚她扔了那咖啡杯，没人发现。

严素拿起包，见她不打算下班，有些疑惑："你不是今晚要和朋友去教堂狂欢吗？怎么下班了还不走？"

提到这事她就很沮丧，撇了撇嘴角："都怪我不细心，乐总说，这份预算表今晚不核好不准下班……"

"啊？"严素脸上惊诧的表情仿佛不敢相信这是真的，想了想，随即又暧昧地笑了起来，"那你加油，我先走了。拜拜。"

她难以置信地望着严姐，为什么平时那么有爱的严姐在听到她今晚要加班之后，反而笑得那样很没爱心。

同事们下班的欢呼声阵阵飘进她的耳朵里，别提有多郁闷。

唉，她真是倒了八辈子的霉。

双拳紧握着，复松开，在心中高喊了一声"Fighting"，她便埋首于那堆复杂的数字之间。

办公室静得连一根针掉在地上都能听到，江文溪敲完最后一个数字键，终于舒了一口气。

她总算可以下班了，看了看手表，九点十分，她掏出手机，给李妍打了个电话，告诉李妍九点半之前一定到。

收拾好所有东西，正打算将那份预算表放进里间办公室，刚走到门口，便听到里面 "哗啦啦"传来一阵声响，吓了她一跳，心口咚咚地跳个不停。

这会儿，整个办公楼应该除了她之外，就剩下保安了吧。

难不成这办公室闹鬼？

Office 有鬼？！

刹那间，她脑里闪过高中的时候，李妍拉着她一起去电影院看的那个《Office 有鬼》，当时纯属好奇，结果看了之后吓得她三天三夜没睡安稳。

她双手紧紧地抱住文件夹压在胸口之处，以防止心脏跳动过度，破腔而出，壮着胆，轻轻推开那道门，紧张得后背都冒出一层冷汗。

办公室内漆黑一片，她颤着身体，僵直着双腿，艰难地迈着步子，伸出一只手顺着墙壁摸去，试图打开灯。

就在这时，对面一幢大楼顶上的光柱打过来，将整间屋子照得透亮，她看到一个身影趴在办公桌上一动不动，吓得捂着嘴，整个人向后趔趄，手中的文件夹摔落在地。

只是数秒钟，她便反应过来那趴在办公桌上的人是谁。她以手拍着胸口，大喘着气，将灯打开。

看到地上散落的一堆文件夹，她才明白刚才听到的声音是什么。胸腔内不停跳动的心总算稍稍缓和，她在心中咒了一声：真是人吓人，吓死人！

看了一眼一直趴在办公桌上的乐天，她轻轻地叫了一声："乐总，预算表我核好了。"

没有得到应声，她不禁蹙了蹙眉，这男人搞什么鬼，今晚是平安夜，不出去约会，怎么会加班到这时候，还趴在办公桌上睡着了。

捡起脚边的文件夹，她走过去，将办公桌前地上散落的文件一一捡起放好，抬眸又看了一眼趴在桌上的乐天，她忍不住又叫了一声："乐总？！"

"……嗯。"极轻，且软弱无力的一声应答。

她不禁疑惑，发觉他的异样，走到他的身旁，轻轻地碰了碰他，叫道："乐总，你没事吧？"

"……嗯。"又是一声轻哼，他的头微微偏了偏，露出半张脸，银白色的头发贴在脸颊上，皮肤看上去有些微微泛红。

他这样的状态，让她想到这些天里他咳嗽得厉害，说话声音嘶哑，脸色也很差。

她轻轻地用手指再度碰了碰他，见他没有反应，她想了想便将他扶住靠向椅背，看清了他满脸泛着不自然的红晕，双眸紧闭，眉心深锁，表情看上去十分的痛苦。

她忍不住伸出手向他的额头探去，灼热的温度让她迅速缩回了手。

好烫！他在发烧！

她在心中咒道：真是报应！活该！谁叫他下午那样训她，还让她平安夜加班加到现在，刚刚还把她吓了个半死。瞧，善恶终有报，不是不报，是时

辰未到。

狠瞪了他一眼，她看了看手表上的时间，再不走就要来不及了。

转身，脚刚要迈出一步，身后的人发出一声呻吟。

她顿住脚步，苦着一张脸，喃喃自语："他病倒了关我什么事？而且他都烧糊涂了，肯定不会知道我知道他生病，我就这样走了，应该不会有关系的。"

脚向前迈了一步，正打算迈第二步，心中另一个声音跳了出来：不能走，如果就这样任由他烧下去，把他烧成了白痴，他这个总经理不存在了，还要你这个总助做什么？为了饭碗，你不能走！

落下脚，心中又一个声音叫道：怎么可能发烧烧成白痴，他又不是三岁小孩。何况这是他报应，谁叫他总是欺压我们主人，烧成白痴也是活该。

第一个声音：享受一时的爽快，就能让你吃饱饭？

第二个声音：有时候人活着，不蒸馒头也要蒸（争）口气。

第一个声音：送他去医院。

第二个声音：不送。

第一个声音：送！

第二个声音：不送！

……

"送"与"不送"两个声音在她的脑子里轮流轰炸，让她十分抓狂。

咬了咬唇，她转过身看向倚靠在椅背上的他，他的表情那样痛苦，如果不是因为生病，他的脸上永远都不会出现这种脆弱的表情。

"他不仁，但我不能不义。"一咬牙，一跺脚，她决定送他去医院。

折回他的身边，她以手指在他的脑袋上轻轻地戳了戳，她不敢太用力，生怕这男人会记仇。佯装一副趾高气扬的模样，她说："虽然你对我这么坏，今晚还让我加班，但看在你留下我工作的份上，我就不和你计较了。呐，先说好了，你要付我加班费哦，还有待会儿去医院的打车费，看病的诊疗费、医药费你自己掏哦，不过我先垫付可以，但你一定要还我。"

"……嗯。"某人烧得昏昏沉沉的，除了发出"嗯"的声音，再也发不出其他音了。

她当他同意了，便又轻轻地推了推他："能起来自己走吗？"话音刚落，她便咬紧了下唇，她真是白痴了，如果他能自己走，此时此刻还会像头死猪一样趴在这儿吗？

算了，算了，她就再吃亏一点扶他好了。

她伸出手，一手将他的手臂搭在肩上，一手扶住他的身体，期待他有些反应，可是眼前的男人依然还是先前那副姿态。她仰起脸，他紧抿的双唇刚好落入她的视线之中，那性感的唇线让她的脸微微一热，说话有些结巴："你……你好歹动一下嘛，这么重我怎么扶你？"

昏沉中的乐天隐隐约约听到一个柔软好听的声音叫他动一动，缓缓睁开眼，映入眼帘的是一双清澈透亮的大眼，好像在哪里见过。他不知道自己是在什么时候睡过去的，他感觉自己浑身发烫，全身肌肉酸痛，四肢无力，脑袋昏沉得根本无法做主。

"你动一下嘛。"

面前那双黑亮的眼睛里满是埋怨，仿佛他再不动一下，那里一定会流下让人心疼的眼泪。

他不喜欢女人哭，不喜欢……

"啊——"江文溪尖叫出声。

要死了！这男人怎么发烧也这么变态，竟然伸手摸她的眼睛和脸。

她毫不留情地挥手打掉他的贼手。

终于，他站了起来。

就在她感到庆幸的时候，他脚下一个不稳，整个人软弱无力地倒在她的身上，两个人双双倒在那洁白的羊毛地毯上，呈现出标准的"男上女下"的暧昧姿势。

啊！好重！重死了！

他的脸压在她的颈窝之处，灼热的气息喷洒在她的颈间，让她痛苦而羞愤地紧闭起了眼。

这男人说她故意，明明是他故意，就连病着都不忘非礼她。

被压在身下，她偏过头看了一眼身上的男人，咬着牙，铆足了全力才把他推开。她气愤地抬手在他的胸前捶打了好几下，下一秒，才发现他早已烧得失去了知觉。

造孽！要是刚才就这样丢下他，说不准她已经到了教堂了。

她苦着脸，看了一眼他，咬了咬唇，只好无奈地迅速爬起身，拨了内线，找了一名保安人员将人高马大的他架上了出租车。

她本来还担心到了医院，凭她一人的力量该如何拖动像头死猪一样的某人。

结果，是她低估了某人的魅力，就连发烧烧得像头烤乳猪一样，依然可以魅力无穷光芒四射。除了请出租车司机帮忙将他架到急诊大厅，其余完全用不着她插手。按值班小护士的话说："你只要负责把钱交了，其他的交给我们就可以了。"

等她交完了钱，领了药交给护士，在护士的指引下，见到某人却是已经

安稳地躺在病床上。病房虽是三人一间，这会儿却只有他一人躺在中间的病床上。

任何时间生意都异常火爆的医院竟会在圣诞平安夜如此萧条。

她走进门，在进门左边病床旁的椅子上坐下，不一会儿，就看见两名年轻的小护士推着医药车来打点滴。

她在心里不免有些愤愤不平。

瞧，这就是所谓永恒的"同性相斥，异性相吸"原理。想到自己病得就差没爬着进医院的时候，也没见这些小护士对她这么热情，白发魔男从一进急诊大厅就受到特殊待遇，连输液插针都有两个小护士伺候着。

她愤愤地撇了撇嘴角，静静地盯着输液袋里的药水一滴一滴地往下滴，顺着输液管输入他的手臂里。虽然医院的暖气打得十足，但一想到以往打点滴时胳膊冰冷僵硬，她不免打了个寒颤。

她看了看墙上的时间，已经十点半了，于是给李妍发了一条短信，告诉她自己一会儿就到。

收好手机，她望了望病床上躺着的乐天，又看了看外面值班台的两个小护士，心想：有她们两人在，待会儿换药应该没什么大碍，她留在这儿，也没什么能帮上忙的。

起身，抓起包，决定走人。

还没转身，余光便瞥见病床上的人动了动，插着针管的左手猛地一扬，带动着输液袋和输液管激烈地晃动。

她见了急忙丢下包，抓住他不停挥动的双手，急道："你在打点滴，不能乱动。"所幸她抓得及时，针头并未移位。

病床上的人并未醒，紧闭着眼，双眉紧蹙，口中不停地喃喃呓语："我是被冤枉的……我没有……我是被冤枉的……放我出去……放我出去……我是被冤枉的……我是被冤枉的……放我出去……"

他在做噩梦？！

这一番呓语让江文溪一阵惊诧，这样的呼声为何那么熟悉？可是，她梦里反复出现的十年前那个男生和眼前的白发魔男，根本不可能是同一个人啊。

他的手依旧还是在不停地挥舞着，力道之大，她不得不以手反握住他的手，紧紧地抓住，柔声安抚："嗯，你是无辜的，你是被冤枉的，不要想太多，睡一觉，病就好了。要乖，不要乱动，把针头动出来，你还要再扎一针，再痛一次。"

在温暖柔和的安抚声中，他紧蹙的双眉终于舒展开来，整个人逐渐平静下，呼吸也变得绵长平稳。

"原来你也会做噩梦。"她不禁嗤笑。

刚将他的手臂轻轻地放回床上，她的左手便被紧紧地抓住。虽然他还在沉睡中，但手劲特别大，她连抽了几次都没能将手抽出，最后不得不放弃，在床前的椅子上坐了下来，任由他抓着自己的左手。

凝视着熟睡中的他，她开始细细地审视着他清俊的面容。

这个男人，平日里脸上永远挂着一副"生人勿近"的冷漠表情，但在睡眠中却显得格外的温情。她想起第一次在超市电梯里见到他的时候，优雅无边，依然能感觉出他的冷傲深藏在骨子里。他身上有种难以言语的气魄，无人能及，但凡见过他的女人，几乎没有不多看他一眼的。

她也不例外。

她承认，虽然他对她从未和颜悦色，可是，每天坐在外面，只是一墙之隔，她也会忍不住偷偷多看他两眼。

毕竟爱美之心，人皆有之，有欣赏帅哥的机会，又不用收费，何乐而不为。

不知道睡梦中的他到底梦到了什么，为什么会在梦里说出那样的话语？以他这样的身份地位，怎么还会被人冤枉被人关呢？

蓦地，一阵手机铃声惊醒了正在游神的她。

是李妍。

接起电话，电话那头李妍说话又快又急："你不是说了一会儿就到吗，人呢？是不是乘车乘到火星上去了？"

病房里，她接电话的声音不敢太大，只能压低了声音小声回道："我现在在医院——"

她的话还没说完，李妍在听到"医院"二字就嚷了起来："什么？！医院？！你被车撞了？！作孽哦，溪溪，你没事吧？！在哪家医院，我马上过来——"

她直觉将手机拿离了耳际，直到电话里传来李妍的呼喊，这才将手机再度放回耳边，无奈地叹了一口气："我没被车撞啦，是白发魔男他——"

"你家帅哥上司被车撞？作孽哦，他没事吧？咦，话说回来，他被车撞关你什么事啊？难道为了送你出来被车撞？咦，不对啊，他被撞了你怎么没被撞啊？"

"停停停！！！"她实在受不了，哪有朋友咒自己被车撞的？终于摊上说话的机会，她解释，"哎哟，不是啦，是他发高烧，在办公室里昏倒了，公司早就没人了，所以我只好送他来医院咯。"

电话那头一阵沉默，半晌道了一句："没了？"

"嗯？没了，你以为还能怎样？我都打算走人了啊，"她又压低了声音，"反

正这里有好多小护士，她们一定乐不思蜀，乐此不疲。"

话音刚落，电话那头李妍又叫了起来："看你那没出息的小样儿。"

"好了，别说了，我马上不就过去见你了嘛。"

"快点来哦，我和熊在天鹅湖花店门口等你。"

这时，手机里发出"滋滋"的声音，她没法听清具体位置。

"喂？听不见。喂？喂？"她连叫了几声，耳际响起了一声华丽的关机铃声。

手机没电了。

她对着手机狠瞪了几眼："啊呀，怎么突然就没电了？明明早上刚充得满满的啊——"

"这里是病房，难道不知道病房里不能打手机吗？"

江文溪被突如其来的声音吓住了，回首一看，原来是来巡房的护士长。她红着脸，不自然地笑了笑，连忙道歉："对不起，对不起——"

"跟我说对不起有什么用？"护士长沉着脸走过来，看了看输液管里的点滴流量以及插针位置都没问题，这才对她又道，"注意看着点输液袋里的药水，别顾着打手机，男朋友生病了就好好照顾着，少过一次圣诞节有什么关系。"

男朋友？！

听到眼前这位护士长称乐天是自己的男朋友，她才意识到自己的手还被乐天紧抓着，急忙抽出，连忙摆了摆手："他不是我男朋友。"

"不是？"护士长锐利的目光从她的脸上移到乐天的身上，最后又落回在她一红一白的脸上，心念：原来还有后补的，这个病倒了，目标又转移了，难怪急着走。

护士长满脸鄙夷，口气冷淡："输完液才准走。"

"啊？"她很想说"不是有护士吗"，可是在护士长炯炯双眼恶瞪下，话到嘴边又缩了回去，变成很无奈的应声，"……哦。"

得到答复，护士长这才满意地离开了。

她仰起头，望着才输了一半的输液袋，还有两大袋尚未输的满满药液，这么多，不到夜里两三点肯定输不完，看来今年她这个圣诞平安夜只能在医院守着顶头上司度过了。一想到李妍还有可能在等她，她就着急，待会儿一定要想办法去打个电话，告诉李妍她去不了了。

手臂僵硬，全身上下也没了那种燥热酸疼的感觉。耳中隐隐约约有轻微的说话声传来，乐天缓缓睁开眼，从窗户透射进来的光线刺激得他再次闭上双眼。

复睁开眼，映入眼帘的是白色一片，脑中有几秒空白，陌生的环境让他微愕。下一秒，他便反应过来，这里正是他最讨厌的医院。

怎么会在医院？

他缓缓抬起自己微僵的右手，手背上那青色的针孔提醒他被人扎了针。

他想起昨晚是平安夜，重感冒折磨了他好些天，一直不舒服，推掉了累人的应酬，本来只是闭目养神，但不知怎么就进了医院。

是谁送他进医院的，真是多事！

沉寂的空间里，只有墙上的挂钟在"滴滴嗒嗒"走动，指针刚好指向早上七点三十分。

深蹙起眉心，他刚想起身，病房的门赫然被人推开了。

是一名穿着粉色护士服的小护士，只见她弯了弯月牙儿一般的眼睛，甜甜地说："你醒啦？有没有觉得好一点？"

他看着她，一脸的莫名，锁着眉心，只是淡淡地"嗯"了一声。

"那就好，"小护士的目光瞥见病床上单薄的西装外套，于是又道，"最近冷空气来袭，要注意防寒保暖，你就是因为穿得太少了才会生病。下午记得一定要来输液。"

面对小护士的唠叨，他苍白的脸上明显地露着不耐烦，紧抿着唇，突然想到什么，便问："送我来医院的人还在吗？"喉咙还是很痛，声音依旧嘶哑，但较昨天之前稍好一些。

"啊？哦，你女朋友出去打电话了，她说一会儿就回来。"

女朋友？

他微微蹙眉，不明所以地看着小护士，他怎么就不知道自己还有个女朋友。蓦地，他想到昨天他折回办公室的时候，那个江文溪还没走。该不会送他来的那个就是江文溪吧？难道护士小姐口中所谓的"女朋友"指的就是她？！

"谢谢。"他很有礼貌地对小护士颔首，拿起搁在病床的西装外套穿上，便急于出病房。

"你不等你女朋友了吗？"小护士追问。

他挑着眉，淡淡地回道："她自己认得路。"

转身，他出了病房，留下望着他背影怔怔发呆的小护士：哦，心肝儿哦，不愧是K.O.的老板，就连生病浑身也散发着一种颓废之美。

穿过长长的过道，一股子医院里特有的来苏水和酒精混合味道肆意地钻入乐天的鼻腔，让他深深地皱起了眉头。

还有两步之遥，过了那道门，就到了电梯口。

隐隐约约，有女人在哭，随即电梯口处传来一个高亢尖锐的女声："你给我站住！"

乐天一只手抄在西裤口袋里，不禁对这人的素质感到厌恶。走过那道门，他便看到电梯口处围了好多人在那儿窃窃私语，甚至还有两位当职的护士也加入了观战。

一个染着栗色头发的女人，捂着脸坐在电梯旁的墙边哭泣，一个满头染得金黄，年纪约莫二十来岁的年轻男子站在电梯门口处，正被另一名长发的女人揪住衣领。

柔顺黑亮的长发遮住了那个长发女人的大半个脸，惊诧之中，乐天认出了她——那块在工作中他有所期待的"金子"。

这个女人好好的怎么突然惹起是非来？

他刚想走过去，便见她指着那男子吼了起来。

"我再说一次，跟她道歉！"江文溪揪住衣领的手毫不放松。

"你脱线啊！这是我跟她的事，你是什么人？关你什么事？"年轻男子满脸怒气。

年轻男子的话音刚落，左脸颊上便挨了一拳。当他反应过来，愤怒地想要还手，已经被江文溪当成犯人一样，将手臂反扣在背后，压到了那名不停哭泣的女生面前："我脑子要是脱线，你脑子就该穿针。你还是不是人？！她昨天才做完刮宫手术，今天你就这样对她？爽的时候怎么知道爽的？要负责的时候就要赖？你怎么不去做绝育手术，然后再让她甩你两巴掌？"

年轻男子因手臂被反压着，痛得龇牙咧嘴："你神经病！啊啊——"

"对啊，我是神经病！专门对付你这种禽兽牲口畜生都不如的狗东西！"江文溪反扣着他手臂的手又使了力，另一只手按住他的后颈，将他整个人再度压向坐在地上的女生，"快点跟她道歉！"

坐在地上的女生擦了擦脸上一片模糊的泪水，哽咽着望着面部扭曲的男友。

年轻男子因受不了手臂被反扣的疼痛，惨叫着："啊——你先放手！你不放手我怎么道歉啊？！"

江文溪听闻，终于松了手，双手叉腰站在他身后："道歉！"

那年轻男子摸了摸疼痛不已的后脑勺，对着坐在地上的女友横了一句："对不起。"

"你妈没教过你怎么说对不起？"江文溪用脚狠踹了他一脚。

"啊——痛啊——"年轻男子摸了摸被踹得很痛的小腿，软了声音对女友再次说，"对不起……"

"扶她起来！"江文溪道。

依言，年轻女子被扶了起来，但那男子很快便松了手，急匆匆地往刚停下的电梯里走，回首还不忘对自己女友凶道："快点走！还嫌不够丢人？！"

江文溪追了过去，狠打了那人脑袋一下："丢人的是你！抱她出去！"

年轻男子在众人纷纷指责之下，不得不抱起女友迅速闪进电梯。

江文溪在电梯门快要关起的那一刹那，伸脚挡住门。

一电梯的人不知发生了什么事，一个个好奇地望着电梯外的江文溪。

"你还想怎样？"那年轻男子苦着脸。

"你闭嘴！把人抱好了。"江文溪狠瞪了他一眼，看向他怀中的女生，说："送你六个字：自爱，自尊，自重。如果出了电梯，他再像刚才那样对你，就打电话报警。"

两行清泪再次从那女生的脸上流下，她哽咽着感激道："谢谢……"

江文溪收回了脚，电梯应声合上。回首，众人一一向她投来敬佩和称赞的目光，甚至几位大妈大婶拉着她不停地夸赞，她微笑着点头配合，以示友好。最终在护士的指示下，众人方才散开。

如果不是那一模一样的皮囊，乐天甚至怀疑自己是不是认错人了。

那神情，那身手，那说话的语气，与平常的她根本完全就是两个人。今天，她的双眸格外的清亮。若说似曾相识，或是与他认识的"江文溪"能划上等号的话，只能是他强吻她的那晚。她甩他那一记耳光时的神情，他可不会忘。

与她的距离只是两步之遥，终于等到那位头发花白的老太太松开了她的手，他才缓缓向她走去。

"昨晚是你送我来医院的？"他的声音依旧嘶哑。

她白了一眼，给了他一个"很显然"的眼色，便从衣服口袋掏出一包口香糖塞给他，冷讽一声："别开口说话，嘴巴那么臭，先用口香糖去去臭气。"末了，还不忘冷嗤一声，外加一句，"专门为你买的。"

乐天望着手中的口香糖，"乐天"二字赫然跳入眼底。

"乐天"？他还是第一次知道原来口香糖还有这么个牌子。敢情她整天是对他咬牙切齿了，否则也不会专门买这种品牌的口香糖了。

江文溪不理会某人一脸的便秘色，从身上的斜挎包里摸出一叠医院收费收据，冲着他扬了扬，有条不紊地一张张数了起来："打车费二十四块，挂号费七块，化验费二十八块，中西药四百零四块，床位费三十五块，输液费二十块，一顿晚饭加一顿早饭十五块，圣诞节平安夜加班费一百块，一晚看护外加跑腿费算你便宜点，两百块好了。嗯……还有口香糖，两块五毛钱。嗯……"她算了算，几秒过后，准确地说出，"一共是八百三十五块五毛钱。那，全部单据，只收现金，不收支票，更不等报销！快点付钱！"

垂眼望着她手中那叠医院收费收据，乐天额上的青筋隐隐暴起，眼底闪着两团明亮亮的火焰。收紧掌心，他将这包口香糖狠狠地捏在手中，抬眸便瞧见她一副蔑视的表情。

这时，电梯来了，他微眯了眯眼，迅速伸手将她捞进怀中，带进了电梯。

"喂，你干什么……"

电梯全是人，本想发飙的江文溪在众人惊诧的目光下，立即噤了声。她被他揽在怀中，根本无法动弹，双眼刚好对着他微微敞开的衬衫领口。视线范围内，是他优美的下颌弧线和上下滚动的喉结。

曾听人说，喉结是男人身上最性感的部位，也是男人最阳刚之气的表现，同时也是罪恶的象征。

性感、阳刚、罪恶，在眼前男人的身上得到了最好的诠释。

视线向上，迷人的下颌虽添了许多胡茬，却更添几分性感。狭小的空间里，他的全身上下都充满了魅惑的男人气息，丝丝缕缕，无孔不入。

突然间，她听到了一阵毫无规律可言的"咚咚"声，她抬手按住胸口，意图压住自己在"扑扑"乱跳的心。

她会不会是太累了，怎么心突然跳得这么快？转首望了望电梯里的人，她心念：也许是电梯里人太多了，空气稀薄，才会心律加速。

"叮"的一声，电梯到了一楼，电梯里的人陆陆续续走出。

他不顾她的反抗，揽着她的肩大步走出电梯。

出了住院部的大楼，她便挣脱了他的手臂，怒道："别借机占人便宜，快点给钱。"

他抬起手腕，扫了一眼手表上的时间，清了清虽然还有些痛但已经比较舒服的嗓子，云淡风清地说："现在是八点十五分，就算你打车回公司也注定迟到。根据公司人事规定，迟到一次扣二十。另圣诞节平安夜不是国家规定的法定节假日，你加班是因为你工作没有做好。反过来，我应该向你收取公司的电费和办公设备的折旧费。一晚看护外加跑腿费，根据劳务市场上最贵的钟点工行情，最多不会超过一百块。而你，身为钟点工，在雇主醒来的时候却不在身边伺候着，不能满足雇主的需求，这是失职。我可以拒付这笔钱。"

话说多了，嗓子还有是有些痛，他顿了顿，清了清嗓子，才接着道："还有口香糖，两块五毛钱，你已经吃了一片，如果你是为我买的，那就是私人物品，你的行为就是非法侵占他人私有财物。所以，八百三十五块五毛钱，扣除你迟到的二十，所谓的加班费一百，看护外加跑腿费两百，口香糖两块五毛钱，你浪费公司电费和办公设备的折旧费，还有待会儿一起打车回去的打车费，我最多只会付你四百。"

江文溪瞪大了双眼，挥动着捏紧的拳头，气得说不出一句完整的话："你、你、你——"

简直难以置信还有人这样算账的，真是嚣张得可以。

凝视着双颊红扑扑的江文溪，他皱着眉清咳了几声，补充："对下属，我向来不付现金，要想要回这笔费用，回公司自己填报销单。"

嗓子又有点痛了，刚刚能说话，他做什么要和她废话这么一大通。

他转身大步向前，刚好一辆出租车驶了进来，他轻轻一招手，手搭上出租车的门把手，回首对满脸怒气的她道："要不要上车？不上车你就自己回公司，如果不去公司，你今天算旷工。"

语音刚毕，她已经站在他的身侧，手已经搭上了出租车前门的把手，只是顿了一秒，她将他推开，手拉开后车门，动作敏捷地钻进车内："如果不是因为你，我根本不需要打车。想我付这趟车钱，门都没有。"

她就不信这邪了，八百多块硬是能让他砍成四百，就算是顶头上司也不行。

车外的他突然笑了起来，性感的薄唇勾勒出优美的线条，看她的眼神越来越奇怪，这令她很不舒服。

神经病！

见他钻进了车内，她狠瞪了他一眼，往左边窗户挪了挪，脸便转向车窗的方向。

他清了清嗓音，对司说："司机先生，麻烦ＸＸ路江航大厦。"

"嘴巴臭死了！"她愤恨地嘀咕一声。

他微笑着不以为然。

车子缓缓起动，浓浓的倦意一波一波地向江文溪袭来，她忍不住打了几个哈欠。

窗外，街边的行人与商铺飞快地向后掠过，渐渐地，她的意识开始涣散，强烈斗争了几次，沉重的眼皮终于挣扎着合上了。

车子一个转弯，将沉睡中的她带向了乐天的方向。

乐天偏首望了一眼斜靠在自己肩上的女人，双眸紧闭，纤长的眼睫下可以清晰地看见一圈明显的黑眼圈，较之前怒气冲冲的她，眼下这副睡相显露了她的疲累。

前方修路，车子一个颠簸，她的身体剧烈地摇晃了一下，头在撞上了车窗玻璃之后又反弹在他的肩上。双眉深锁，睫毛微动，太过于疲倦，而未曾让她醒来。

不假思索，他伸出手将她轻轻揽在怀中，让她睡起来舒服些。

他偏过头，细细地开始审视起她，想到之前她教训那个恶男，那身手，那气势，犹如一个惩恶扬善的正义天使，之后算账的情形，说话条理清晰分明，

态度不卑不亢，完全不似平日里怯怯懦懦，别人大声对她说几句，她一副想要去寻死觅活的模样。

这样的她，他一共见过三次，强吻她的那一次，送壁布样本的那一次，还有今天这一次，为什么一个人可以在短短的时间里变化那么快呢？

"人格分裂"四个字一下子跃入他的脑中，让他不由得一震，心底升起一股怜惜之情。

他揽着她的手臂略微收紧，下颌很自然地搁在她的头顶上，想到深叔的建议，他喃喃自语："这草的质量又下降了，看来我得好好地养肥她了。"

他傻笑了笑。

"先生，到了。"司机回头大声叫了一声，这才将他的思绪拉回。

付了钱，他原本想叫醒她，看她睡得那么香，思及昨夜她因照顾自己可能一夜未眠，便放弃了叫醒她的想法，索性将她抱出了车。

他抱着她一路走回办公室，震撼了全公司的人。

待他抱着她回到办公室，门一关上，一个个才敢从座位上跳出来开始八卦。

"有奸情！绝对有奸情！"

"长眼的都知道有奸情。"

"昨天下午，乐总明明已经离开公司了，可是下班之前又折回公司，你们说，这是为什么？"

"昨天是平安夜啊，难道折回来接小江？"

"可是昨天罚小江加班的人也是他啊。"

"这叫做欲盖弥彰。"

"对，没错，他们是想等全公司的人走了之后再进一步培养奸情。"

"你们注意没有，两人的衣服和昨天穿得一模一样。"

"又一起来公司上班。"

"还是用抱的。"

"So，昨晚一定有——"

结论尚未得出，一个优雅的声音从他们身后传来："昨晚一定睡得很好，这会儿一个个才这么有精神。"

严素从总经办出来就见到一堆人聚在一起议论里间招摇的一对男女。

大伙一看是严助，立即噤了声，缩回自己的办公桌前。

严素抱着双臂，一言不发地在大厅里绕了几个来回，随便找了一张椅子坐了下来。

今天早上来上班的时候，没见到江文溪，她想一定是那丫头昨天加班到很晚。孰知，刚想着那丫头，就看到乐天抱着她进了办公室门，并且一直抱进里面的办公室。

目光在那禁闭的门上逗留了很久，严素才强压下想要一脚踹开那碍人视线的门的冲动。

看来昨晚是真的有搞头。

不过乐天这孩子也是时候固定下来了，小江这孩子还就挺适合他的。所以，为了给两人创造绝对的私密空间，她决定将总经办外间的地方也让给二人。

若是再年轻个十岁，或许自己不是身为这样的职位，她想她一定会加入刚才的讨论大军之中。

"唔——"江文溪闭着眼，两脚习惯性伸直，伸了个懒腰，一个不留神，便重重地滚落在地，"啊——"

地板怎么会这么软？屁股没摔得很痛耶。还有，床怎么突然变得这么小？

她猛地睁开双眼，看清身下一片柔软的羊毛地毯，倏地，脑中一片空白。

每天给她带来恶梦的就是一间铺着羊毛地毯的办公室，而能拥有这样一间办公室的，毫无疑问，只有那个白发魔男。啊，作孽哦，身上怎么会盖着他的专用薄毯，怎么好好的就睡在他办公室的沙发上？如果今天不上班，那她是不是就会从医院爬到他家床上去了？

"砰"的一声，她一头撞在了玻璃茶几上。

"呜……"难怪老师总是喜欢告诫学生要戒骄戒躁。

疼得眼泪在眼眶里直打转，她摸了摸被撞得很痛的后脑勺，揉了揉，没看到手中有什么触目惊心的血迹，她总算放了心，没把脑袋撞坏。

她迅速地爬起身，将那方薄毯匆匆叠好，她得快点离开这里，在白发魔男没回来前先离开这里，不然让他抓到她醒了，看到她这副窘样，一定又会冷嘲热讽。其实这还是次要的，通常小言定律里，小秘要是睡在总经理的办公室，那一定会在公司里引起一场轩然大波。

这样的结局有两种，一种命好的，小秘嫁给总经理，欢欢喜喜进教堂；另一种命衰的，就是小秘被总经理的正牌老婆或是女友一巴掌甩出公司大门。

无论是命好的还是命衰的，这两种结局都不是她想要的。

所以，她还是赶紧在没人发现之前先离开再说。

她蹑手蹑脚地打开办公室门，向外张望了几眼，看到一个熟悉的身影，立即将门轻轻地合上。

要命了，白发魔男正站在严姐的办公桌前说着话，现在该怎么办？如果现在出去，严姐又在场，那多尴尬。

该怎么办？

她抓了抓头发，沙发上的薄毯赫然跳进视线里。

骤然间，墙角的落地座钟"铛铛铛"地猛敲了五下，吓得她不停地以手拍着胸口。斜眼看了一下时间，五点了，她咬了咬唇，决定扑回沙发上，继续装睡，撑到五点半之后，她就解脱了。

下定决心，她快步走向沙发，将刚叠好的薄毯又重新盖在了身上。

乐天回到办公室，见躺在沙发上的女人还在睡，不由得蹙了蹙眉。

墙角落地钟的指针已经指向了下午五点零五分。

这个女人真跟头猪一样，每次都这么能睡，五分钟之前的整点报时居然都没能敲醒她。上次在酒吧里，吐了他一身之后，她就像没事人似的倒在沙发上就睡，要不是找酒吧里的保镖把她扛出去，以她这种雷打不动的姿态，她朋友可真是够呛的。

念在昨晚她照顾他一晚才导致今天的旷工，乐天决定不再计较。他走回办公桌前，继续手中的文件。

江文溪听到白发魔男进屋的脚步声，踩着羊毛地毯，虽然那声音轻如鸿毛，但她知道他已经坐回办公室桌前了。

她紧闭着双眼，动也不敢动，在心中祈祷着上帝赶快下班。

谁知在她自以为是地"坚持"了半小时后，突然那落地座钟又"铛"的一声响了起来，吓得她猛地从沙发上弹了起来。

乐天从文案中抬起头，望着突然坐起的她，不由得又皱了皱眉。

"你终于醒了？"丢下笔，他站起身，缓缓走向她，"看来你对我这组沙发还算满意。"

面对着白发魔男，她的脸犹如烤熟了的鸭子，吱吱唔唔了半天说不出一句话。

他转身折回办公桌前，拿起一包口香糖丢在她的身上，一副居高临下的模样："以后记得吃这个牌子的口香糖，比你早上给我的咖啡口香糖口味要好一些。"丢完他又折回办公桌前坐下。

她目瞪口呆地看着手中的益达咖啡口香糖，他刚才说早晨她有给过他咖啡口香糖？她会吃的咖啡口香糖只有一种品牌，必定是"乐天"牌。

后……后果自负！早上她怎么可能会傻到主动将"乐天"口香糖送给他吃？什么口味不好，明明就是他洞悉了她的真实想法。哪有当上司的连下属吃什么牌子的口香糖也要管？

她避过他的视线，低垂着头，从沙发上起身，将薄毯小心翼翼地叠好，瞟了一眼落地座钟，轻道一声："乐总，我先下班了。"

"下班？！"他盯着她，"江助理，你今天好像没上班吧。"

简明扼要的一句话陈述了事实，让她挪往门边的脚步顿下了，只是两秒钟，背后又传来了魔鬼般的声音："今天旷工一天，从工资里扣还是从那四百块里扣，你好好想想，出去吧。"

晴天霹雳！

她回头，恶魔连头都未曾抬一下。最终，她不知是怎样飘移出了他的办公室。

直到那道门轻轻地合上，乐天才从一堆文件中抬起头，若有所思。

"小江，你终于睡醒了？"是严素。

江文溪红着脸："严姐，你怎么还没走？"

"哦，这就走了。"严素从身后拿出一个不大、方方正正的纸盒递给她，"呐，快递今天送来的，是你的哦。"

"我？"她好奇地盯着那个小盒子。

接过，她小心地拆了开来，里面竟然是一个包装非常精美的礼品盒。

昨天几乎所有人都有礼物了，就数她的行情最差，无人问津，怎么过了圣诞，反而行情走俏了？

她有些期待地拆开礼品盒，当一个小小的水晶鞋钥匙挂件呈现于眼底，她惊愕得说不出话。

前段时间的某一天周末，她又和李妍他们混到很晚才回家，依旧是顾廷和送她回家。那天正好路过一家快要关门的手饰店，当时头脑一发热就冲进了那家小店。

这一款水晶鞋让她驻足了好久，可惜价格太贵了，不过是一个小小的钥匙挂件居然要六百多块，她只能带着遗憾，一言不发地离开那里。

小心翼翼地将这个精美的水晶鞋拿起，在灯光的折射下，熠熠生辉，闪烁着耀眼夺目的绚丽光芒。

展开压着的一张纸条，短短几行刚劲有力的字迹，让她又是一怔。

江文溪：

　　没有圣诞老人的袜子，只有公主最爱的水晶鞋。

　　尊贵的公主，请别犹豫，穿上属于你的魔法水晶鞋，跳出属于你的精彩舞步。

　　迟到的祝福，伴你每一天。

顾廷和

这个水晶鞋竟然是顾廷和送的……

她万万没想到他会去那家小店买下这款水晶鞋送她。若不是昨晚在医院里走不掉，这份礼物应该是他昨晚就要送给她的吧。

明明有份那样正经严肃的职业，却能写出这样的话语，原来警察也可以有这样煽情的时候。

她浅浅地笑着，有一种说不出的甜丝丝的感觉在心底蔓延开来。

"哟！好漂亮的水晶鞋，不知道什么人送的？"正准备走人的严素，看到这么一个漂亮的水晶鞋由衷地称赞。

被严素这么一说，她脸又微微一红，有些不好意思："是朋友啦。"

"哦哦，男性朋友，我明白。"严素挑了挑眉，江文溪欲盖弥彰的行为让她忍俊不禁，"不打扰你和你的水晶鞋情意绵绵，我先走了，拜拜。"

"拜拜。"江文溪羞涩地目送严素出门。

她将水晶鞋拿在手里，又细细地看了好一会儿。

未久，她拿起电话给顾廷和拨了过去。

顾廷和接到电话并不感到意外，只是笑着说："美丽的公主殿下，喜欢那只水晶鞋吗？"

江文溪的脸蛋犹如煮熟了的虾子，吱唔道："廷和，这东西太贵重了，我——"

顾廷和挑了挑眉，仿佛知道她想要说什么，未等她说完便打断了："你想说太贵重了，不好意思收下吗？其实只是一块小小的水晶而已，又不是钻石。"

"可是这么小的东西，花这么多钱不值得啊。"

"我觉得很值，至少有人会喜欢会开心，这就值得。我也是刚巧那天又路过那家店，顺便进去看看。圣诞节我又抢不到圣诞老人的袜子送你，只好勉为其难地用水晶鞋代替了。"

顾廷和幽默风趣的言语，让她紧蹙在一起的眉毛舒展了开来。有时候，她真怀疑这位警察老兄是学法律专业的，反正以她的水准，是肯定说不过他。

"文溪？"顾廷和听不到她的声音，"文溪，你不要想太多了，这只是一块很小的水晶，真的不值什么钱。而且，那家小店的老板一见我是警察，就给我打了八折。"

她听了轻笑出声："那我岂不是成了害你欺压良民的罪魁祸首了。"

"绝对不是。"他笑着将话峰一转，"昨晚教堂外的烟花可真是漂亮，可惜你没看到。对了，你上司没什么事了吧？"

"切，他能有什么事？睡一觉醒来继续欺压我们呗。"提到乐天，她就心情不愉快，感受到贴在耳际的电话发烫，她赶紧道，"不说了，电话烫耳朵。"

"好，那改天请你吃饭。"

"我请你吧。"

"行，那我就坐等你电话了。"

"好，拜拜。"

"拜拜。"

挂了电话，江文溪开心地哼着歌，小心翼翼地将那张纸条折好，正打算和水晶鞋一起放回礼品盒里，突然眼前的光线一暗，一个高大的阴影挡住了头顶上的灯光，她微微抬首，赫然瞧见刚才电话里提及的某人正阴沉着一张俊脸立在对面。

"乐……乐总，还没……没下班啊？"她颤着声。

"嗯。"乐天只是轻哼了一声，便折回了办公室。

要、要死了，他的脸色这么黑，该不是刚才说他的坏话全被他听见了吧？她得赶紧走人，不然以他那记仇爱报复的心理，还不知道要怎么整她。思及，连忙低头收拾东西。

就在她一手挎着包，一手抱着礼盒，正打算飞速穿出办公室时，乐天冷冷的声音从身后飘来："等一下走，帮我把这个打出来，立刻，马上。"

"啊？"巨大的一滴冷汗从她心间滑过。

终究，她还是慢了一步。

面对冷面上司，她只能乖乖地坐回办公桌前，还好只有一张纸，十分钟之内应该就可以搞定。

乐天搬了一张椅子在江文溪办公桌对面坐了下来，双眸盯着她左手边漂亮的礼品盒。

方才只不过是刚好经过，偏偏不凑巧，让他听到那个窝边草打电话的声音。

这个窝边草，完全不知道自己说电话时那种声音有多妩媚多柔情，就连对人抱怨都似在与人撒娇。刚才她手中拿着的一个亮亮的像是玻璃一样的东西，不就是一块玻璃，至于这么开心吗？是在和送她玻璃的人抱怨撒娇吗？他有在她睡一觉醒来就欺压她吗？如果要欺压她，她还能像个无事人一样，在他的办公室里安安稳稳地睡一天？

也不明白自己是一种什么心理，其实那张纸本来就有电子档，只不过他发现有一个错字而已，但偏偏就让他听到那句话，还有看到她对着那块玻璃傻笑。

欺压是吗？明知受欺压了，还不敢怒不敢言，看来受的欺压还不够多。

那就如她所愿，欺压给她看看！

顶头上司就坐在对面，视线范围内总是能扫到，江文溪异常紧张。

一天没有吃东西，此时此刻，饥肠辘辘。

她分不清是自己饿得没力气，还是对面白发魔男压迫感太强，以至于敲打键盘的手指总不听使唤，连连打错好几个字。

办公室内静得只能听到呼吸声，她偷偷抬眸瞥了一眼，白发魔男手中抓了一本资料正在翻看，不由得松了一口气。不一会儿，她把重新打好的一页文件交给他，只见他冷哼一声便转身回自己的办公室。

她撇了撇嘴，夹着包和礼品盒飞快地奔出办公室，刚出门，突然听到办公室里飘出来很温柔的声音："你一天没吃饭了，记得先去吃饭。"

不知是自己的幻觉，还是耳朵出问题，白发魔男会关心她？！

她不由得打了个冷颤。

也许是饿了一天，回到家，江文溪拼命似的吃了很多，直到吃得走不动路，便往床上一躺，对着那个水晶鞋钥匙挂件开始发呆。

顾廷和送她这样一份意义特殊的东西，她该送他什么呢？但是，如果她回赠了他礼物，是不是就代表接受了他呢？

这个问题让她十分困惑。

翻了个身，目光一转，她看到了对面的电脑，不禁想起下班时白发魔男故意折磨她的事。

好心没好报！

通过昨天和今天的事，她明白了几个重要真理：第一，上司永远是不值得同情的，就算上司半条腿踏进了棺材；第二，不要自以为掌握了上司的弱点，随时会变成你的弱点；第三，不要在上司身上花一分钱，随时会血本无归；第四，永远不要说上司的坏话，因为他的耳朵很长。

对着计算器她又算了近半小时，看着那上面的数字，心如刀割。

不过是睡了一天他的沙发而已，何况还是公司配的，又不是五星级宾馆，居然要扣她的钱。这白发魔男怎么可以这样对待自己的救命恩人，早知道让他烧死算了。

还有，以命令式的语气逼她换口香糖品牌。

唉呀，她怎么这么倒霉，怎么会碰上这么个上司。

俗语说，不在沉默中爆发，就在沉默中变态。可是，她什么时候才能变态一次，好好地"回敬"他一下？这种奢望，短期内很难达成。

再一想还要赔宣传部小梁一套咖啡杯，她心情更加郁闷了。叹了一口气，将被子拉上，她决定这周末找李妍去逛街，她已经从严姐那打听到那套咖啡杯是在哪儿买的了。凭李妍的三寸不烂之舌，就算是店家不打折，李妍也能有法子让店家让利。

第四章

不是奸情似奸情

如果找一个疼自己的男人，

至少，在最无助最痛苦的时候，

还会有一具温暖的胸膛可以让自己依靠。

开心的时候，可以抱他笑；

痛苦的时候，可以抱着他哭，

就算是把眼泪鼻涕都擦在他的身上，

他也可以眉头皱都不皱一下，

会抱着安慰自己……

With love

For you

翌日，一到公司，江文溪立即觉得整个公司的气氛不对，每个人见到她都会投以明媚灿烂的笑容，十分热情地打招呼，有的甚至还会加一句"请多多关照"。

关照什么？就凭她这种软脚虾能关照什么？

整整一个上午，她只能龇牙咧嘴地跟着陪笑。

她就知道，总经理的办公室不是好睡的。

午餐的时候更加头痛，本来一个个在她面前坐得好好的，一见到乐总出现在餐厅，主动将她对面的位置让了出来。

还好，乐天只是淡淡地扫了一眼那个空位，端着餐盘，迈着优雅的步伐在最后一排临窗的位置上坐了下来。

众人欷歔不已，弄得她好不尴尬。

她在心中感叹，这下这些鸡婆们没什么想法了吧，可是转眼之间，宣传部超级无敌八卦的刘姐拍了拍她的肩头，一脸安慰地说："小江，男人都是这样，要面子，在公司里讲究的就是公私分明，等下了班，想怎么都可以。别放在心上。"

这都哪跟哪？这有什么好放在心上的，她巴不得他别坐她对面，不然这顿午餐没法吃了。

她刚想开口说话，身旁又围了几个人过来，七嘴八舌地传授她所谓的"御男"秘诀，害她口中的一根鱼刺没及时吐出来，卡在喉间不上不下，难受得要命。

艰难地斗争了好久，才终于将那根小鱼刺咽了下去，但这用餐的好心情完全被搅没了。借机，她佯装痛惜不已，为了生命安全，不得不对那几位同事挥泪离别。

一连几天，她都郁闷不已，就连严姐见到她，偶尔也会露出暧昧的笑容。

都怪里间办公室里那个可恶的家伙，做什么非要抱她进办公室睡觉，直接丢她在椅子上不就好了。

好容易挨到了周末，江文溪约了李妍直奔市中心的金×国际购物中心。

李妍一进了购物中心就走不动路，对着满眼英文字母的国际品牌，就差没直接扑上去。

这里是 N 市高档的消费场所，以前，李妍总喜欢有事没事拉着她来这里散步，说就算没钱买，也可以感受下做个有钱人的滋味，挑几件自己喜欢的衣服，在试衣镜前转几个圈，满足下自己没钱也能穿名牌货的欲望，然后再高傲地丢还给柜台小姐，谁知道你有钱没钱。

可每当看到商品标价签上的数字，她连拿起这些高档衣服的力气都没了，总是会被震撼得犹如一缕游魂，直接飘出购物中心大门。

这一次，她死命地拖着不停看衣服的李妍上了六楼的精品陶瓷区。

"哎，你真是够作孽的，墨水也能当成咖啡端给你上司喝，还害他在那么多人面前丢脸。"李妍揽着她不停地叹着气，"我说他没当场将你扫地出门，你真是几辈子修来的好命，还好，还知道要把那杯子丢了。"

她一脸委屈："我哪里知道他的爱慕者遍地都是。"

"遍地都是？开花啊？你端咖啡前都不知道闻一闻看一看的吗？"

"我有闻有看啊，可是茶水间里到处都是咖啡味，我哪里会想那么多，当时觉得奇怪，可是一想到他怪癖那么多，说不定刚好这世上就有墨水味的咖啡呢。"

"墨水味的咖啡？唉，我真是服了你了。"李妍摇了摇头，她对江文溪基本丧失信心。

终于到了陶瓷精品区，江文溪找了半天，总算找到那个咖啡杯，当瞄到标价签上的价格，她不禁张大了嘴低呼起来："天啊，一个杯子加一个托盘，要、要、要三百四十八块？！"

她终于明白小梁失去这套咖啡杯为什么会哭天喊地了，不过是一套咖啡杯，居然比她十天的工资还多。

"在这里已经算便宜的了，那边还有更贵的。"李妍转身就去找那个柜台小姐。

江文溪又瞄了一眼旁边那个所谓更贵的，只是花纹多了几道居然要八百多一个杯子。

有钱人真是造孽，喝咖啡的杯子要这么贵，像她一样买个几块钱的陶瓷杯喝喝不就OK了。

李妍似乎洞悉她心中的想法，抛过来一句："优质生活，优质品味！"

经过半个小时的砍价，李妍不但让专柜小姐找来了VIP卡打八八折，还拉着做市场调查的厂家销售人员侃了一会儿，最后八折搞定。

江文溪不得不佩服李妍，以她的资质再活个一百年，也达不到这样的境界。

正打算付钱时，她突然想到顾廷和，于是又问那个专柜小姐："买两套能不能算便宜点？"

"你真要提高生活品质自己用？"李妍好奇，但见江文溪摇了摇头，她更加好奇了，"送谁的？"

"妍妍，你说我要不要买一个杯子送给顾廷和？你知道的，他前两天送我一个水晶钥匙挂件。"

"你喜欢人家吗？人家送你一个水晶你就要反送人家咖啡杯，那你是打算要和他交往了？"

"喜欢？交往？"她想了想，她应该是算喜欢他吧，至少对他印象不错，至少他比以前追她的那些男生，还有那个又帅又多金的白发魔男强太多了，为人有礼又谦让，最重要的是她和他能谈得来，和他在一起的时候觉得轻松又没负担，非常的舒服。

"说不出来就是不喜欢了。"

"不是，我说不上来，但是我觉得他让人安定又舒服，对我很细心很体贴。我只是觉得一个人生活有些累，或许找一个人来疼就不会这么累了。"她放下手中的咖啡杯。

自从父母和大舅去世之后，就留她一人在这世上孤苦无依，很多时候，她说不出的孤独寂寞，想要哭诉的时候，却连一个可以依靠的肩膀都没有。开心的时候没有人分享，痛苦难当的时候没有人分担，生病的时候没有人照顾。

她依然记得大三那年暑假，那一天，她病得连爬楼的力气都没有，她真的是用双手爬上了楼梯，躺在床上，发着高烧，想要喝水的时候没水喝，肚子饿得时候没饭吃，有那么一刻她甚至在想，如果她就这样死掉了，这世上也没有人会知道的，会为她哭的也许只有李妍一个。

如果找一个疼自己的男人，至少，在自己最无助最痛苦的时候，还会有一具温暖的胸膛可以让自己依靠。开心的时候，可以抱他笑；痛苦的时候，可以抱着他哭，就算是把眼泪鼻涕都擦在他的身上，他也可以眉头皱都不皱一下，会抱着安慰她……

李妍见她半天立在那儿一动不动，知道她又在胡思乱想。李妍明白她的苦处，父母双亡，一个人生活在这世上，既艰辛又苦涩，也许找个男人依靠是对的。

她拍了拍江文溪的肩头，道："唉，话说回来，小顾人的确不错，不失为一个好对象，对你又有心，你和他在一起不会吃亏。不过，我还是得说，想到你大舅，我就有点不太放心，毕竟你也知道的，他那种工作，经常会几天几夜不归家，你还要跟着他担惊受怕。"

"其实，更多的是我觉得我配不上他，现在，只是我一个人想得这样美好，等到某一天，他发现我是多没用的一个人，说不定会离我远远的。"江文溪不禁想起大学时代那段比兔子尾巴还要短的恋情。

"瞎讲，你这种样子最能激起男人的保护欲望，如果我是男的，根本就轮不到小顾。"李妍趁机紧紧地搂住她。

"哧——"

"真的，你不知道以前每年放暑假回家，我真的好嫉妒你，那么多男生追着你，要保护你，就没有谁动过想要保护我的念头。"

"你又来了。"她冲着李妍翻了个白眼，那些男生后来和她一接触，觉得呆板又无趣，最后都跑得远远的。

李妍浅浅笑着："还买不买？"

"嗯。"她点了点头，不管将来如何，既然人家都送了圣诞礼物，她当然不可以那么没礼貌。

付了钱，拎着两个礼盒，两人又继续逛。

只要李妍这个贴心的好友在身边，她永远都不会感到寂寞。

越是年底，建筑行业越显冷清，但却是应酬的爆发期，就连周末也不得清静。

乐天已经数不清自己有多少个晚上是在外应酬了。做他们这行的，若是没点喝酒的海量，是很吃亏的。

酒乃穿肠物。

无论是再高档的酒，喝进肚里没有不难受的。

乐天好容易从那群嗜酒如命的酒鬼中逃脱出来，静静地立在走廊上抽一支烟，随手搓了一下有点发烫的脸颊，熄了烟便往洗手间走去。

当看到洗手间门上贴着本楼层洗手间正在维修的告示时，他不由得低咒了一声，转身往通向饭店一楼的楼梯口走去。

星级的饭店，豪华的装修，尊贵的气氛，宽敞的通道，若是能发现人影攒动十分拥挤的现象，除非是出现了什么大牌明星。但是，此番热闹的情形，显然与这通向洗手间的通道应有的景象完全不搭。

乐天看着眼前除非用硬挤才有可能走过去的过道，深深皱起了眉头。

到底发生了什么事值得这么多人围观？

他有些不耐烦，正打算回转头，蓦地，一个熟悉的女声闯入他的耳际："我没有打他，我真的没有……"

声音永远是那般的柔柔弱弱，清纯无邪，除了那个窝边草，他再找不出第二人选。

"你还真是会睁眼说瞎话！"

伴随着一个男人的怒吼声，他终于看清了那个说话的女人，竟然真的是窝边草。

她的正对面立着一个个头不高，满脸酒气，目光凶神恶煞的肥胖男人。这人他认识，是×通建工集团的项目经理李大海，为人有两大嗜好，女人和酒。

他眉心深锁，抬手看了一下时间，这么晚了，这个蠢得要死的窝边草怎么会出现在这种地方，还惹上这种人。

"麻烦让一让。"推开人群，他急忙向她走去。

饭店大堂经理好言相劝："李经理，你看这里围着这么多人，我们去办公室谈好不好？"

"不行，这里是第一现场，要解决就在这里。"李大海瞪着被打得很疼的眼睛坚持。

饭店大堂经理嘴角微微抽搐，第一现场，敢情这位是看TVB刑侦片看多了。

"现在我眼睛这么疼，这死三八居然不承认。不承认也行，那你就让我打一拳。"李大海扬起拳头就要打江文溪。

在李大海的手尚未触及江文溪的身体时，乐天已及时将她带过身侧，口气冷淡："李经理，出了什么事，你要发这么大的火？"

他注意到李大海的左眼圈有些微微发青，他皱了皱眉，偏过头望着连连往他身后躲的女人，回首又见到地上一片狼籍，精美的包装里跌出一片碎瓷片，那些瓷片好像还很眼熟。

饭店大堂经理一见是江航的乐总，立即松了一口气："乐总，情况是这样的，李经理声称这位小姐打了他，而这位小姐坚决不承认有这回事。"

情况就是这么简单。

"乐总，我真的没有打他……"江文溪一脸无辜地拉着他的衣袖。

乐天嘴角微动，心念：这女人该不会是真打了人，然后又忘了吧？

"什么没有打我？你看看我这只眼睛。"李大海对着面前的镜子指着自己的左眼，明明青了一圈，然后指着躲在乐天身后的江文溪吼道，"你这个三八下手这么重，告诉你，你今天要是不给我一个说法，就别想走出这里。"

乐天伸手握住李大海乱挥的拳头，不着痕迹地拿下，微笑着说："李经理，这位小姐是我公司的员工，请卖我一个面子，有什么话我们找个包间好好谈一谈。"

顺着乐天的话，大堂经理又好言相劝："对对对，李经理，这里人这么多，我们不如找一个安静点的地方坐下来谈，好不好？"大堂经理的视线在这位惹事的小姐和乐总身上逗留了很久，发现了一丝微妙的情况，其实他很想对乐总说，这位小姐看似这么柔弱怎么可能打那位李经理呢。

"好，今天我李大海卖你乐天一个面子。"

大堂经理暗自甩了一把汗，总算把这位喝高了的李经理请去了别处，要知道洗手间也是饭店的脸面。

找了个包间，几方人马坐了下来，李大海冲着江文溪骂骂咧咧近十分钟。江文溪缩在乐天的身后低垂着头，再不敢说一句话。

这时，乐天的手机响了，楼上包间的一群人见乐天消失了近二十多分钟，以为他半途开溜，打电话催他回去。

乐天以接电话为由，出了包间，同那群人稍做了解释。

借此机会，他找到了饭店的服务生了解当时的情况，这才明白原来是李大海喝醉了酒意图非礼一位女服务员，正好撞到经过洗手间的江文溪。江文溪手中的东西被撞飞了出去，跌碎了一地。江文溪蹲在地上看见一地碎瓷，愤然起身，就给了李大海一拳。李大海自是不可能放过江文溪，就这样闹开了。那位服务生见事情一下子闹大了，又不敢得罪饭店的常客李大海，只好逃离了现场。

据目击全过程的另一名服务生说，原本很飙悍的江文溪不知道怎么搞的，矢口否认打了李经理，这才有了后来的一切。

了解整个事情的来龙去脉，乐天大致知道当时是怎么个情况，他可以确定李大海那一只熊猫眼肯定是拜江文溪所赐。想当初他被江文溪甩那一耳光，事后可是疼了好久，那女人的手劲，他是知道的。

再次回到那个包间，就见到李大海暴跳如雷，若不是大堂经理拦着，就差没跳到江文溪身前撕了她。

他约了李大海单独谈了一会儿，有关李大海非礼女服务员的事，他也没点明，该赔的医药费和损失费全由他买单。

酒醒之后的李大海也明白此等丑事不宜宣扬，答应看在他的面子上放过江文溪。

经过一个多小时的调解，包间内只剩下乐天和江文溪两个人。

昏黄的灯光下，长长的沉默笼罩在两人之间。

乐天双手交叠着，目不转睛地盯着不停抽泣的江文溪。

"那人真的不是我打的……"江文溪啜泣着，再三重申自己没有打那个李大海，"我真的没有打他……"她本来打算回家了，只是刚好路过这家饭店，因为内急就进来找洗手间，怎么可能就莫名其妙地打了人。

乐天双眉深蹙，沉默了几秒，淡淡地对她道："江文溪，你难道没有发现自己很有问题吗？"

泪眼婆娑，江文溪不明所以地抬眼看向他，抽泣着："有……有什么问题？"

红黄两色灯光交替，映照在她满是泪痕的脸上，愈发显得她的无辜和楚楚可怜。

此时此刻，她依然坚持，这让乐天恨恨地咬紧牙根："江文溪，你难道没有发现自己，在某种特殊情况下，会做出一些与你平时行为完全不同的举动来？"

"什么？"她哽咽着瞪大着双眼，难以置信地望着他。

他见到她抽泣着却依然满脸难以置信的模样，有些不忍，但他不得不说："你不用瞪着我，至少这一次，已经是我第四次发现你不正常。第一次，就是在周成的婚礼上，我强吻了你，你狠狠地甩了我一记耳光；第二次，让你送一个壁布样本，你却拿它砸抢劫犯的脑袋；第三次，圣诞节那天早上，你在医院电梯口教训一个下三滥的男人。这三次都是我亲眼所见。今天晚上，虽然我没有亲眼见到你打李大海，但鉴于你前几次的行为，我完全有理由相信李大海说的话是事实，并且我已经找到那个女服务员证明了此事，李大海的右眼的确是被你打青的。四次，如果加上酒吧那一晚，就是五次，而你每一次都以事后不是你做的为借口而逃避责任，你难道就真的没觉得自己有问题？"

听完他的话，她面色苍白，平日里，那双充满了灵气的大眼，一片朦胧，神情呆滞地直视着前方，未久，晶莹的泪水顺着脸颊又吧嗒吧嗒落了下来。

"江文溪，建议你去看下脑科医生，再不济心理医生也行。"他的话音刚毕，她的泪水犹如泉水般涌了出来，就这样放声痛哭了起来。

他完全没有想到方才那句话会带来这样的结果，他咬着牙咒了一声，从一旁的纸盒里抽出几张面纸递给她："有什么话你好好说，哭什么？"

江文溪对他的话置若罔闻，泪水犹如断了线的珍珠一般，越流越多，仿佛受了什么天大的委屈一般。

他收回手，心中说不出的烦躁，声音不由得提高了几个音阶："拜托你别哭了好不好？！有话不会好好讲？！"怎么女人动不动就喜欢哭，有什么事不能好好说，非要用哭的？！

他越是吼她，她越是哭得凶，仿佛眼泪流不完似的。

一时之间，他紧握着拳头一脸无奈地凝视她，不知道该如何止住这女人的泪水，一连串想要安慰的话语，刚到嘴边却硬生生地梗在了喉间，说不出口。

他咬着牙，别过脸，决心等她哭够了再继续谈话。

可坚持不到十秒，他便受不了她的哭声和眼泪，弃械投降，抓起几张面纸起身，走到她的身边坐了下来，一把揽过她，将她按在怀中，轻轻地为她擦拭泪水。

"别哭了，别哭了，有什么难言之隐你尽管说出来。"他的双眸之中透着从未有过的温柔，嗓音也不知不觉轻柔了起来。

江文溪趴在他的胸前，难以控制地抽噎着："我真的……不是故意的……

我也真的想不起来……有打过人……但是我知道……我一定有打过……一定有打过……呜呜呜……"

"嗯嗯，别哭了，你慢慢说。"他很自然地抱着她，轻拍了拍她的背，替她顺着气。

她连连抽噎了好几声，总算顺了口气，隔了好久方道："是他打碎了我今天才买的两套咖啡杯，那两套杯子很贵的，花了我大半个月的工资。那个色狼他非礼别人，还打碎我的咖啡杯，我一时气愤就……"

他轻轻蹙眉，难怪觉得那个碎瓷片那么眼熟，原来是他用的同款咖啡杯。这个笨女人买这么贵的咖啡杯做什么？难不成也学那些女人……

"你买那么贵的咖啡杯做什么？"

"上次害你喝墨水，对不起。其实，我买咖啡杯是要赔给小梁的，因为我怕同事们知道我干了蠢事，就偷偷把她的杯子扔了，打算悄悄还回去的。"

"你也知道自己蠢。"他冷哼一声，然后又说，"你要那套咖啡杯直接和我说不就行了，我柜子里有几套全新的。周一，你自己去拿。"

"……"她抬眸有些不敢相信。

他望着她梨花带泪的模样和那一脸不知所措的神情，怎么看都似在勾人，心间猛地一缩，他有些烦躁地从纸盒里抽了一张纸递给她："先把眼泪擦干。因为杯子摔碎了，你就要揍人家，并且事后不承认，你是真的不记得还是假装忘记？"

"我是真的不知道，但是我现在想不起来，可是事后会慢慢想起来。这次，我想可能是因为杯子碎了吧，那些声音刺激了我……"

"那周成结婚那次，是不是因为你撞碎了服务生的盘子？"

她点了点头。

"你身边就没有人发现你这种异常？你的父母，你的朋友，难道都没有发现过？"

"……有。"她虽然不记得自己动手打人的全过程，但是每次事后看到别人的反应，她知道自己真的有做过。

不知道是从什么时候开始起，她对声音特别敏感，也许就是十四岁那一年，被吓过导致失聪，休学了一段时间，听力恢复正常之后，她就变得对声音特别敏感，常常会变得人很暴躁。原本开朗活泼的一个人也变得沉默寡言。

到了高二那年，父母不幸双双去逝，她整个人变得更加沉默了。

事情也是从那时候开始，只要听到一些不同寻常的声音或者遇上一些让人打抱不平的事，她就会变成另一个人，变成一个保护意识特别强的人。

高中有段时间，她经常被叫家长，因为老师经常会接到同学告状，说她欺负他们。

一开始，老师都认为她平时性格乖巧，没人相信她会对人动粗，更不会相信她能够赤手空拳对付身高、体力都看似比她壮很多的男生。

一次，两次，三次……渐渐情况有些不对，老师也很困惑，学生迫于学生家长的压力，不得已，劝她转学。

她转学了，可是类似的情况依旧在重演。

她心中明白，就算她记不得那些事，但看到同学每次看到她时的恐惧神情，还有曾经被她打过的那些讨厌男生脸上的伤，她知道那是自己干的。

父母的工作是长年在外省山里考察，常常联系不到人，有时候一年半载才回来一次，每一次回来都会带好多漂亮的蝴蝶标本和照片。那一次回来帮大舅庆祝生日，事后因为她耳朵的事，又耽误了近一年，才重新回到工作岗位。可是那次回去之后，她再也没能见到他们。

她几乎就是跟在大舅身边长大的，父母去逝之后，大舅更是担负起照顾她的重担，虽然大舅的工作也忙，但对待她绝不疏忽。

从小她就和大舅学散打，因为她的理想就是能成为一名像大舅那样的警察。她的心中充满着正义感，她教训的那些男生都是会欺负人的不良学生。

大舅知道那些事一定是她干的，非常的生气，狠狠地罚她跪在门外跪了一夜，并不准她再学散打。翌日，大舅强拉着她去看医生，最终是她哭着求大舅不要带她去脑科医院，因为她不想被人当成一个精神分裂的患者。

父母的去世，她一直找不到一个宣泄口，也许，那一刻，她是在宣泄自己心中的悲伤，才会在潜意识里模仿着大舅……

到了医院门口，大舅见她哭得上气不接下气，终究是狠不下心，又带着她回了家。

她哭着向大舅再三保证，她一定会学着好好地控制自己，再也不会动手打同学。大舅这才勉强同意不送她去医院。

事后，为了控制自己，她大多数的时候是一个人玩，尽量远离同学，因为她怕再听到什么声音受了刺激，做出对同学不好的举动。唯一的一个好朋友就是妍妍，可是她曾经因为耳聪休学一年，妍妍就比她高了一届。后来上了大学，也只有放寒暑假的时候，两人才有机会又腻在一起。

渐渐地，她很少再出现状况，即便是大舅因公殉职，她坐在墓碑前哭了很久，也没有像最近一段时间这般不正常。

她究竟是怎么了？

难道是生活的压力，让她再次无法承受，才会又出现这种情况？

听完江文溪的述说，乐天沉默了。突然有种说不出的伤感，他的心莫名地拧了起来。

"你之前会失业那么多次，是不是也因为这个原因？"乐天突然想到她的朋友当初推销她时所说的那一番话，根据她这种情形，会失业那么多次也不无可能。

"我不知道，也许是也许不是……"蓦地，她紧张地从他的胸前抬起头，顾不得一切，双手紧抓着他胸前衬衫的衣襟不放，颤着唇急道，"乐总，请你相信我，我做那些事的时候，是真的无意识。请你不要开除我，我知道我很笨，我一定会努力工作的。刚才那个李经理的医药费和赔偿费，你从我工资里扣好了。请你千万不要让我走人，也不要告诉其他人，我真的不想失去这份工作。我求求你了……"

她近似哀求的声音，一声一声敲打在乐天的心间，心底有种莫名且难以言语的情绪被触动了。

凝视着她楚楚可怜的模样，他紧抿着双唇，抽了几张纸，轻轻为她拭去泪水，叹了一口气，放柔了声音："好，我答应你，但你能不能先放开我的衣服，这里不是K．O．，你再扯坏了，我上哪儿找衬衫换？"

她盯着他胸前的衣襟一看，那里被她的眼泪打湿了好大一块，急忙羞愧地松了手，连声道歉："哦，对不起，对不起……"

"不用说对不起，你下次少喝点水就行了。"他垂眸望着胸前湿漉漉的一大片，略皱起眉，这女人的眼泪还真是多，没完没了，这一身衣服被毁得也差不多了。

"啊？少喝点水？"

"你再多喝一点，我上半身的衣服差不多就等于泡水了。"

她以为他在为衣服生气，急道："乐总，对不起，我不是故意弄脏你衣服的，不过这次我可以帮你拿去干洗，你可千万别再让我赔了。"

如果这一身衣服再搞个几千块，那简直是要了她的命。想着，她的手就伸向他的衣襟，恨不得马上剥了他的衣服，直接打包带回家送去洗衣店干洗。

他伸手急忙抓住她"意图不轨"的双手，一脸惊恐："你想干什么？"

"我……我……"她尴尬地抽回手，抬眸便撞上一双无奈的深眸，几乎是眼对着眼，鼻对着鼻。她赫然发现她离他是那样的近，整个身体差不多挂在他的身上，如此之暧昧。

顿时，窘得她双颊飞上了两朵红云。

她咬着唇，刚想站起身，这时，"砰"的一声，包间门被撞了开来，一个尖锐的女声响起："溪溪，究竟出了什么事？！"

"妍妍！"她惊诧地转头，见是好友李妍。

"你们……你们……"李妍意外地撞破了好友与其上司的奸情，不禁在心中大呼："欧！卖糕的！"

李妍到家后，刚洗了个澡出来就听家里人说手机响个不停。然后一看是江文溪打的，回拨过去，才知道那丫头出了事，就急忙奔了过来。怕溪溪吃亏，她还特地找了男友大熊和顾廷和一起过来，谁知道竟然撞到这让人长针眼的一幕。作孽哦！

江文溪一脸措愕地看到立在李妍身后，脸色有些发白的顾廷和，连忙从乐天的身旁起身，离了一米开外，掩饰地顺了顺贴在脸颊两侧的乱发。

她突然好慌张，有种被男朋友抓奸的感觉。

经过一晚和李妍的交流，她决定接受顾廷和对她的心意，可是只不过是几个小时之间，就撞上这种不明不白的事，真是伤透脑筋。

淡雅气息远离了，乐天突然觉得心里变得空空的，仿佛少了些什么，有一瞬间的失落。他抬眸看着满面红霞的江文溪，又看看门外立着的三人，突然心中有些不快。

"既然你朋友来了就早点回去吧。"他站起身，走到门口，看了一眼顾廷和，双眉深深蹙起，转身他对江文溪又道，语气却是非常冷淡，"关于李大海的医药费和赔偿费，先由公司垫付，每月从你的工资里扣。"

说完，他便出了包间门，消失在走廊的尽头。

乐天突如其来的冷淡，弄得江文溪满头雾水。

明明刚才他不是这样的，怎么一转眼就像是变了一个人似的，难道他也和她一样？人格分裂……

李妍三步并作两步冲向前，拉着僵立的江文溪急道："我的大小姐，你不是回家了吗？怎么又跑到饭店里打了人？"

"还不都怪你，每次和你逛街，你上洗手间专挑星级饭店，我正好路过，习惯了，就进来了嘛。"

李妍抓了抓头发，很崩溃："怪我？这么多年，那我上洗手间有上到动手打人？"

"我哪知道遇上色狼非礼人家服务生，还打坏了我今天才买的两套咖啡杯。"她把怎么遇上乐天，以及怎么处理此事的情况说了一遍。

李妍听完之后，一副撕心裂肺的模样："就为了两套咖啡杯，你就动手揍了人家？"

"……嗯。"她羞愧地点了点头。

李妍拉过她小声地道："白发帅哥怎么会在这里，你们两人还啊啊啊那样？"

蓦地，她的脸一红，低声道："什么啊啊啊那样，他正好在这里吃饭，帮我解了围。我和他才不是你想的那样。"

"哦——"李妍拉长了声，如果白发帅哥最后出门时说的那句话，她理解为是在吃醋，一切都好解释。她瞄了一眼零EQ的好友，暧昧地笑着，"好，都是我的错。"

江文溪见李妍笑得很诡异，头皮直发麻，嫌弃地挣脱了她的胳膊，推了她一把，向立在门处的顾廷和熊亦伟走去，一脸羞愧："很抱歉，这么晚了，还给你们添麻烦。"

熊亦伟憨笑着："你的事就是妍妍的事，妍妍的事就是我的事，客气什么？"

"只要你没事就好。"顾廷和浅浅笑着，抬手看了一眼手表上的时间，这一折腾，都近十二点了，他又道，"很晚了，我送你回去。"

"不用了，我自己可以回去。"江文溪摆了摆手。

李妍叫了起来："我的大小姐，你让我们都省省心吧，让小顾送你回去，我不想待会儿你再惹出什么事来。"

不由分说，李妍将沙发上的包往她的怀里一塞，拖着她出了包间门。

她噤了声，乖乖地出了饭店门，上了顾廷和的车子。

一路上，顾廷和紧抿着嘴，一言不发，专注地开着车。

值此深夜，有种说不出的压抑气氛。

江文溪双手绞着手指，贝齿不停地咬着下唇。

似乎感受到她的不安，顾廷和笑着开了口："想听什么音乐？"

"哦哦，随便。"

他淡淡地弯了弯嘴角，打开了CD，音响里随即流淌出蔡琴优雅舒服的声音，是那首《落花流水》：

我像落花随着流水　随着流水飘向人海

人海茫茫不知身何在　总觉得缺少一份爱

我像落花随着流水　随着流水飘向人海

人海茫茫寻找一个爱　总觉得早晚费疑猜

我早也徘徊　我晚也徘徊　徘徊在茫茫人海

我历尽风霜　我受尽凄寒　心爱的人儿何在

我像落花随着流水　随着流水飘向人海

听着这首歌，江文溪心中不由地一缩。落花流水？这是在暗示落花有意，流水无情吗？

"还是不要听歌了，你专心开车吧。"她有些慌张地伸手关了音乐。

顾廷和不禁失笑出声，偏头望了一眼身旁的她，道："李妍和我说，你买的那两套咖啡杯，其中一套是想送给我的？"

她的双颊微微一热，在心中咒着李妍这个大嘴巴。

"嗯，可惜被打碎了……"她抿了抿嘴角。

"因为碎了，才打了那个人吗？"顾廷和双眸直视着前方。

其实她想说自己也不知道当时真实的想法，想了想，还是点点头："嗯。"

她偏过头，正好看到顾廷和向上轻挑起的唇角，似乎心情十分的好。

"周末晚上有空吗？"顾廷和又问。

"呃？"她不明所以。

"听说近期有不少电影上映。"

"……"就算再笨，她也明白了他的意思，有些羞涩，吱唔着道，"那我请你吃饭吧。"

"嗯。"顾廷和温和地笑着。

不一会儿，车子开到了她住的楼下。

她与顾廷和告别，直到见不到他的车子，才转身上了楼。

第五章

都是拳皇惹的祸

男人和女人接吻本来就痛。
吻到嘴唇红肿，麻木，破皮，
直到呼吸不畅的比比皆是。

With love
For you

周末那天，江文溪穿了自己最喜欢但平时又舍不得穿的水蓝色羽绒服，毛绒绒的兔毛领，前襟、衣袖口、口袋都是独特风格的蝴蝶蕾丝边设计，配上白色的绣珠毛衣，显得整个人甜美娇小。

到了下班时间，她迅速收拾东西，对还对着电脑办公的严素说："严姐，我先走了，周末愉快。"

严素抬了抬眼镜，审视着正穿上羽绒服的她，打趣："今天穿得这么惹人怜爱，晚上和男朋友约会？"

她羞涩地点了点头："嗯。"

"玩得开心。"严素浅浅地笑着。

"谢谢严姐，也祝你周末愉快。"穿好了衣服，她拎着包出了办公室。

面对电脑显示器，严素停下了敲打键盘的手。

渐渐地，嘴角处那一抹淡淡的笑意隐了去。她也曾年轻过，可是却从未像正常女孩子那样享受过爱情的甜蜜。或许是姐姐失败的婚姻，给她这一生都造成严重的阴影。

宁缺勿滥。

这是她的原则。

她宁可孤独一辈子，就这样过下去，也不愿像姐姐那样，遇人不淑。

但，心里一直期盼的那个男人从不给她承诺，却又不停地将那簇希望之火轻易点燃。

今天晚上，她决定爽约。收拾东西走人，回家该干什么干什么。

"你怎么还在这儿？"乐天进了门见到正在收拾东西的严素，不禁奇怪。

严素皱了皱眉，反问："咦，这句话应该是我问你才对。"

"问我？"乐天不解，"我今天一天都在饭店那边。"

严素瞄了一眼江文溪的位置，又看了他一眼，从他的双眸中只看到不解的情绪，她耸了耸肩："当我什么也没说过。"

乐天顺着她的目光望向窝边草的座位，似乎明白了严素的意思，平时窝边草走得比较晚，今天倒是挺准时的。

回过神，他便道："深叔在停车场等你等了有一会了。"

严素慢慢地收拾桌子，语调漫不经心："那就让他继续等。二十年我都熬过来了，还怕什么。"

"那也当我什么都没说过。"

"嗯，这样最好。你继续为他卖命，我先走了。"

"嗯，拜拜。"乐天转身往自己办公室走去，手刚搭上门把手，便听到严素调侃的声音传来："话说，你是不是有点太逊了？加油吧，小子。"

他眉心深锁，抿紧了唇，心中低咒一声。

阿姨又怎样？自己的事还不是乱七八糟，他的事不用她操心。

江文溪到了约好的电影院门口，顾廷和已经早早地在那里等着了。

顾廷和见她穿得这样漂亮，双眸里闪烁着欣喜的光芒，薄嘴勾勒出温暖的笑意，快步走向她。

"今天你很漂亮。"他发自内心地赞叹。

"那以前的我就不漂亮了吗？"和顾廷和在一起总是那样无拘无束，她也学会了耍嘴皮子。

廷和忍俊不禁："漂亮，无论什么时候都漂亮。"

她以手捂着嘴闷笑了几声，其实她很想学李妍那样开怀大笑，可又怕影响本来就差强人意的形象。

顾廷和微笑着扬着手中的两张票："还有五分钟就开场了，我们得快点。想吃什么？爆米花？可乐？

"随便吧。"她又问，"我们要看什么？"

"赤壁。"

"哦。"

顾廷和买了一大桶爆米花和两杯可乐，两人急急忙忙向放映室走去。还没进门口检票，这时，顾廷和的手机响了。

江文溪见他接起手机，眉头越蹙越紧，脸色也很难看，口中应着："嗯，我马上到。"

"怎么了？"她不禁为其担心。

收了手机，他一脸歉意："对不起，不能陪你看了，我得回局里一趟。"

"哦，没关系，你工作最要紧，毕竟关系到全 N 市百姓的安危。"

"很抱歉，年底各方面的工作都得加强。等我忙完了，给你电话。"

"嗯嗯。"

她抱着一大桶爆米花和两杯可乐，立在检票口，微笑着望着顾廷和的身影渐渐消失在人潮之中。

"这位小姐，已开场了，你还进去吗？"检票员问。

"哦，算了。"

她将两张票送给了一对买不到票的情侣，那对情侣拉着她要付钱，她笑了笑，抱着一大桶爆米花，边走边吃。

第一次约会，与江文溪所想的完全不一样。

虽然两人没有看成电影，但至少向前迈出了半步。

之后，顾廷和忙得抽不出身，但每天至少会给她打一通电话，嘘寒问暖，那份感觉暖暖的。

接近年关，公司内部为了期待已久的年会，一个个激动不已，除了有吃有喝有玩之外，最重要的是还有金钱大奖的诱惑刺激。

今年不知是哪个爱慕乐总又喜欢拍马的女同事提议，要求加入一场拳皇游戏对决大赛，获胜部门和个人都会有丰厚的奖金。最绝的是，乐总竟然毫不犹豫地在申请报告上批复"批准"，比赛举行地点将在 K.O.酒吧，这让全公司上下都轰动了，最为亢奋的则是公司内部那群对游戏完全一窍不通的女同胞们。

至此，办公室里每天都会有异常激烈的讨论声音。

醉翁之意不在酒。

美其名曰是为了奖金，更多的是为了比奖金更吸引人的钻石王老五的集团总经理。

江文溪盯着电脑上那份比赛通知，完全不知道该如何表达自己"激动"的心情。

她皱着眉头，看向严素："严姐，我们总经办的人包括乐总吗？"

"包括，"严素对着电脑，并没有回过脸，隔了一秒又加了一句，"但，部门比赛时就不包括。"

"啊？那这次比赛总经办就只有我们两人？"

"对，没错。"

"可是，你不觉得这个比赛很不合理吗？"

"怎么不合理了？"严素敲完最后一个键，看了她一眼。

"这上面写着所有人必须参加，不可以弃权，弃权当视为放弃本年度年终奖金。还有，如果比赛得分是最后一名，该部门还要罚款五百块……"

哪有这样强人所难的啊？五百块可是她半个月的工资啊。

"咦？今年怎么又多加了一条放弃年终奖？"严素挑了挑眉，"我看看。"

严素点开公司邮箱，细细地阅读了那份通知，不禁失笑。

"严姐，你还笑。这种男生喜欢玩的游戏，我们女的怎么可能会？别的部门最少也有一两个男的，总经办就只有我和你……"她嘟着嘴。

女人和男人比赛玩游戏，这是和尚头上的虱子，明摆着的事。

严素关掉邮件，不以为然，一边埋首工作，一边对她说："嗯，往年都是我一人掏钱，今年多一个你分担，我真是要好好感谢乐总。"

"严姐……"不要这么残忍吧。

"不过呢，今年公司会这么做，是在培养员工工作的激情，这也是公司良好企业文化的另类表现啊。"

"可是，企业文化也不该拿员工的荷包来填充啊……"

"金融危机啊，你没听说那谁家，全体员工工资打九折。"

"不是吧……那我们不会也这么惨吧？"她心中的小算盘噼里啪啦直打，如果她的工资再打九折，就只有九百块了，太悲惨了。

严素大笑："还不至于。不过，不想没年终奖，就不能当最后一名，不想当最后一名，就只有去学玩这款游戏。我都这把年纪了，你不会指望我在短短半个月之内就能学会，并能打赢那些工程部的高手吧。"

"……那怎么办？"

"凉拌。"

"……"

严素受不了她那忧怨的眼神，说："好吧，你去学玩这个游戏，如果赢了，奖金全归你，如果真是最后一名，罚款我来包，怎么样？"

"不行，这样对你太不公平了。"她咬着唇，严姐平时对她十分照顾，这紧要关头如果她还占便宜，显得有点说不过去。

"就像你说的这游戏本来就不公平，你要是能拼个倒数第二，不就公平了吗？"

她想了想，攥紧了拳头，气势高昂地说："嗯，我决定了，为了五百块，拼了。"

拼了？

严素怔怔地望着她，思绪飘回了三十年前，那时的姐姐，为了母亲、她和嗷嗷待哺的小侄子，辛苦得来的每一分钱都会精打细算，一如眼前的江文溪一样。她记得最清楚的是，姐姐笑着对她说："为了你们，拼了。"

不求拿奖金，但求不罚款。

李妍听到江文溪说要学拳皇，差点笑岔了气："哎哟，我的娘喂，这是我本年度听到最好笑的笑话，就凭你，也能玩那游戏？哈哈哈——"

李妍不停地猛拍着大腿，就差没捶地板了。

江文溪很不服气："有什么好笑的？好朋友这么惨，亏你还笑得出来。"

"是哦，你要是被罚款半个月工资，我起码半年不用活了。"李妍挖了挖耳朵。

她一听，急道："你、你、你怎么能这样说？不帮我就算了，还一点同情心都没有。"

"同情心是什么？能当饭吃？能当钱使？那你一年三百六十五天天天同情我好了。"

"臭妍妍。"她气得狠掐李妍的脖子。

瞧，李妍这死没良心的，小的时候，她有什么好吃的好玩的都会想着她，长大了，这种事不和她这个朋友抱怨，还跟谁去抱怨？现在也学会别人讽刺她，嘲笑她了。

"喂喂喂，溪溪，开玩笑的嘛，松手啦——"李妍挣扎着，一脸陪笑。

小绵羊原来也是有脾气的嘛。

她气得一张脸来回变了好几次颜色。

李妍挨近她，哄道："哎，我早就替你想好了。你认识会打拳皇的不就是顾廷和和宋新晨嘛，最佳人选当然是我们顾警官啦。上次约会，他半途跑了，你倒好，反而不好意思开口。下午一接到你电话，我就给他电话了，他二话没说就答应了。"

她的双眸晶亮亮，两簇希望之火熊熊地燃着。

李妍道："这下我够义气了吧？"

"嗯。"她点了点头，这时，手机响了起来。

李妍伸过头，坏坏地一笑："说曹操，曹操就到。"

她推了她一把，接起电话，那头传来顾廷和的声音："文溪，是我，顾廷和。你们公司的年会活动还真与众不同。"

"嗯，不好意思，你这么忙，还要麻烦你教我这种东西。"她挥手推开贴在耳边偷听的李妍。

"一点都不麻烦，"顾廷和笑了笑，"不过我手上没有拳皇的安装碟，而且我现在人在外地，等我回去找个安装碟给你装上，还有游戏操纵手柄。"

她连忙说："啊，没关系，你工作要紧。"

"呵呵，你的事就是我的事。"

"你千万别这么说，我觉得不好意思才对。"她用手又拨了拨李妍的脑袋。

李妍听见这两人一来一去，客气得让人鸡皮疙瘩直起，做了一个呕吐状。

"呵呵，那就这么说定了，等我回去教你。放心吧，有我这个老师在，得个倒数第二名是肯定没问题的。"顾廷和说完大笑了起来。

对着电话，她的嘴角微微抽搐，连顾廷和都知道她天资愚钝。

李妍听到在一旁无声地大笑，猛捶着沙发。

顾廷和又道："好了，很晚了，不打扰你休息了。晚安。"

"嗯，晚安。"她挂了电话。

差点憋出内伤的李妍，终于爆笑出声。

江文溪懒得理她，将手中的抱枕砸在她那讨厌的笑脸之上。

拿开抱枕，李妍刚想说话，这时手机响了，不得不先接起电话。十秒钟不到，这位大小姐就暴跳了起来："什么？明天早上六点半出差？你有没有搞错？"

李妍发了好长时间的火，挂了电话，江文溪便问她："你明天早上要出差？"

"嗯。见过变态的，没见过这么变态的。现在晚上十点半，通知我明天早上六点半出发。"李妍叉着腰。

江文溪望了望墙上的挂钟，将挎包递给了李妍，说："唉，不留你了，你早点回去收拾收拾吧，等你回来再陪我吧。"

"嗯。"

"我送你到楼下。"

送走了李妍，江文溪想到家里的沐浴乳快没了，打算去路口的便利店买瓶沐浴乳。刚走了十多米，就遇上一个卖盗版碟的摊点。

摊子周围围了几个客人。

她顿住脚步想了想，购买盗版碟是非常不道德的一件事，可是道德能让她挣回那半个月的工资吗？答案是显然不能。所以，道德与金钱，聪明的人当然要选择金钱。

她决定先把拳皇的安装碟准备好，这样就不用麻烦顾廷和帮她准备，等他一回来，到了她家，直接就可以安装。

四下张望，神秘兮兮，她将长发全数拨向两侧脸颊，迈着小碎步，小心翼翼地挪向那摊点。

卖盗版光碟的老板是一个年轻的男生，打扮得非常前卫，顶着一头金黄的头发，立在三轮车旁，一边叼着烟，一边不停地为客人介绍各种大片。

江文溪挪近摊子边，很小声地问那男生："老板，有拳皇的碟吗？"

她的话刚落，周围几个正在挑碟片的男生目光齐刷刷地看向她。那个卖碟的男生张大了嘴巴，一副超级惊悚的表情看了江文溪足足有十几秒。

她不明所以，心想：这卖碟子的老板和这些买碟子的人真是好奇怪，干吗这样看着她？

"我脸上有东西？"

"没、没什么，"那老板总算回过神，"话说这乌漆抹黑的夜晚，美女你能不能把头发弄弄好，做什么学贞子出来吓人。人吓人，吓死人！"

被他这么一说，她的双颊滚热，挺直了身板，清清嗓子："你一个大男人

胆子怎么那么小？"

"哎，美女，你吓着我没事，你吓跑我的客人就不好了，你问问他们有没有被你吓着？"

一个大姑娘三更半夜不但头发弄得像贞子，还一开口就要黄碟，能不吓死人就怪了。

江文溪看到几位挑碟片的客人连连点头，羞愤得恨不能找个地洞钻下去。她会这样，还不是因为第一次买盗版碟嘛。

她冲着那老板挥了挥手，意图挥去尴尬："我、我是来买碟子的啦。"

"嗯哼？"那老板挑了挑眉，来这不都是买碟的吗？

怕刚才老板没听清，她又清了清嗓音："我要买拳皇的碟，有卖吗？"

那老板眨了眨眼，说："有！有！你放心，那种碟我只做全黄的。"

她一听有拳皇的碟卖，兴奋不已："那太好了，我想买一张。"

周围几位客人听了，不由得嘴角抽搐，好个奔放的贞子小姐。

江文溪完全不明白周围几个人目光的意义，目光热切地看着那老板。

"我这什么黄碟都有，不知你想要什么样的？"那老板蹲在推车柜子下面翻找着。

"这个还有很多版本的吗？"

"当然有。"老板终于掏出来一个大大的黑色塑料袋，然后小心翼翼地递给她，"全在这里了，你慢慢挑。"

她迫不及待地打开塑料袋，从里面拿出一把裸露的光碟片一张张翻看，只见上面分别用不同的记号笔写着 "A""J""R""E" 等几个英文字母，她不禁有些疑惑："老板，这个是拳皇的碟？怎么这么怪啊？这些字母都是什么意思啊？我要的可是那种有男有女，各个国家的都有，而且还是三个人一起上的那种哦。"

周围的人集体为她的话不由得倒抽了一口气，原来贞子小姐还好这口。

果然，美女的口味比较重。

"哎哟，我的姑奶奶，我在这摆摊又不是一天两天了，谁不知道我大飞童叟无欺。这些碟百分百是全黄的，有男有女，什么国家的都有，别说三个一起上，就是几十个一起上都没问题，包你满意。看不清楚，有打马的，全算我的。"那个老板非常肯定地点了点头，拿起其中的几张，指着上面的英文，"唉，以前都是有包装的，最近要不是因为严打，我们也不会用英文字母标识啦。呐，这个 A 就是代表美国，这个 J 就是日本的，这个 R 就是俄罗斯的，这个 E 就是英国的。你想要什么国家的自己找，欧美的在上面，日本的在下面。"

江文溪歪着头，不禁疑惑，一个小小的对决游戏，怎么会弄出这么多张碟出来，这些人还真是会赚钱。

"好吧，那我就先买这四张，多少钱？"

"八块钱一张。"

"这么贵？！不是五块钱一张的吗？！"她昨天还听同事说现在盗版碟五块钱一张。

"唉，美女，现在严打，出来混不容易。你看这么个大冷天，三更半夜的，我还在这里摆摊，不就是为了混口饭吃吗？容易吗我？"

切！就他混饭，她买碟不也为了糊口。

"能不能便宜点？五块钱一张好了，我买你四张呢。"她从口袋里掏出五十块钱。

"好好好，大冷天的，看在美女这么漂亮的份上，就二十吧。"老板从小腰包里抽出三张十元纸币递给她，不停地感慨，"这年头生意不好做啊，美女真会还价，亏本啦。"

"肯定不会亏啦。"她将钱收好，拿起光碟转身就走。

"美女，走好啊，看不了，欢迎随时来换。"

周围的客人一致对她投注目礼。

回到家中，江文溪看了一眼墙上的挂钟，时间已经过了十一点，明天还要上班，她得赶紧休息了。

将四张光碟放在书桌上，她洗洗便睡下了。

原本以为顾廷和回 N 市了，周末可以教她玩拳皇，谁知到了周五，她接到电话，他大忙人又要跑什么田埂上去蹲点。

李妍出差也没回来。

离年会比赛只还剩下一个礼拜的时间，她简直是欲哭无泪。这样一来，她就等着和严姐一人交二百五的罚款吧。

"小江，你打错几个字哦。怎么了？"严素看着面前的一份报告，幸好她有多看一眼，这上面都打错了好几个字，这小丫头今天是怎么了，心神不定的。

她嘟着嘴："唉，我朋友说今晚会去我家教我拳皇，结果他又去查案了。"

"就你说的那个警察？"

"嗯。"她点了点头，然后又叹了口气。

严素看了看她，然后视线停在里面办公室的门上，灵光乍现，嘴角微扬，偏过头对她说："我知道还有个人是玩拳皇的高手，你可以请他教你。"

"真的？"她的双眸里满是激动。

"喏，就是里面的人。"严素朝里面办公室的方向指了指。

听到严素的话，她闪动着辉彩的双眸立即又黯了下去，去求白发魔男教她玩拳皇，不如现在就扣她二百五十块好了。

严素见她一脸沉默，就知道这丫头没胆去找乐天，不禁笑了起来："乐总最喜欢玩这种游戏，你别把他想得跟什么似的，只要你开口，他一定会教你的。"

"我看还是算了吧。"白发魔男会肯教她，除非是太阳打西边出来。上次在饭店里还说了什么柜橱里的咖啡杯尽管拿，可是第二天一看见她，他那张脸就好像六月飞霜，更别提去他柜子里借咖啡杯了。

"好吧。你自己看着办吧。"严素淡淡地笑着。

下午的时间犹如蜗牛在爬，终于挨到了下班。

江文溪以手托着腮帮，双目紧紧地盯着对面的门。

自打早上严姐提议让她去找他，整个一天，她的脑子里都盘旋着他一挑眉一抿唇的表情。就连开会的时候，她也会忍不住地偷偷瞄他两眼，被他发现了，还要假装是在膜拜他的会议发言。

话说，明天可是周末了，她究竟要不要开这个口呢？可她真的想省下那二百五十块钱。

哎呀，都怪那个提议的人，爱慕他，也不带这样坑害平民的。

她发着呆，"嘎吱"一声，对面的门打开了，她看见白发魔男从里面走了出来，神经紧张地立即从座位上跳了起来。

"砰"的一声，腿撞上了桌子，疼得她直想抓头皮。

乐天刚迈出办公室门准备下班，见到她莫名其妙的举止，不由得蹙起眉："下班了，你怎么还不走？"

她揉了揉被撞得很痛的大腿，结巴道："哦，这、这就走了……"

乐天淡淡地看了一眼，收回视线，向门口走去。

在他就要迈出办公室的门时，她终于忍不住大叫一声："乐总——"

顿下脚步，乐天回头一脸疑惑地望着她："什么事？"

"那个……那个……"她发现自己始终开不了口，只好又硬挤出一丝笑容，"没事，没事，只是想和你道声周末愉快。"

微眯起眼，乐天凝视着举止言语异常怪异的她，过了几秒，薄唇轻启："周末愉快。"

这一次，他真的走出了办公室。

她突然觉得自己好没用，抬手轻轻给自己一个耳光。她真是个没用的东西，一见到他就跟老鼠见了猫似的，话到嘴边都不敢说出口。

再说了，这场比赛本来就是为了奉承他而举办的，那么他本来就有义务帮自己的下属，何况她是他总经办的人啊，如果总经办得了最后一名，被罚了款，脸上无光的也是他嘛。

对，他教她是天经地义的，保总经办名誉地位也是应该的。

一瞬间突然想通了，她冲出办公室，追着乐天的身影大叫："乐总——"

再次听到窝边草的声音，乐天不禁又皱了皱眉，这个女人到底想干什么，什么事情让她这么难以开口。

缓缓转身，他望着离他约数米远的女人满脸期盼，淡淡地道："什么事？"

江文溪咬了咬唇，鼓起勇气，说："乐总，今晚你有没有空，我想请你吃饭。"话音刚落，她就后悔了，明明是想要说请他教她拳皇，怎么一开口就变成了请他吃饭呢。

无事献殷勤，非奸即盗。

他怔怔地望着她，许久，压低了嗓音："究竟有什么事，你就直接说吧，别拐弯抹角的。"

她的脸涨得通红，结巴道："我、我我想请你教我打拳皇。"

又是一怔，他细细地盯着愁眉不展，总是喜欢死命咬自己嘴唇的她，一言不发。

她见他不说话，心不由得一沉，他一定是不愿意了，毕竟人家是总经理，还是优质单身汉，今天又是周末，哪来的闲工夫教她打游戏。她一定是脑袋被门挤了，才犯糊涂。

"对不起，我忘了你很忙，当我什么都没说过。"

她失落地转身，这时身后又响起了他优雅的声音："我有什么好处？"

"什么？"她听到急转身，"好、好处？"

她能给他什么好处？要钱没有，要命一条。

"现在想不到，那就记着。"未等她回答，他已经替她开了口。

"啊？"

"去你那儿，还是去我那儿？"

"哎？"这句话怎么听起来就那么的别扭，貌似有奸情的男女才喜欢用"去你那儿还是去我那儿"。

"给你十秒钟考虑，去你家还是去我家，如果你想不出来，那就下周再说。"

时间就是金钱，金钱就是生命。

下周都比赛了，下周再学就等着送钱啦。

她一听要改下周，连忙接口："那、那个还是去我家吧。"

去她家，如果他要是敢非礼她，好歹她可以用叫的，这样对门的阿伯阿婶可以使出无敌扫帚功。如果去了他家，那就是叫天天不应，叫地地不灵。

人不可貌相，这年头变态上司多，还是防着点好，何况这白发魔男有前科。

第二次坐进他的车子，她选择坐在了后座。

他抿紧了唇，不以为然："路怎么走？"

她坐在后座异常紧张，双手都不知道该往哪儿放，感觉好像上了贼船，颤着声道："瑞……瑞 X 路。"

双手放在皮质的后座椅上，她方想挪一挪僵硬的身体，车子一个急转弯，便往另一个方向开去。她的额头撞到右侧车门的玻璃上，她苦着脸揉了揉额角。车子行驶了好一会儿，她看清了道路两侧繁华的店铺，才意识到，这根本就不是往她家方向的那条路。

她往左边挪了挪，小声道："乐……乐总，瑞 X 路不是这个方向。"

他通过后视镜瞄了她一眼，微微挑眉："你家有游戏操纵手柄？"

那是什么东西？

"这个游戏操纵手柄是不是还要花钱买？大概要多少钱？"如果比二百五还要贵，她马上就下车。

"这世上还有不用花钱买的东西吗？"他又看了一眼后视镜中那个有时又笨又蠢有时又十分精明的女人，他有些弄不明白，这个女人究竟是怎样的矛盾生物。

她咬着唇，手紧紧地抓着门把，她想下车了，被罚二百五算了，何必这样折腾。

"你手抓着那里干什么？往中间坐一点。"

被这声音一吓，她只好乖乖地往中间坐。

在她无比纠结的同时，车子已经稳稳地停在了一个高档小区内。

下车之前，他对她说："你在车上等我，我上去拿游戏操纵手柄，再去你家。"

"哦。"她愣愣地点了点头。

望着已经下车，走向对面一幢高层大楼内的乐天，她探了探头，审视着环境优雅的高档小区，楼顶"天都豪庭"几个大型霓红灯字映入眼底。这里，好像是 N 市中心地价最贵的高档小区。以前有听李妍说过，最便宜的一套房子也要好几百万。

她缓缓地靠回后座，静静地等待。

很快，他拿着一套游戏操纵手柄走回车子。

乐天住的天都豪庭离瑞 X 路很近，沿着市中心主干道一直向东，拐个弯就到了。

　　瑞 X 路是商业、金融、娱乐高度集中的地区，江文溪住的地方是九十年代老式住宅小区，从霓红灯闪烁的光亮中一下子进入了狭长幽黑的小巷，让人很不适应。

　　一个紧急的刹车，江文溪的头差点撞上前面座位，整个身体弹了回来，她拍了拍胸口。

　　透过车前窗看向车外，一个醉汉跌跌撞撞走了出来。

　　她又习惯性地以齿咬着下唇，有些为难地对乐天说道："抱歉，忘记提醒你进这条巷子的时候要注意，路灯坏了很久了。"

　　乐天并未应声，目光始终注视着那个醉汉，直到他终于远离了车子。

　　车子继续往前开。

　　他突然停下，回首，眉眼一挑，漂亮的眼眸直直地看进她的眼底，以一副平和轻淡的口气问道："你是不是该先请我吃饭？"

　　"啊？"她的表情呆如木鸡，随即反应过来，"乐……乐总，如果你不嫌弃，就在我家吃好了，不过你不要期待有什么好菜。"

　　"我本来就没期待。"

　　"……"

　　他回过头，继续向前行驶，直到江文溪住的那幢楼前才停下。

　　江文溪下了车，指着最里面的一个单元对他说："这个游戏操纵手柄我来拿吧，这里楼道很黑，我家在五楼，我比你熟。"

　　只是轻轻蹙眉，见她一脸坚持，他便将手中的盒子递给了她。

　　"麻烦你待会儿帮忙打个手机灯哦。"

　　他跟着她，依言将手机摸了出来，照着漆黑一片的楼道。

　　"小心哦，这层有七个台阶。"

　　"转弯了。"

　　"这层有五个台阶。"

　　"……"

　　几乎每上一个楼层，她都会好心地提醒。

　　细细软软，异常甜美的声音飘入他的耳朵里，使他整个人异常烦燥。他觉得这个窝边草真不是一般的聒躁，当他是瞎子还是夜盲，他能看得见。

　　"江文溪，你能不能闭嘴？哪来那么多废话！"

　　"啊——"被他突如其来声音吓到，她尖叫出声，脚下一滑，整个人向后跌去。

他见着，急忙伸出手及时地抱住她倒下的身体，薄唇不悦地抿成了一条直线："你真是个麻烦。"也许是他疯了，才会答应这个女人教她打游戏。

她异常尴尬地从他怀中站直了身体，连连道歉："对不起……"

"这个东西我来拿。"他从她的手中将游戏操纵手柄夺了过来，绕过她的身体往上又爬了几个台阶，"到了，几零几？"

她刚想说501室，这时，502室的门打开了。

屋内的光线顿时泄了出来，照亮了门前的过道。从里面探出一个五六十岁的大妈，她看了看乐天，犀利的目光犹如X光线，最后盯在他一头银白色的头发上，防备地挑了挑眉，当看到刚爬上来的江文溪时，便问："小溪啊，刚才是你叫的？出了什么事？"

瞧，她说得没错，对门的大叔大婶比物业公司巡逻的保安还要尽责，所以只要进了这幢楼，她是怎么都不可能会出事的。

她连忙解释道："阿姨，我没事，刚才脚滑了一下。"

"哦，没事就好。"王大妈的目光再度转移到了高大英俊的乐天身上，然后问她，"带男朋友回来啊？"

"啊？"她的脸倏地一热，连忙对王大妈摆了摆手急道，"他、他不是我男朋友，是我上司。"

乐天极度不爽地望着她，似乎她很怕人误会他是她的男朋友，他当她的男朋友有那么让她丢人吗？还是那个警察当她的男朋友很体面？

"哦？"王大妈的眉毛直向上挑，难道是她老了？现在不流行说男朋友了，改流行说上司了？

"阿姨，晚安。"

"嗯，晚安，不打扰你们了。"王大妈很潇洒地将门关上。

楼道里，又恢复了之前的黑暗。

江文溪从包里摸出钥匙，很快地打开了门，开了灯，从鞋柜里找了一双男式拖鞋递给了乐天。

迈进江文溪的家，干净舒适是乐天第一眼的感觉。

两室一厅一厨一卫，再简单不过的装修，倒不像一个女孩子会住的地方。

江文溪倒了一杯热水给乐天，有些不好意思："没有茶叶，只有白开水。"

"没关系。"乐天在客厅沙发上坐了下来。

她抓了抓头发："乐总，要不你先帮我去装下游戏，我去煮饭，一会儿就好。"

"也行。"他起身，跟随她进了卧室。

令他惊讶的是，卧室里没有想象中女孩子会喜欢的粉色系列毛绒玩具，除了一张睡觉的单人床，一个衣柜，一张写字台，剩下的全是书，墙面几乎就是书柜做成。更令他惊讶的是，这些书大多都是与刑事案件有关的，《刑事犯罪案件侦查方法》《刑法评论》《福尔摩斯探案全集》《美食侦探》《异常杀人者的心理探索》等。

他的眉头深深蹙起，这个窝边草怎么会喜欢看这些东西，这不禁让他想起，她的几次异常。

"不好意思，让你见笑了。我这房间，一点都不像个女孩子的。"

"的确。"

她浅浅笑着，将那晚买的四张碟子交给他，不好意思地说："这是我买的安装盘，不过是盗版的。"

他皱着眉，望着眼前分别写着"A""J""R""E"几个英文字母的光盘，便问："怎么会有四张光盘？"

"嗯？哦，那个卖碟片的老板说是四个国家的都有，所以我就全买了。"她嘟着嘴，她当然想买一张碟片就好了。

"四个国家？"眉角微挑，他对这几张碟深表怀疑。

拳皇的制造商SNK什么时候变成四个国家？就算是多种语言版本，在国内不就一种可以搞定。

她笑着说："我先去淘米煮饭。"说完，她便出了房门。

他将四张碟放在手中看了好一会，隐约觉得哪里不对，也许是他多虑了。

打开光驱，他将其中一张盘放了进去。

她的电脑是很老的低配置，速度奇慢。

他黑亮如星的眼眸专注地盯着电脑屏幕，静静地等待着安装程序的出现。

三十多秒钟过去了，安装程序依然没有出现，电脑主机的指示灯依旧闪烁个不停。他以为这张盘有问题，正想退出这张光碟，这时屏幕上跳出WIN-DOWS自带的WMP的播放软件。

骤然之间，屏幕之上一片肉色模糊，画面抖动得厉害。

"碟子可以用吗？"江文溪趁着煮四季豆的时间跑进来看看进展如何，孰料当她看清电脑屏幕上的画面时尖叫出声，颤着手指着他怒道，"你在看什么东西？！"

电脑屏幕上，一对男女老外，赤裸着身体十分卖力地做着活塞运动。音箱里时不时传来女人高亢兴奋的叫声："Fuck! Fuck me! Fuck me!"

"我是请你来帮忙教我游戏的，你怎么可以用我的电脑看这种东西？！我

不要你教了，你马上离开我家！”她怒吼着，以最快的速度扑了过去，将光盘取了出来，当她看清光盘上面写着的英文字母“A”时，　赫然怔住了。

怎么会是她买的光碟？！

乐天紧抿着双唇，凝视着身前那张因气愤而泛红的小脸，他微眯起双眸，那里闪烁着一触即发的危险讯息。

“怎么会是这样？！”她难以置信，一张脸涨得通红。

乐天一言未发，毫不犹豫拿起一张上面写着英文字母“J”的光碟塞进了光驱内，点动了鼠标。

她紧张地绞着手指，等了约莫十几秒，屏幕上再次跳出类似的画面，依旧是三具肉晃晃的身体，只不过这次的两男一女换成了东方脸，音箱里传出女主角高亢兴奋的声音：“呀买爹！依库——”

下一秒，她的手迅速地按向光驱按钮，颤着手从光驱里取出碟片，将两张碟片紧紧地攥在手中，不停地念道：“怎么会这样？怎么会这样……”

乐天木然的脸上看不出任何情绪，从桌上拿起第三张光碟，正欲将光盘放进光驱里，左手突然被她迅速伸来的手掌覆盖住。

“不要再放了！”掌心传来的热力，让她惊愕地睁大了双眼，一抬眸便对上他深邃的眼眸，紧张得连忙将自己的手收回，结巴着道，“我、我不知道怎么会变成这种碟子。我当时买的时候，明明和老板要拳皇的碟，而且他也说这是拳皇的碟，可是——”她讲着，倏然顿住，口中喃喃地念着，“拳皇……全黄……各个国家的都有……有男有女……三个人一起上……”

一滴汗从她的心中猛然渗出，原来那个老板所谓的拳皇其实是“全黄”。难怪碟子上标着“A”“J”“R”“E”，四个国家，原来指的是四个国家的 A 片，难怪有男有女，还有三个人一起的……

天啊！她怎可能这么乌龙，把游戏碟错买成 A 片……

她偏过头，紧张地望向坐在面前的乐天，几乎看不清他双眸的颜色，之前木然的脸上竟然泛着微微的红，眉头深锁着。

根据以往的经验，她知道这是他发怒的前奏，她急忙将那几张碟子拿起，对他结巴道：“对……对不起，我真的不知道是这种碟子。”

她抓起其中一张碟，毫不犹豫用力掰下去，只听“啪”的一声，碟片应声而断。她憋红了脸，接着又拿起第二张碟，颤抖的双手再用力掰。

伴随着碟片断裂的声音，锋利的碟片断口划破了她的掌心，顿时鲜血流了出来，迅速在她的掌心漫延，顺着指缝滴落在地。

“嘶——”她忍不住倒抽了一口气。

“你在干什么？！买错碟片就买错了，当自己是无敌金刚粉碎机？！”他猛然站起身，一把抓住她的右手，从一旁的纸盒里抽出好多张纸巾，小心地按在她的伤口上，不一会儿鲜血便浸透了纸巾。

他恼怒地将纸巾扔掉，瞪着眼凶她："家里有没有创口贴？"

她见他满脸的怒气，唯有颤着声说："……有，在……客厅柜子的第二个抽屉里。"

不由分说，他拖着她出了卧室，将她塞进了卫生间，命她将手掌上的血用冷水冲净，一边在抽屉里翻找着棉签、消毒药水和创口贴。

不一会儿，她的右手掌心贴上了一块创口贴，血止住了，但只要稍稍一用力，隐隐的刺痛便会由掌心传来。她抬起头，望着那双深邃幽暗的眼眸，那里透着一丝怒气，还有一丝她不能确定的关心。

她咬了咬唇，想要说些感激的话语却不知该从何说起。

"请你以后做事多用点脑子。"他冷冷地看了她一眼，便站起身。

她以为他生气了要走人，急忙跟着站起身，急道："那个，你要走了？你是不是生我的气了？我不是存心买错碟子的。"其实她更想问，是不是今天游戏学不起来了。

回首，他凝视着紧咬着樱红下唇满脸委屈的她，有种说不出的莫名其妙的感觉，慢慢地目光变得柔和，但语气依旧冷淡："你欠我的一顿饭还没吃呢。"

他走出客厅，站在阳台上，点燃了一支烟，深深地吸了一口，随手打开了阳台上的窗户，一阵冷风灌了进来，让他顿时清醒了很多。

他是怎么了？为什么会这么烦躁？他突然觉得自己有毛病，口口声声说自己对窝边草没兴趣，可今天当她提出请他教她打游戏的那一刻，他竟有些欣喜若狂。看到她掌心流血的模样会禁不住心疼。尤其是刚才，那两段少儿不宜的片段让他心猿意马，一直到现在，他的胸口之处还在怦怦地乱跳个不停。

他究竟是怎么了？他绝对不是一个受外界刺激就轻易混乱的人。

狠狠地吸了一口烟，吐出，想要将内心的一片混乱全数吐出。

她弄不懂他，只好跟着起身，去了阳台。

见他双手搁在阳台窗户上，她走过去，立在他的背后，却听到他一声轻轻叹息。

她咬着唇，心中愧疚，明明是自己买错了碟子，却冲着他怒吼，换作任何一个人完全可以甩手走人。更何况，他还是自己的上司，被属下这样误会，是多么有失体面的一件事。

都怪那个坑人的小贩。

她又向前迈了一步，双手绞着手指，轻声道歉："乐总，对不起，刚才是我错怪你了……"

无辜，甜嫩，柔软，好似一缕丝缎在人的心间轻轻滑过。

这似在撩拨人的声音让他的身体骤然一僵，夹着烟的手指轻轻一颤，一截烟灰随风飘散。

"乐、乐总……"得不到回复，她又轻轻叫了一声。

"你知不知道你的声音很像噪音？"他刻意佯装淡漠，却依旧掩饰不住内心的矛盾。

"……"噪、噪音？从来只有人夸她的声音好听，从没听人说过她的声音像噪音啊。

倏地，他一个转身，毫无预示，他的手掌便扣住了她的双肩，手上的力道用力紧收，她便落入了他怀抱之中。

她瞪大了双眸，惊愕地望着骤然反应的他，客厅里透出来的光亮照在他银白色的头发上，俊朗的脸庞占据了她的全部视线，那一双深邃的眼眸里透出的讯息，与平日里他生气的时候完全不同。

她突然间有些害怕，惶恐地叫了一声："乐、乐总……"

下颌被迅速地抬起，她听到了他蕴藏着怒意的声音："江文溪，你的声音真的很让人讨厌。"

来不及反应，她的唇便被堵上。

第二次亲密接触让毫无防备的她倒抽了一口气，一瞬间，整个人仿佛像是一大块冰块突然掉入滚热的沸水中，"嗞嗞"作响，不停地泛着热气，像是随时都要化在水中似的。

这是他惩罚性的咬噬，他在以他的行动证明他讨厌她的声音，所以他要惩罚发出声音的红唇。

嘴唇被吮得很痛，低呼只要出口便被吞没。她睁着一双无辜大眼，双手用力地抵着他的胸膛，意图要逃开这灼热的吻。

但他不容许她逃避，用力地吻住了她的嘴唇，不，确切地说是惩罚性地含咬。

"唔，痛……"她痛苦地轻声呻吟，眼泪在眼眶里直打转。

听到她的呼声，他停止了带着怒气的噬咬，懊恼地以额头抵着她的额头，双手捧住她的脸颊，拇指轻轻地拭去她眼角渗出的眼泪，却霸道地命令："不许哭！"

他真是无比挫败，这个女人，他吻了她两次，两次都只会流泪。

"你咬得我很痛……"她的眼泪仍是抑制不住地往外流。

"男人和女人接吻本来就痛。"他冷哼，吻到嘴唇红肿，麻木破皮，呼吸不畅的比比皆是。

　　她的眼泪在瞬间止住了。

　　接吻？这样是在接吻？

　　完全无法消化他所谓的"接吻"二字，她瞪大眼睛，想努力看清眼前一片模糊的脸，可无论如何努力，映现的只有一张模糊不清的轮廓。熟悉又陌生的温热气息，就这么放肆地吹拂在她的脸上。她突然觉得眼前一片炫晕，不由得闭上自己的双眸。

　　这对他来说是极大的蛊惑，他不再给她逃避的机会，将她紧紧困在怀中，性感的薄唇再一次欺上她的唇，霸道地以舌撬开她的唇齿，攻城掠地。

　　轻含，辗转，紧缠着她不放。

　　意乱情迷。

　　被吻得有些痛的嘴唇仿佛再也不属于她，就连打颤的牙齿也完全不受她的控制。心中一片慌乱，她只能听到交织在一起异常急促的呼吸声和"咚咚"不停的心跳声，她已经分不清是自己的还是他的，双腿越来越软，双手只能紧紧地抓住他胸前的衣襟，生怕自己就这样滑落在地。

　　时间仿佛停滞了一般，就像是过了一个世纪那么长，他终于放开她。

　　她浑身瘫软，双腿无力，只能将身体全部的重心放在他的身上，伏在他的胸前大喘着气。

　　他的唇贴着她的发际，用力地嗅着发丝散出的淡雅香气，拥着她的双臂用力收紧，直到她低呼一声，他才缓缓松开。

　　被他这样抱着，她的脸就像是发着高烧一般的滚烫，紧贴在他的胸前，她不敢动，更不敢抬头，脑中早已是一片浆糊，她无法相信刚才，第二次又无防备地被强吻了，并且还是同一个人。

　　令人羞愧的是，刚开始还挣扎，到最后居然不但没有推开他，反而欣然接受，并且是那般的投入。

　　他说是接吻，可是在她认为，只有爱恋中的情人才会接吻，他为什么好好的会这样对她？

　　如果说，上一次是因为他想掩饰而顺手抓了她，那么这一次究竟是为了什么？心在怦怦地乱跳个不停，她甚至不敢去想那种不可思议的可能。

　　"好一些了吗？"他的手指插入她柔顺的发丝之中，温柔地自上而下轻轻拨弄。

　　她不敢答话，脸颊越来越烫，仿佛是烧着了一般。她好怕被他瞧见她现在的模样，她将脸埋在他的胸前，小心翼翼地调整气息。

浅浅的轻笑声从头顶上传来，她感受到那宽厚的胸膛在震动。

她蹙紧眉心，死咬着唇，羞愧得恨不能找个地洞钻进去。

蓦地，身体被轻轻拉离，一只手在轻轻地拨弄着散乱在她身前的发丝。

又是一片慌乱，她忍不住抓住那只手，低垂着头轻道："我自己来吧……"

下一秒她的手被他的左手紧紧握住，下颌被他的右指轻轻挑起，只见他一本正经地问："有没有男朋友？"

她直视他的眸底，犀利的目光仿佛是在警告她，如果敢说出不称他心意的话，她就死定了。她胆怯地垂下眼帘，目光移向别处。

其实，原本今天，她可以有一个男朋友的，可是计划不如变化，那刚刚萌生的恋情种子芽儿尚未破土而出，就遇到阻碍。在她开口请眼前人教她打拳皇的时候，就注定她没资格做人家的女朋友了。

也许，命中注定，她和顾廷和是有缘无分。

咬着牙，他的两指微微用力，再度抬起她的下颌，迫她对上他的双眸："说话！"

方才她那样不明所以的表情，让他有些恼火，如果这个女人敢在招惹了他，撩拨了他之后说一个"有"字，他一定会要她好看。

她抬眸注视着他，轻吐了两个字："……没有。"

得到预期中的答案，他顿时松了一口气，扬着眉，淡淡地道："有就是有，没有就是没有，这么简单的问题要想这么久？"

她撇了撇嘴角，不敢搭话。

"我现在很饿，你还欠我一顿饭。先吃饭。"不由分说，他牵着她的手进了屋。

她嘴角微微抽搐，缓缓抬眸，盯见那耀眼的银白色头发，心念：他的思维可不可以不要跳得这么快。

刚进屋，一股子糊味迎面扑来，他不禁皱了皱眉："什么味道？"

她大叫一声："糟了，四季豆还在锅里煮着！"

她挣开乐天的手，叫着一路跑向厨房，浓重的糊味直呛入鼻。她伸手将锅盖打开，原来翠绿的四季豆，此时此刻，有一大半全成黑糊糊的，锅里的水早已烧干，这下子就算是炒干煸四季豆也没的想了。

造孽！都怪那该死的黄碟！

她伸出手打算倒了那一锅四季豆，当右手刚碰上锅把手，这时某人惯用的命令式口吻再次响起："你是不是打算明天不用上班？！"

她回首看了他一眼，心念：做什么这么凶？谁说她明天不上班，不上班要扣工资的啊。

"走开。"他不耐烦地将她赶向一边，端起那一锅煮糊掉的四季豆倒在了垃圾桶里，然后动作麻利地将锅洗干净，回转头问立在身后呆如木鸡的女人，"你今天晚上想煮什么菜？"

"啊？"她回过神，"只有青菜了，还有昨天晚上剩下的一条鱼。"

"在哪儿？"他问。

"啊？"

"啊什么啊？不用吃饭啊？！"他的口气很不好。

"青菜在柜子下面，鱼在冰箱里，你等一下。"她转身出了厨房，很快地从冰箱里端出一条鱼，折回厨房，惊愕地看见他熟练地摘起青菜洗了起来。

不一会儿，他将青菜洗好切好，准备下锅时，发现一旁电饭煲的灯是灭的，他揭开锅盖，赫然发现里面的米还是生的。

她见着，一脸困惑："之前灯明明是亮的啊？"

他皱了皱眉，拔下插头，重新插了一下，电饭煲的灯依旧不亮，回头问她："哪儿还有插座？"

"客厅电视机那儿有插座。"

他端着电饭煲到了客厅，打开电视机，确认了电视机的插座是好的，重新插上了电饭煲，可是灯依旧不亮。

"坏了。"他拔下插头将电饭煲重新端回厨房。

她盯着那用了好多年如今已经寿终正寝的电饭煲，脸色有些微微泛白，前两天微波炉才坏掉，为什么今天连电饭煲也坏了？她都为公司那该死的游戏对决比赛罚款愁死了，这会儿，家里的电器居然给她提前罢工了。

又破财！

望了一眼只顾盯着电饭煲发呆的她，他轻轻蹙眉，道："有没有速冻水饺或是面条之类的？"

她不甘心地瞪了一眼电饭煲，嘟着嘴有气无力地回答："……有。"转身，她从柜子里取出一袋速食鸡蛋水煮面，递给了乐天，"不好意思，本来是我请你吃饭，应该是我烧菜的，结果变成你煮面条了……"

不过几秒，他又继续手中的动作，在心中冷嗤：真是个噪音。

她见他又默不作声，以为他又生气了，不自觉地抿了抿嘴："真的很抱歉……"

下一秒，淡而漫不经心的声音响起："那就记着欠我两顿饭。"

她只觉得自己的嘴角在不停地抽搐，她在心中咒着，那个该死的卖黄碟的

販子，害死了她。

未久，两碗散着浓浓香气的青菜鸡蛋面上了桌。

江文溪看着已经开吃的乐天，跟着拿起筷子，入口鲜美的汤汁让她的唇角微微向上弯起："没想到你煮的青菜鸡蛋面这么好吃。"

微微抬眸，他凝视着对面一脸满足的白痴女人，翻了个白眼："你能不能闭嘴别说话？！"

烦人的噪音。

这个窝边草怎么一点自觉性都没有？

嚼在口中的半口面条，顿时变得索然无味。

她不知道自己又哪里得罪他了，如果不是她的手受伤了，也不会麻烦他煮面，而且明明是他自己抢着要去煮面的，干吗又怪她。

真是个霸道不讲理的家伙。

称赞他也会被骂，为什么他对她总是那么凶？刚才，莫名其妙地抱着她亲吻，还声称那是在接吻，让她不禁怀疑他是不是有点喜欢她，可是这会儿对她又这样凶。她是脑子犯浑了才会认为他喜欢她。

可是不喜欢她，干吗又吻她。这种感觉真的好不舒服，胸口之处仿佛堵了一块铅似的。

蓦地，他抬起头问："你一个人住？这里是你家，还是你租的房子？"

她正在心中咒着他，突然听到问话，差点被口中的青菜噎住。她咽下了青菜，怔怔地望着他。他好奇怪，刚才还那么凶，怎么现在关心起她的家庭，变脸速度比女人还快。

"算了，当我没问。"被她的眼光盯着看，他有些不自在。

"这里是我家，我一个人住了很多年了。"她双手抱着面碗，抿了抿嘴，"我父母在我高二的时候就去世了。"

"很抱歉，这并不是很好的话题。"他轻轻地将手中的筷子放下，凝视着对面浅浅微笑的女人。

"没关系，已经过去很久了。你看，我家里都没有挂他们两人的照片，我真是很不孝。"她干笑了两声，"从我开始有记忆的时候，他们两人就在山里扑蝴蝶，我，这么爬爬就长大了。"

"扑蝴蝶？"他不解。

怎么会有人整天无所事事在山里扑蝴蝶？除了昆虫学家，他想不出来还有什么人会这么无聊。

她见他一脸不明，笑了笑："嗯，他们是专门从事蝴蝶研究工作的，在外人看来，他们是昆虫学家，可是在我看来，就是和大多数人小时候一样，无聊扑蝴蝶的。"

扬着优美的唇线，他被她的话逗笑了。

蓦地，她的眸色一黯，吸了一口面条又道："我高二那年，他们又去云南某个山沟沟里扑蝴蝶，后来那里发生山体崩塌，两人以及那次同去扑蝴蝶的工作人员全部被埋在了山里，再也没出来。"

这时，他才知道自己起了一个多么烂的话题，岔开话道："别说了，快吃面条吧。"

"……哦。"为什么她把快乐建立在自己的痛苦之上依旧得不到上司的欢心，还真是难伺候的家伙。

两人陌陌地吃着面条，只能听见吸食面条的"咻咻"声。

蓦地，她想起了学拳皇的事，抬眸又问乐天："乐总，我今天还能不能学那个游戏？"

他淡淡地看了她的右手一眼，道："你觉得呢？"

她看了看自己贴着创口贴的右手，握紧复张开，还有些痛，右手掌心那个伤口一周之内肯定不可能会好的。这就意味着，她准备罚款了。

捣着碗中的面条，隔了许久，她还是忍不住问出口："为什么那场比赛一定要规定最后一名的部门罚款五百？"

他抬眸，一脸莫名，完全不知她在说什么。

他皱了皱眉，不解地问："什么部门罚款？"

"哎？就是参加拳皇对决啊，赢得第一的部门有五千元奖金，最后一名的部门罚款五百啊。"她咬着筷子说。

他的嘴角微微抽搐。

为了激励所有员工的斗志，江航有个不成文的规定，就是每年年会活动必设一份大奖，同时也有一份惩罚，这个不成文的规定已经成了江航特有的企业文化。

"怎么了？有异议？"他挑了挑眉。

她咬了咬唇，说："我只是觉得这个对决游戏不太公平。"

"怎么不公平？"

"总经办只有我和严助两个，别的部门至少也有一两个男同事，我们怎么可能会这种男生玩的游戏，全公司的人都知道有总经办垫底。"她的声音越说越小，"我不想被罚款……"

他的表情一片木然，沉默了许久，有些不悦："所以你就想学这个游戏？保证至少不是最后一名？"

本来他还有些欣喜，以为她会和其他女人一样，知道玩一些手段接近他，结果让他咬牙的是，完全是他自作多情，这女人压根是为了不想罚款。他与那二百五十块比，有那么差劲吗？

"嗯。"她喝了一口面汤，点了点头，"赚钱对我来说，很辛苦，你不会明白的……"

她的话让他想起自己刚出狱的时候，什么事都做过，每天十几个小时的劳动强度，累得就像是一条死狗一样，一个月下来只能挣几百块。

不明白？呵呵，赚钱有多辛苦，他比谁都知道。如果不是他好命，遇到深叔，也许他现在还只能捧着一份盒饭蹲在马路边上吃着。

忍不住，他从口袋里又摸出了一支烟点燃，深深地吸了一口。

她错愕地看着表情有些古怪的他，难道她又说错什么话了吗？

起身拿起茶几上的烟灰缸，放在他的面前，她伸手在他的眼前招了招，轻轻叫了一声："乐总……"

弹了弹手中的烟灰，他淡淡地看了她一眼，说："没有外人的时候叫我乐天，或者阿天。"

"……"她说不出的惊诧。

他起身端起碗筷走向厨房。

她见着，急忙端着自己的碗筷追上："你要帮我洗碗？不用了，我自己来吧。"

他额上的青筋隐隐泛起，嘴角不停地抽动。一句粗口硬生生地忍住，都是那该死的"拳皇"，才会让他意乱情迷地看上这个白痴一样的窝边草。

"走开。"他夺过她手上的碗筷，将她轰出了厨房。

她倚在厨房的门框上，静静地看着他不停动作的双手。

白炽光下，映衬出他完美至极的侧脸，犀利的发线，饱满的额头，漂亮的眼眸，挺拔的鼻梁，还有那张薄而性感的嘴唇……

她的目光落在他的嘴唇上似乎无法移开视线，脑中突然浮现之前阳台的一幕。排除先前他蛮不讲理的啃咬发泄，继而绵柔温暖的唇细细包含着她的，灵活舞动的舌头，总似在有意无意地安抚又挑逗，唇齿纠缠间，她迷失了……

她控制不住地以齿轻咬着下唇，双颊越来越烫……

"你……能不能换个地方发呆？"磁性的嗓音飘来。

"啊？"方才明明离得还很远的薄唇，此时此刻却是近在咫尺，她尴尬地别开视线，羞红了脸转身离开。

擦干了手，他看了一眼墙上挂钟的时间，已是晚上九点半。

"我该回去了。"这时间对经常应酬的他来说,连真正的夜生活开始都算不上。但,他该回去了,他可不想在第一个晚上就吓到了他的窝边草,让她误以为自己有什么不良企图。

"……哦。"她咬了咬唇,心中突然有些不舍,"那明天下班后,你还会教我游戏吗?"

他淡扫一眼她绞着的双手,轻道:"手机给我。"

她怔了怔,转身走回房间,从包中取出手机,然后折回客厅,递给他。

他接过手机,按了一串数字,直到自己的手机声响,挂断,将手机还给她,道:"明天的事明天再说。"

"哦……"她清澈的双眸黯淡了下去。

他换了鞋,出了门,骤然转身,道:"明天,早上八点在楼下等我,我来接你。"

"你、你要接我上班?"她惊呼出声,差点咬到自己的舌头,连忙摆手道,"不要!"

"为什么不要?"他有些动怒,他接她上班,是省了她搭公车的时间。

某一天下班,正好他看见她追着公车跑得气喘吁吁,结果还是没追上。她立在寒风中,拉着衣帽,不停来回走动瑟缩的样子,让人怜惜。以后他接她上下班,不用风吹雨淋,岂不省事?

她咬着唇,吱唔了半天,终于说出憋了很久的话:"我们并不是……那种关系,别人误会了就不好了……"

和顾廷和如果是两条交叉线,那她和他基本就是两条平行线。妍妍说过,男人都是用下半身思考的动物。刚才,他又一次强吻她,或许就是受了那该死的碟片诱惑。说起来,祸是她惹的。从头到尾,他都是那一脸被强迫的神态。他喜欢她才会吻她,那是根本不可能的事。

他眉头紧蹙,愠道:"那种关系?那你认为是哪种关系?"

"嗯?"她不明所以地抬首。

"人头猪脑!"他被她气得无话可说,转身下了楼梯。

坐进车内,他倚在车座上叹了一口气,大把的鲜花等着他去采摘,他偏偏要来拔这根窝边草。真是快被她气吐血了,没见过脑袋这么转不过来弯的,他的意思已经这么明显,有那么难懂吗?他真是折服了。

他又叹了一口气,抬首望了望五楼还在亮着的灯,挫败地发动了车子,飞驰而去。

她怔怔地望向那一片黑暗,许久,才有气无力地合上了门。背抵着门,她想着他临走前的话,究竟蕴含了什么样的意味。

她满心期待会和顾廷和有所发展，可是全让那几张碟子毁掉了，所以事情完全走了样。

她抬起手，看着掌心那块创口贴，想到被他握住自己冰凉双手的瞬间，有一股暖意直透心底。

唉，怎么才短短几个小时，心中的那杆天秤就偏离了，难道她天生就是一个见异思迁的女人？

走回房间，她看见写字台桌上那块光碟碎片，不由得双颊又滚烫了起来。

作孽哦，都是那个死小贩，真是会坑人。将房间简单地收拾了下，她洗洗上了床，躺在床上望着雪白的天花板，习惯性地咬着嘴唇，脑中纠结着明天早上八点，他要是真的来接她，她该怎么办？

想着想着，"潜规则"三个字一下子跳进她的脑海里。

黑暗中，她慌张地将被子往上又拉了拉。

凭良心说，她既没才又没貌，比起见过的他身边的几只莺莺燕燕，人家要身材有身材，要美貌有美貌，像她这种傻头傻脑的笨鸟还不知道要排到哪边去，更别提那个经常出入他办公室的曾姓美少妇，还有那次婚宴上见到的方氏美少妇。

唉，就凭她这种样子，哪里值得人家"潜规则"。

假如，那句接她上班只是客套话，她到时候不只是要挖地洞钻了。

突然又想到了什么，她拿起放在床头柜上的手机，右手握着，莫名其妙地，就好像与他的手相握一般，她找出最后一个通话记录，盯着那一串数字，犹豫着要不要存进手机。

下一秒，她又紧张地开始输入他的名字，从"乐天"、"阿天"到"口香糖"、"白发魔男"，甚至还有一个恶心的昵称"天天"都输过了，可是反反复复，她都觉得不太满意，最终还是输了"乐天"两个字。

对着这两个字，她又发起了呆，不禁喃喃自语："真的是男女朋友那种关系吗？"

漫漫长夜，自父母和大舅相继去世这么久以来，却是江文溪第一次失眠。

第六章

爱人就像白米饭

With love
For you

爱人，
其实就是你一生
都离不开的白米饭或者馒头，
滋味虽然平淡，
提供的营养却是你生命的支撑。

翌日，早上八点，乐天开着车提前几分钟到了江文溪家的楼下，可是左等右等，过了八点，却仍不见她的踪影。

他在心中低咒了一声，本想冲上五楼，但转念想到这个窝边草可能提前独自一人走了，他气愤地摸出手机，拨了江文溪的手机。

手机响了很久，才听到一声软弱无力的声音："喂？"

"江文溪，你现在在哪儿？你要是敢给我一个人先跑了——"他的话没说完，就听到手机那端"啊"的一声尖叫，随即又是什么东西撞翻了，心猛地一缩，他紧张地叫道，"你现在在哪儿？出了什么事？！"

"我……我睡过头了……"

"……"

"我马上就下来……"

"……"

约莫六七分钟后，江文溪挎着包气喘吁吁地一路跑到那黑色招人眼的车前，连声道歉："对不起，我、我睡过头了……"

乐天在见到她的那一刹，之前阴霾的心情一扫而光，深邃的眸光也变得柔和了许多，紧抿的唇角不由得微微轻启："上车。"

"哦……"她带着没睡醒的混沌，手又伸向了车后门的把手。

"坐前面！"他的脸色又是一沉。

她咬着唇只得乖乖地坐在了副驾座。

隔了数秒，依旧不见他发动车子，她忍不住偏过头，孰知，他的左臂正横跨她的胸前，慢慢挑眼向上看，他那张英俊的面庞离她只有几寸的距离，温热的气息喷洒在她的脸上。她紧张地向右后方挪了挪，颤着声叫了起来："你……你你想要干什么？！"

一大清早的，他该不是就有什么非分之想吧，这里可是人来人往的小区啊。

他面无表情地凝视着她，只听"啪嗒"一声，她的安全带已扣好，随后他坐正了身体。

"刷"地，她的脸颊犹如煮熟了的虾子一般，原来一大早有"非分之想"的是她自己……

车子缓缓起动，他紧抿的唇角微扬，露出一抹淡淡的笑意。

她红着脸不停地绞着手指，尴尬地将脸转向窗外。

刚才他离她又好近，她的心直到现在还在"怦怦"不停地乱跳，若不是胸前的安全带扣着，她生怕自己的心就这样跳出了心口。

之前她蠢笨的言语又惹他笑话了，每一次，她只会在他的面前出糗，如今就是满地的地洞她也钻不完了。

她忍不住偏过头，偷偷地打量专心开车的乐天，却不小心捕捉到他微扬的唇角挂着魔魅的笑意。

不得不再次认同公司那群花痴女的观点，他真的很帅。

平日里不苟言笑的他，笑起来反而是异常的温馨，还有说不出的安全感。

车子拐了个弯，在一家"永和豆浆"店门口停了下来。

下了车，江文溪跟着乐天迈进了店中，直到看着眼前桌上摆着两份早餐，她才忍不住问道："乐总——"

"乐总？"乐天扬了扬眉，声音里夹着浓浓的不满。

"啊？"现在就叫他的名字，会不会太肉麻了，她真的叫不出口。但在某人虎视眈眈之下，憋了半晌，她总算改了口，"乐……乐天，在这里吃完早饭再到公司就迟到了……"其实可以一边走一边吃，到公司吃也行嘛。

"我知道。"他啜了一口豆浆，"如果你担心迟到会扣工资，那是必然的，因为今天不是我打电话叫你起床，你也是注定会迟到。"

她一脸惊诧地望着对面自顾自吃着早餐的男人，为什么她心里想什么，他都能猜得到？难道她脸上就明写着"我们不要吃了，快走吧，迟到是要扣工资的"？

吃完了早餐，车子一路开向江航集团的地下停车场。

车子刚停稳，江文溪连声招呼都没打，就急匆匆地跳下车，向电梯狂奔而去，将乐天独自一人留在了停车场。

一个上午，江文溪不知偷偷瞄向对面里间办公室多少次，自在停车场甩了乐天，都快要用午餐了，仍是没见着他的人。早上将他一人丢在停车场先溜了，情非得已，她不想被同事们看到她是坐他的车来上班的。

她本来想找机会解释的，可是等了一上午仍旧不见他的踪影，手机捏在手中反反复复，始终犹豫不决，不知是否要发条短信解释一下。

"心神不宁，在等男朋友电话？"严素捧着水杯揶揄。

"当……当然不是。"她连忙将手机收好，打开一个文件夹，佯装投入工作。

"对了，你向乐总学习游戏的事怎么样了？"

"啪嗒"几声，几本文件夹相继落地。

"没……没学成。"她答道。

"没学成？"严素坐回座位上，瞄了一眼里间办公室，有些疑惑，这小子怎么出手这么慢？有点不像他的作风。严素浅浅笑着："嗯，那你加油了，希望这次我们总经办能够大翻身，我也不用再罚款了。"

"但愿吧……"因为事实再不是学游戏这样简单了。

她心神不宁地又过了一个下午，无论经过哪个办公室，随处可见一个个摩拳擦掌，就等着五点半下班。一天了，依然不见乐天踏进办公室，她想要解释和询问的短信始终未曾发出去。

就在她收拾东西准备下班的时候，手机来了一条短信息，竟然是他发来的：欠我的两顿饭，今晚先补偿第一顿，稍后去你家。

耶？这个失踪了一天的家伙，一开口就是问她要吃的。不过还好，至少他没有生她的气。

她简单地回了一个字：好。

郁闷了一天，她总算在收到这条消息后，脸上露出了一丝欣慰的笑容。

收拾好东西，她直奔超市，买了好些菜。虽然她不知道他喜欢吃什么，但至少像是招待客人的样子，不至于弄得像昨晚那么凄惨。

江文溪正在厨房烧着菜，听到门铃响了，急忙奔出厨房去开门，却在见到门外立着的三人时，整个人怔住了。

"溪溪啊，我回来咯！瞧，我一回来就想着你，帮你把你的老师顾警官也带来了。"李妍见到江文溪立即给了她一个熊抱，闻到菜香，立即又嚷了开来，"哇，你未卜先知啊，知道本姑娘今晚会来，特地烧好菜迎接本姑娘，我总算没白疼你。"李妍狠狠地亲了她一口，便进了门。

她立在门口，一脸尴尬，不知道要如何应答李妍的话。

"我把东西都带来了。"顾廷和扬着手中的游戏家当，瞧见她穿着卡通围裙，一副居家的样子，不禁笑了开来。

"不介意我也跟着来蹭饭吧。"熊亦伟也跟着进了门。

"不介意，不介意，怎么会介意呢。"她呵呵傻笑两声，望了望黑漆漆一片的楼梯过道，确定没有第四个人，关上了门。

原本她买的菜足够她和乐天两个人吃的，但一下子多了三个人，不得不将冰箱里预备着几天后的食物全部拿出来。还好李妍一行三人，还自备了一些熟食、饮料，这才能应付得了今晚这么多张嘴。

"溪溪，快点，差不多可以开吃了。"李妍坐在沙发上吃喝着。

"再等等吧，还有一个排骨汤就好了。"江文溪不停地看手机，怎么他还没来。

"不管你了，我饿了，我要先开吃。"

"喂，你多等一会儿，会怎样？"她一边皱着眉头说着，一边揭开锅盖，再煮个一两分钟，排骨汤就可以盛起来了，但她依旧在担心乐天何时会到。

"我这一周出差，差点没被那该死的老女人整死了，现在总算是滚回来了，以后这么有难度的案子还是找个男人去搞定吧。"李妍打开一罐啤酒，喝了一口，对着熊亦伟不停地抱怨。

熊亦伟和顾廷和只是笑。

这时，门铃响了。

"我去开门。"李妍丢下啤酒，从沙发上起身，"该死的抄水表的就喜欢晚上来，我怀疑他对我们家溪溪图谋不轨。"

李妍打开门刚想发飙，但见门外立着的白发帅哥，当场石化了。

乐天怎么也没想到，开门的人竟会是李妍。目光略微偏移，他看清了坐在沙发上谈笑风生的那个警察，原来挂在嘴角处的淡淡笑意也渐渐隐去，取而代之的是一脸冰寒。

李妍张大了嘴，突然反应过来江文溪会烧那么多菜并非是预知她会回来，而是要招待这位白发帅哥。不禁有些尴尬，她看着满脸煞气的白发帅哥，连忙解释道："你是来找溪溪的吧？快进来吧。"

江文溪捧着刚烧好的排骨汤出来，对还立在门口的李妍说："妍妍，你最爱的排骨汤好了……"

乐天的面色异常冷淡，毫无温度的眼眸直直地看着在不停忙碌的江文溪，抄在西裤口袋里的左手紧紧地握成拳。蓦地，他的嘴角扯出一抹嘲讽的弧度："我走错门了。"

转身，愤然地下了楼梯。

李妍张口结舌。

江文溪抬眸看见李妍立在门口发呆，她连忙放下排骨汤，走了过去，急问："刚才谁来过？"

李妍一双美目凝视着她，上下不停地扫动，见到好友那副紧张的样子，便坏心地捉弄："抄水表的咯。"

"哦……"她一脸失望。

李妍轻轻揽住她，附在她耳边小声道："不过，这次抄水表的长得还真帅，有点像你上司，也是顶着一头银白色的头发哦。"

"啊？"她看着李妍不停闪烁的目光，一下子反应过来，"他人呢？"

"说走错门了，走了。"

"……"她死死地咬着唇。

明明答应了他，可是这会儿家里却一下子出现这么多人，他一定是误以为她故意不想请他吃饭，才会请了朋友回来。

李妍见她那副犹豫不决的样子，将她一下子推出了门，啐骂道："哼，还以为你真有良心记得姐妹我！还不快去追？！稍后再收拾你！"

她一脸错愕，"砰"的一声，家门关上了。

眼前一片黑暗，骤然反应过来，急忙奔下楼梯。

出了单元门，她四下张望，不仅没有见到乐天的车，甚至连个人影都没见着。

一阵冷风吹来，她不禁打了个寒颤，拨了拨被风吹乱的头发，低头审视自己，只穿了一件毛衣，还围着一个幼稚的卡通围裙，超蠢的样子。

她颤着手，从口袋里摸出手机，拨出那个今天白天早已背得滚瓜烂熟的号码。蓦地，一阵优扬悦耳的手机铃声在寂静的黑夜里响起。

她错愕地往右方望去，一个高大的黑影离自己不过数步之遥。

未等她走过去，那个黑影犹如狂风一般向她袭卷而来。

"我不知道我朋友今晚突然过来……"黑暗中，她看不清他的表情，透着隐隐的光亮，只瞧见他紧抿的唇线，"你要不要——"

她的话尚未说完，身上便多了一件外套，整个人被揽过。

他揽着她往前方步去。不一会儿，她便被塞进了车里。

难怪见不到他的车，原来他将车停在隔了一栋楼的位置。

他依旧是阴沉着一张脸，钻进车内，迅速打开空调。

她抿紧了唇，搓了搓冰凉的双手，又捂在了脸上。下一秒，她的手被拉下紧紧地握住。

她惊诧地瞪大了眼，难为情地略施了力想要抽回手，可某人不让，反倒握得更紧了。

透过双手传来的热度，让她的双颊微微泛红，这一温馨的举措犹如在她的心湖投下了一枚小小的石子，激起了阵阵涟漪。

他目不转睛地注视她，口气冷硬："这么冷的天，穿得这么少，想参加选美？"

她撇了撇嘴："菜我都烧好了，要不要上楼和我朋友一起吃饭？"

"不用了。"他收回了手，发动了车子。

她一脸惊愕："我们要去哪儿？"

"吃饭。"言简意赅。

"……"

"你记着，三顿饭。"

"……"

顾廷和见李妍将江文溪赶出门，疑惑："怎么回事？"

"哦，溪溪临时有事，去加班了。"李妍一屁股坐在沙发上。

"加班？"顾廷和皱着眉头。

"就允你加班不允人家加班？"李妍口中啃着排骨，冲着顾廷和横了一眼，"你啊，没事和你上面控诉下吧，再这么下去，就算你长得像明星，动不动就去蹲点，哪个女人敢跟你？"

不是她偏向那个白发帅哥，是小顾这家伙太让人没安全感了。

那天溪溪好不容易鼓起勇气买了咖啡杯都能摔碎了；约好了去看电影，他顾警官还能放人家鸽子；这次给他最佳的机会教溪溪打电玩，他倒好，又一句扑在田埂上蹲点回不来就完事了。现在好了，女朋友被人抢了，他就继续蹲点吧，看看能不能蹲个老婆出来。

"你说话这么冲干吗？廷和也不愿意这样，人家这不是为了市民的生命财产安全在劳心劳力吗？又不是去花天酒地了。你以为年底了，他们就能和我们一样，天天有事没事等着打牙祭。"熊亦伟夹了一块排骨塞给李妍，"吃饭吃饭。"

江文溪的不告而别，李妍莫名其妙的话，就算顾廷和再笨，也明白个中原由。他不发一言，抓起一罐啤酒，猛灌了一口，整个味觉完全被入口啤酒的苦涩充斥着。

熊亦平连忙做和事佬："来，吃菜吃菜，别顾着喝酒。"

"我下去走走。"顾廷和放下手中的啤酒，从沙发上起身，出了门。

江文溪立在家门外，这才想起出门的时候什么都没带，也不知李妍走了没。透过猫眼，屋内还有光亮，她按了按门铃。

不一会儿，门开了。

她见李妍手持着拖把，微愕："你真的没走啊？"

"我要是走了，你还能进得了家门？嗯，是不是想借机睡在别处啊？"

"又乱讲。"她迅速进门，"你这是在干吗？"

"拖地啊。"李妍有气无力。

她接过李妍手上的拖把，道："好好的你帮我拖地干吗？"

李妍整个人摊在沙发上，道："你还好意思说，我以为你下去将白发帅哥哄上来一起吃饭，结果你倒好，索性玩失踪，一失踪就几个小时。唉，典型的有异性没人性。你以为你走了，这里就太平了？"

"……"她将拖把放回原位，这才在沙发上坐了下来，"我也没想到他不肯上来吃饭……"

"去哪儿逍遥的？穿成这样，也不怕人家饭店轰你出来。"李妍伸手扯着她身上那个幼稚的卡通围裙，又扯了扯披在她身上的西装外套。

倏地，她的双颊一红，连忙起身将身上的西装外套和那个围裙脱下，回房加了件外套回到客厅。

"什么逍遥啊？去喝稀饭了……"她双手抱着抱枕，一脸无奈。

本来上了车，她就想把自己这个看上去蠢得要死的围裙脱了，可是乐天就是不让，说什么穿着挺好的。可是她从他那种似笑非笑的淡淡笑容中隐约看出，分明就是他在捉弄她，哪有人穿着围裙外出吃饭的，明摆着就是去砸人家场子的。

"噗——"李妍刚喝进口中的水就这么喷了出来，"你不是吧？！白发帅哥那么小气，就请你喝稀饭？"

"不是，他中午喝多了，晚上只想吃点清淡的。"讲起来是稀饭，她这辈子都没喝过那么贵的稀饭，一顿够她喝几个月的稀饭都不止。

后来他问她为什么早上一下了车就先跑了，她就解释了原因，他也没说什么，尔后就说临时接到电话，去了度假村那边，一直到那么晚才赶回来。

李妍哼哼冷笑两声，挤在了她的身边："老实交代吧，我出差一周多，你怎么就被勾走了？"

"什么被勾走了……"她撇了撇嘴，就将自己错买"拳皇"碟子的乌龙事件说了出来。

李妍一边听着，一边死命地捶着抱枕，后来干脆直接笑倒在了沙发上，仰面直问她是不是被吃了。

她真是受不了李妍脑袋的臆想功能，用抱枕狠拍了她好几下。

李妍不以为然，从沙发上弹坐起来，笑着捏着她的下巴，一副痞样："青山绿水多可爱，漂亮女子人人爱，为了祖国下一代，我们必须谈恋爱。"

"贫嘴。"

李妍停止了嬉闹，一本正经，十分严肃地看着她，道："你知道吗？今晚小顾喝了很多酒，我和熊劝都劝不住。"

她一脸黯然，不知要说什么。

"你现在是决定放弃小顾，和白发帅哥一起了？"李妍又问。

她又是沉默。

"你说句话啊。"李妍急了。

"我不知道……"她叹了一口气，将下巴搁在抱枕上发起了呆。

如果没有第二次那个吻，如果没有今晚的那顿稀饭，也许她只是觉得上天在跟她开玩笑，可是似乎并不是这么回事。虽然她始终不认为，她是在和她的上司谈恋爱，但今晚他有意无意的暗示，要是她敢脚踩两条船，有她好看。

脚踩两条船？无论和谁谈恋爱，借她十个胆，她也不太可能做出这种事来。

"你这种性格，真是能把人急出病来。"

她坐直了身体："一直以来，我把廷和都当成……当成……当成知己来看，嗯，就是知己这个词，或许又有一点点喜欢吧。其实，我也不知道真正的喜欢或是爱会是什么样的一种感觉，只是觉得和他在一起很舒服，很自在。"

"那你上司呢？"

说到乐天，她眉头一皱，有些心虚，但还是决定将自己的感觉说出来："他……唉，就是他，我才不知道。面对他，我总是想躲，可是他就是不让我躲，霸道、蛮横、不讲理，"今晚难得温柔一下，脱下西装外套给她披上，替她暖手，可是稍后就会凶巴巴地数落她，让她想沉浸在那种温柔的气息里多停留一秒都不行，"其实这种办公室的恋情我根本想都不敢想，不仅仅是身份的悬殊，你也见过他身边的两个女人有多么优秀，更何况还有许多ＡＢＣＤＥ。我从小就不相信这种白雪公主和灰姑娘的故事会发生在自己的身上……"

"你在怕他只是一时心血来潮，玩玩而已？"

"……"她垂下眼帘默不作声。

李妍大致明白她的意思，也能理解她的感受，但总是要二选一。今晚看到小顾那样，简直是造孽。

李妍说："虽然我很疯颠，但对感情我始终都是很传统的。感情呢，不是东西，不是你洒在身上的香水，你今天觉得这个好闻，就买下，明天觉得那个好闻，就再买。更不是找工作，什么骑马找马，两个你总得选一个，才能深入交往下去，如果两个你都想抓，那一定不会有好结果的。"

"我没有两个都要抓……"

"好了好了，让上天帮你做决定，你这种龟毛的性格，想到明天早上都不会有结果。"李妍从果盘里一手拿起一水果，"这种方法是我从一个外国朋友那儿学来的，很灵。左边这个是梨子，右边这个是苹果，你喜欢吃哪个？"

"你知道这两个我都不爱吃的。"她瞄了瞄果盘里的橙子，奇怪李妍为什么不挑橙子，那个她爱吃啊。

"谁让你吃的？就是知道你都不喜欢才挑的啦。"李妍白了她一眼，"看好了，这边是苹果，这边是梨子，苹果是白发帅哥，那梨子就是小顾好了。你把眼睛闭上，在心里好好想一下，你究竟想吃什么？"

她盯着两个水果，犹豫了好久，李妍气得想用水果砸开她那个不开窍的脑袋："叫你闭眼啦。"

她深深地吸了一口气，闭上了眼，未久，她伸出了手。

这时，李妍快速地将两只水果换了个方向。

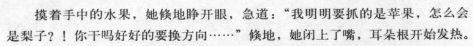

摸着手中的水果，她倏地睁开眼，急道："我明明要抓的是苹果，怎么会是梨子？！你干吗好好的要换方向……"倏地，她闭上了嘴，耳朵根开始发热。

"不换方向怎么知道你想要什么？"李妍贼笑着将苹果丢给她，"可怕的潜意识哦。赶紧削皮吃了你的苹果吧。慢慢吃啊，吃完了记得到床上来找我，我们晚上好好哈皮啊。"李妍抓着梨子狂笑着起身，大摇大摆地向卧室走去。

江文溪的脸红得犹如煮熟了的虾子，抓起抱枕用力地砸了过去。

其实，她也想不通，为什么会选苹果。

自被李妍揭穿了连自己都不知道的内心后，她就认命了。也给顾廷和去了电话，抱歉自己没招呼一声，就离开了。

对着电话，顾廷和苦涩地笑着，就当什么事都没发生过一般，声称都是朋友不要太在意了。

这让她内疚了许久。

也许这就叫做有缘无分。

乐天会准时每天接江文溪上班，并拉着她一起吃早餐。这时，江文溪会很心疼在外吃早餐的费用，虽然不用她掏一毛钱。

一连在外吃了三天，乐天突然改变了主意。

他优雅地喝着豆浆，漫不经心地说："我决定，以后提前半小时到你家。"

"为什么？"好好的干吗提前半小时。

"想换换口味。"

"可是为什么要提前半小时？"

"等你做饭啊。"

"唔……"江文溪听了，一口豆浆含在口中差点喷出，急忙咽下，又不慎被呛着，猛咳了起来。

乐天微微扯动了嘴角，从纸盒里抽出纸巾，坐到她的身边，轻柔地拍了拍她的背，并为她擦拭嘴角。

"我……自己来吧……"她难为情地从纸盒里抽了纸巾，低垂着脸，擦了擦嘴角。

"那就这么定了。"

有时候半夜躺在床上，江文溪真不知自己上辈子是造了什么孽，居然会每天一早起床，费尽心思地为那个阴晴不定的家伙换弄早餐，然后满心期待地守候着他，期待他吃早餐时的表情。

提到学拳皇的事，他便直接回绝了，理由是她不适合玩这种费神的游戏。也就是说，命中注定，她是要掏那二百五的罚款了。

他分明就是在歧视她。

在她听来，另一种意思就是以她的资质学了也白学，不要浪费无谓的时间了。

唉，这就是传说中的赔了夫人又折兵。不但钱要罚，还惹上了一个甩不掉又难伺候的主。

到了年会那天，意外发生了。

全公司上下哀号一片，因为乐总代表总经办参加了此次的比赛。男同胞们哀号的是，铁板钉钉的奖金飞了，乐总既出，谁敢争第一？女同胞们哀号的是，为什么放弃了学游戏，与乐总零距离接触的机会就这么白白地浪费了。

事实却是，比赛进行到一半，乐天接了一个电话就离开了。最后总分出来的时候，第一名是企划部，最后一名是行政部。总经办的两名成员成功地逃过了罚款。

年会结束后，严素笑眯眯地拍着江文溪的肩膀说："我再一次有理由相信，他带你进总经办，真的是这么久以来他对总经办贡献最大的一件事。"

江文溪完全没有想到会是这样的结果。

当公司所有人都离开 K.O. 时，她好容易找到机会问有些微醉的乐天，为什么好好的会突然参加比赛。

乐天将全身的重量都交付在她的身体上，贴着她的耳际，反问："我算不算总经办的人？"

"当然算。可是你是总经理，不是按规定不能参赛的吗？"

"通知上有规定董事长或者总经理不能参赛的吗？"

"……那倒没有。"

"那不就得了。"

所谓，官字两个口。

他是总经理，他说了算，员工谁敢异议。

年会一过，没几天就放假了，距年三十也没两天了。

超市里，江文溪望着一个个在精心挑选年货的人，不是上了年纪的大叔大婶，就是已婚人士带个小孩。像她这样年纪轻轻一个人推着车子，买不出几样东西的，放眼全场，几乎是没有。

为什么要过年？

自父母和大舅相继去世以来，每逢年过节，她都是在李妍家过的。虽然李爸李妈自小当她是亲生女儿一样，可是她的心总是空荡荡的，就像是缺了什么似的。

她甚至不敢问乐天，这个年他会怎么过，而他也始终不曾开口提及此事。

因为不用上班，他也没有再去她家吃早餐，甚至连那三顿饭的事提都没再提过，只是偶尔一通电话，问她在做什么，之后便是两人对着电话"无声胜有声"，若不是能听到对方绵绵的呼吸声，都要怀疑电话是否还通着。

都说爱情会让女人患得患失。

可是，这样，能算是爱情吗？

她甩了甩有些晕晕的头，叹了口气，不禁自嘲，她在莫名忧伤些什么，一个人都过了这么多年了，还是现实些的好，不如多买些吃的，回去做一头小猪过个肥年。

想开了，心也舒畅了些，她往购物车里塞了好些需要的不需要的。

提着两大包东西，沉甸甸的，她缓慢地向车站挪去。

蓦地，她顿下脚步，目不转睛地盯着对面花店里走出来的两个人。

不确定的，她又眨了眨眼，除了他之外，她再没有熟识的人会有那么一头耀眼的银白色头发。此时此刻，他正抱着一大束白色的百合花，面带微笑，与身旁漂亮的女人说着话。那个漂亮的女人手挽着他的胳膊，那情形，就是一对亲密的情侣。

那个女人，她认得，在 K.O.里见过好多次的那个有夫之妇——曾紫乔。

她看见他将花塞进车后座，然后为那个女人拉开副驾座的门，那个女人上车后，他才坐进车内。只是瞬间，车子便扬长而去。

提着袋子的双手紧紧地握着，原本就很重的两袋东西却在突然之间变得更加沉重起来，如果她再不施点力，这两袋东西似乎是提不回家了。

睁着茫然的双眸，她望着嘈杂的街头透着的阳光折射出的光芒，不知不觉中，慢慢地在脑中开始描绘乐天的面孔。

阳光的刺目，点点晃影，一圈又一圈，拼凑成的投影仿佛就像是他勾着嘴角立在眼前一般，是那样，捉摸不定……

渐渐地，眼前一片模糊……

回到家中，江文溪烧了好多菜，一直吃到撑得走不动路，往床上一躺，蒙起被子，决定睡个天昏地暗。

手机铃声骤然响起，她摸着手机，看到屏幕上跳动的名字，顿时心中的火气全数上来了。她气愤地将手机塞进枕头下，贴着枕头，铃声虽小，依旧还是能听到。

不一会儿，铃声不响了，她将手机从枕头下取出，瞪着手机屏幕上那个未接电话，很快泄了气，喃喃自语："就知道你没耐心……"

她按了关机键，将手机重新塞回枕头下，拉上被子。

第二天一早，江文溪起床用完早餐后，折了两只纸蝴蝶，涂上漂亮的颜色，收拾好一切，便坐上去市郊墓园的班车。

如今不同以往，庄严肃穆的墓园也讲究公园式的格局。青山环抱，绿水长流，园内的建筑依山就势，亭台楼阁，小桥流水，景色说不出的怡人。

一年四季，无论何时来墓园，她都会有种错觉，这里倒成了她另类放逐心情的地方。

到了草坪葬区，她在父母合葬墓前的耐寒草上缓缓坐下，将两只漂亮的纸蝴蝶在他们的墓前点燃。

这只是个衣冠冢，每次来祭拜，她都会折两只纸蝴蝶烧给他们，有蝴蝶绿草的相伴，他们在下面应该不会寂寞吧。

拜完了父母，她又转向英烈葬区，那里葬着她最崇拜的大舅。

她没有什么特别的东西能给大舅，每次都只是一小束白菊，然后坐在大舅的墓碑前，一个人自言自语说上好久。

一直以来，她自恃自己很坚强。因为父母和大舅去世那么久，她来过墓园那么多次，从未哭过，可是今天她却忍不住流下了眼泪。

"大舅，我一个人……真的……很难过……"

一个人坐在墓碑前默默地流了好久的眼泪。墓碑上，大舅戴着警帽穿着警服的遗像，一如既往地在向她微笑。

擦干了眼泪，她收拾了心情，含笑向大舅鞠了一个躬，离开了。

原本她打算离开墓园，可是在离开英烈葬区经过孝恩园葬区时，出现了令人哭笑不得的一幕。

"孝恩园"是独立式的葬区，一块墓地会占据很大一块绿地，这也是墓园内富人的葬区。

离开的必经之路，被一大家子挡住了。

本来说一句"请让一让"就能解决的事情，可她看到那与众不同的一大家子，完全蒙了，话到嘴边硬生生地咽了回去。

眼前黑鸦鸦的一群人，差不多有一两百号人吧。入目的男士一个个长得人高马大，全体黑色西装，面戴黑色墨镜。

为首的一个大男人披麻戴孝，扑在刚落下的墓碑前哭得惊天地泣鬼神，整个墓园上空都回荡着这个男人的哭声。

望着眼前一派景象，江文溪听着这哭声，面部不停地抽搐着。

难道她遇上了传说中的黑社会集体大扫墓？连串的冷汗从心间猛然滑过。

忽然，那跪在的墓碑前的男人抬起头，转首对着身后的人粗声大喝："放鞭炮，放鞭炮。"

等了许久，这一两百号人不知道在找什么，乱轰轰的一片。

只听另一名男人道："老……老大，好像走得匆忙，忘了带鞭炮了……"

之前哭得很没形象被称之为"老大"的男人，乍听手下说忘了带鞭炮，倏地站起身，举起哭丧棒对着手下就是当头一棒，怒骂道："辣块你个妈妈的，鞭炮也能忘？老子非——"

噼里啪啦，那位老大抢着哭丧棒冲着那手下就是一顿抽打，口中慰问爹娘的语句犹如激光枪扫射一般。那位手下唯有抱头鼠窜，一边躲着一边哀号："老大，你根本就没安排我准备鞭炮，别打别打。"

"辣块你个妈妈的，老子这么多天不吃不睡，什么事都要老子安排，还要你们这些蠢东西干什么？！"那位老大手中的哭丧棒举得更高了。

缩在人群后，不敢前进的江文溪大气都不敢出一个。

"老大，别打了。老太太才刚入土，当着老太太面发这么大火不好，消气，消气。"

"是啊，是啊。"

一群人拦住了那位暴跳如雷的老大。

"现在没鞭炮怎么办？难道让老娘走的时候都不能风风光光？"那位老大横眉瞪眼。

底下的人大气都不敢出，几位女士只敢小声啜泣地跪在一边烧着纸钱。

"辣块个妈妈的，没鞭炮，你们都给老子鼓掌！"那位老大叉着腰突然震天一吼，"给老子使劲鼓掌！"

所有人怔住了，一个个面面相觑，然后开始接话："好，鼓掌好！鼓掌好！"

"我们这么多人鼓掌的声音和鞭炮声差不多响。"

"当然是赛过鞭炮声。"

"老大就是老大。"

说罢，一两百号人对着那老太太的墓开始鼓起掌来，"啪啪啪"作响，别说有多"动听"。

原本吓呆的江文溪听到这震天的掌声，突觉好笑，心中的阴霾也一扫而空，从来没听说过给死人鼓掌的，这不是明摆着欢送墓里的早死早超生嘛。

这领头的老大可真是有够蠢的，底下的人更蠢，还一个个跟着附和。

她咬紧着嘴唇，可终究还是忍不住，笑出了声："好蠢！"

怎奈，众人的掌声，渐停渐消，她的轻笑声突兀地传进离得很近的一个黑衣男人的耳朵里。

只听他大喝一声："你笑什么？！找死啊？！"

她抬首望了下眼前高壮的男人，脸色刷得一下变得惨白。

完了，她当众笑话人家，这多么人，可想而知，就算是一人一口口水都能将她淹死。

"辣块妈妈的，哪个小兔崽子敢笑？！"领头的老大凶神恶煞，向她的方向看来。

她向后退了一小步，心中胆怯。

孝恩园这么大，除了三三两两的扫墓者隐在墓碑中，看不见身影，守墓园的工作人员远远地站在入园处，就算她用叫的，人家听到，也未必当她是在呼救。刚刚这位老大打手下那股子狠劲，要是用在她的身上，只怕她别想站起身了，加上这一两百号人，要是再来个拳脚相加，今天她能出得了这墓园就怪了。

眼见那位老大满脸煞气地冲她走来，两边的手下退居两边，让开了条路。

那气势说多可怕就有多可怕。

她顾不得了，不知哪来的力气，挥手劈向挡在面前的一个大汉的颈部。那个大汉吃痛，脚下一个不稳，跌入一旁的沟里，正好给她让出了一条道。

见势，她拼了命地往前跑去。

"辣块妈妈的，给老子追。追上了，给老子封她的嘴，让她给老子笑！"

一帮子人踩着凹凸不平的墓地，向江文溪逃跑的方向追去。

周围扫墓者被这一壮观的景象吓住了，不知出了什么大事。

江文溪怎么知道自己会惹这么大一个麻烦，要是跑不掉该怎么办。

前面一块墓地，又立着几个身着黑色西装的。她心中一个紧张，被一块石头绊了一脚，狠狠地向前摔去。

"怎么回事？"江怀深远远地看着一大帮子人追着面前跌倒的女孩，不悦地皱起了眉头。

乐天回首，正好看见一张熟悉的脸痛苦地纠在一起，不禁错愕，快步走了过去。

"你怎么会在这里？"他伸手扶向她，"怎么回事？"

江文溪听到熟悉的声音，不禁怔住，猛地抬头，望着眼前戴着墨镜的男人，那头发，那轮廓，那声音，就算是化成了灰，她都知道是谁。

想到昨天见到他和美女携手从花店走出的情景，加之这会儿被人追，一股热流不禁涌了上来。

乐天取下墨镜，双手托起她。

在他的搀扶下，她勉强站了起来，裤子两条腿的膝盖处跌破了两个洞，双掌也因擦在石面上，破了皮，渗出血丝。

眼见她这副惨不忍睹的模样，乐天的心不由得收缩一下，向跪在一旁的严素要了纸巾，细细地为她擦净手掌上的尘土和血迹。

手被乐天紧握着，她凝视着他，眼泪就像是断了线的珍珠，一滴一滴直坠两人相交的手掌心。

"别哭了。"他柔声安慰。

江怀深斜睨了一眼那个躲在乐天怀中不停哭泣的丫头，然后望着跟前冲来的一帮子人，道："老九，这样气冲冲的是干什么？"

领头披麻戴孝被称为老九的男人一见是江怀深，不免客气起来："原来是江董。"

"究竟是什么事把你气成这样？"江怀深又问。

老九双手叉着腰，横眼看着找到挡箭牌的江文溪，恼羞："你问这个臭丫头！辣块个妈妈的，今天是我老娘下葬，她敢在一旁给我笑！"

江怀深转身看向往后缩了又缩的江文溪，然后说："来墓园的都是祭拜已逝者，不会不分轻重，老九你会不会是看错了？"老九指着一个兄弟问："她是不是笑了？"

那人回答："没错，我亲耳听到的。"

江怀深笑了笑："有时候哭声和笑声很容易混淆，听错也不无可能。"

"这……"那人突然不能确定了，想了想，声音抬了点，"她要是没笑，干吗心虚？还打了我们一兄弟，这我总不能看错，大伙都瞧见了。"

身后一片应和声。

乐天听闻江文溪又动手打人了，眉心一皱，轻道一声："九哥，可能是我女朋友被你们的气势吓到了，其实纯属一场误会而已。"

江文溪一直低垂着头小声啜泣，在听到乐天说她是他的"女朋友"时，整个人僵住了，几乎无法呼吸，心跳都快要停止了。

乐天感受到她的反应，下意识地将她揽得更紧。

说不明的酸涩感觉又涌了上来，胸口之处压抑极了。

明明她是笑了，明明她是打了人，可现在她只能像只乌龟一样缩在壳里，默不作声。看，她是多么恶劣，每次犯了错，都会装可怜逃避。

她不接他的电话，手机关机，就是想逃开这段若即若离，看似水中月镜中花的恋情。她不想再继续这种猫捉老鼠的游戏，那种身为小白鼠，总是被逗弄的心境让她疲惫不堪。

她不是小丑，更不是猴子！

在她终于想要逃开，想要过回以前的生活的时候，偏偏他要承认这份关系。

这是交往这么久以来，他第一次承认她是他的女朋友，而且还是在这种地方，这种时候，这么多人面前。是因为他看穿了她的伪装，所以找了一个合理的籍口帮她逃脱，替她掩饰她的恶劣吗？

泪水再次无声无息地滑落，手痛，膝盖痛，似乎都没有内心受到的震撼来得猛烈，她不知道为什么眼泪就是止不住，似乎除了哭，她没什么可以做的。

江怀深向老九走去，拍了拍他的肩头，揽着他道："老九，别说这丫头看上去这么胆小，就算是一个正常男人见着你们这一大帮子不吓着就怪了，出手打一巴掌逃开是正常的。误会，一定是场误会。"

老九冷哼一声，也觉得今日这事说不准是一场误会，准是下面那些兔崽子没事找事。那小丫头从刚才一直哭到现在，眼泪水就没停过，也许真是被他们吓坏了。早跟他们说了，要低调，低调，他们现在是正经人，不是黑社会。

他冲着那些个兔崽子不爽地吼道："辣块个妈妈的，一个个七老八十呢？耳朵眼睛全不听使唤？"

江怀深又道："好了，九老太太的事重要，不能耽误。走，我正好去给九老太太上炷香。"

偏过头，老九对江怀深笑道："误会，误会，走走走。"

回首，江怀深蹙着眉看着一身狼狈的江文溪，对乐天说："你先送她回去吧。"他看了看严素，"你等我一会儿。"

"嗯。"严素点了点头。

江怀深和老九带着那帮子人，向九老太太的坟前迈去。

所有人全走了，周围一下子又恢复了清静。

只剩下江文溪、乐天和严素三人。

江文溪微微抬眸，认出了眼前戴着墨镜，身穿黑色大衣的女人，竟是严姐。

严素走近江文溪，轻声问道："你还好吧？"严素的鼻音很重，明显听得出来，她之前有很伤心地哭过。

江文溪摇了摇头，并下意识地挣脱了乐天的手臂，向严素轻道一声："严姐，我先走了……"

她忍着痛，一瘸一拐地向墓园出口处走去。

江文溪莫名其妙的彻底无视，让乐天深深蹙起了眉头。

他快步上前，抓住她的手臂，道："我送你回去。"

"不用了，我自己能走……"泪水依然是止不住顺着脸颊向下流淌，她再一次挣脱了他的手。

这一次，她的脚步尚未迈开，骤然间，身体一轻，她已经被打横抱起。

窝在他的怀中满是怔愕，但瞥见他脸上写满的怒意，她突然觉得很累，索性用手臂遮住双眼，遮住自己源源不断流出的眼泪，一言不发，任由他做什么去。

一直将她抱上车，乐天没再开口说过一句话。

她始终闭着眼，不愿看他一眼。

他抿紧了唇角，替她系好安全带，便发动了车子。途径一家药店，他下车买了碘酒、棉纱布等一些消毒药品，随后一路直开向她的家。

到了小区楼下，不顾她的反对，他倾身打横抱起她，迈上了楼梯。

进了门，他将她轻轻地放在沙发上，只见她向后缩去，窝在沙发的一角，抱着跌破的双膝，脸上一副木然的表情。

对于她的家他早已不陌生，他很快从柜子的抽屉里找了一把剪刀，随即坐在她的身旁，将她的双腿拉平，放在自己的腿上。

她终于有了反应，脸颊一热，看着他手持着剪刀正要向下，惊呼："你要干什么？！"下意识地，她坐直了身体，想要收回搁在他腿上的双腿。

"别乱动！"他不理会她的呼声，大掌按住她的小腿，抬眸看向满脸惊恐的她，淡淡地勾了勾唇角，"如果你想脱裤子，我没意见。"

脱裤子？他究竟在胡说什么？

直到看着他握着剪刀从她的膝盖以上剪断了她的裤管，露出了又紫又肿，破了好大一块皮渗着血迹的膝盖，她才反应过来他所说的"脱裤子"究竟是什么意思。

蓦地，红云又悄悄地爬上了她的脸颊。

江文溪从吃惊到羞涩的面部表情全数落在乐天的眼里，微扬的唇角勾出淡而优雅的弧度。

他小心翼翼地为她处理着伤口。

她还停留在惊愕之中尚未回过神，他已经处理好她膝部的伤。抬眸看她，轻声又道："手伸出来。"

她抿紧着唇，来不及怔然，身体被他轻轻一拉，不得不向他的方向挪了挪，这样，离他近了许多，近到只差一点，整个人就坐在了他的腿上。

左右手依次落入他的大掌之中。

她看着双膝鼓起的两块棉纱包和双手掌心涂上的碘酒，怔怔地出了神。

只是将消毒用品放在茶几上，乐天并未起身，而是将右手臂搁在沙发靠背上，侧身静静地凝视着离他不过十多公分，始终低垂着头的女人。

细长柔顺的发丝正好遮住了她的脸庞，看不清她究竟是什么表情。

"昨晚为什么不接我电话？"他眉毛轻挑。

不知道这小女人究竟在闹什么，从昨晚就拒接他电话，甚至还敢关了机。今天意外相遇，除了会哭之外，冷淡应对的表情似乎他们不曾认识一般。

江文溪依旧低垂着头，不答他，甚至不看他，抗拒地向后缩去，意图拉开与他如此近的距离。

结果当然是不随人愿，他根本不给她逃开的机会，直接伸手揽住她的纤腰，将她抱坐在腿上。

"为什么不接电话？"淡而不经意的声音，她的下巴被他抬起来，迫使她对上他的双眸，因哭泣而红肿的双眼尽收他的眼底。

"没，昨晚睡着了，没听见……"她的声音极轻，像极了蚊子哼，脸庞轻轻错开，避开这样的对视。

他定定地凝视着她，她根本不敢迎视他的目光，明显就是在撒谎，他也绝不罢休。

"是吗？睡着了还会关手机？还是你手机设置了铃声响过多少秒就会自动关机？"

气氛极静，一根针落地都能听得见，沉闷得让人几乎透不过气来。

她咬紧了嘴唇，垂着眼帘，小声地答道："没有，手机有问题，铃声响不了几声就会自动关机。"

蓦地，他修长而温暖的手指轻轻拨开了她的发丝，沿着她的发际，来回不停地抚摸着她的脸颊，随即柔浅低沉的声音响起："在生气吗？我好像有好几天没来吃早餐了。"

"才不是！"她条件反射地回道，声音比之前高出许多分贝。

口是心非已经泄露了她的心事。

他捉狭地追问："才不是什么？"

这种被逼迫的感觉让她无地自容，并没有喜欢他喜欢到不可自拔的地步，却是因为看到他与别的女人亲密相挽而控制不住地气愤。

难道真的要开口说，她讨厌昨天无意之中看到的那一幕，她在为此而心情不快，加之他总是漫不经心的态度，她不甘被当成白老鼠一般肆意逗弄，故而闹别扭？

呵，这样说出口，只会让他觉得她在吃醋。

见鬼了，她才没有。

"没什么，我先回房换条裤子，有点冷……"与他靠得太近，她觉得自己浑身的毛孔都在舒张。

孰知，他抱着她不肯松手，将自己先前脱下随意丢在一旁的西装外套直接盖在她的双腿之上，优美的唇线微扬："还冷吗？"

他究竟想怎样？

她再也没法垂眼不去看他，抬首直视他："你今天很闲吗？"

他握住她有些冰凉的手，想了想方开口："你是不是又听到什么特别的声音？"不然好端端为什么会出手打人，并且还这样没来由的生气，连说话都与平时不同。

"算了。我很累，我想休息了，你要是有事就先回去吧。"

"那我陪你。"

"……"他想都不想脱口而出的话让她的脸蓦地一红。

"不想睡吗？那就陪我做点别的事。"话音刚落，他的唇已然欺上她的，不给她拒绝与反抗的机会。

她说她很累，想休息，何尝他不累？

去一次孝恩园，便会想起过去零零种种。原来他是有亲人的，他并不是孤儿，那里长眠的是他的母亲，跪在坟前哭泣的是他的小姨，领他走出人生最阴暗的恩人是最爱母亲可以为母亲牺牲一切的人。

他以为他可以叫地下长眠的人一声母亲，可以叫严素一声小姨，可是他发现有些事情不是他想做，就可以做得到的。

越接近年关，越累，每日的酒醉金迷，不到深夜不能归家。

夜深人静的时候，面对四面冷冰冰的墙壁，不禁想起，原来无论走到哪一步，他始终还是个孤独的人。

累，他比谁活得都累。

这一次的吻与以往的都不同，狂烈之中夹着一丝不明的苦涩与寂寞，江文溪想起了第一次的那个强吻。

她以为只有她才会有这样的悲伤，为何那样优秀且高高在上的他会流露出这样哀伤的感觉？

她忍不住睁开双眼，想看清眼前模糊不清的脸上究竟显露的是怎样一副表情。

蓦地，嘴唇上的热度瞬间消失，她依然还是看不清他的脸。此时此刻，他与她，眼对着眼，鼻对着鼻，唇也只离了一公分左右，可以清晰地感受到他不平稳的气息。

"在想什么？"低沉如磁的声音里夹杂着一丝难以置信。

她本不想说话，其实是不知道该说什么。

她的身体缓缓向后移去，直到看清他整张脸庞，与平常无异，扯动嘴角轻道："你要不要先回去？江董他们可能还在等你。"满肚子的疑问她不敢问，话到嘴边却是变了样。

"不用。"昨晚打电话给她，就是想告诉她，他今天想过来吃她烧的饭菜。

上帝从来就不曾眷顾过他，他以为一直要一个人取暖下去，却意外地遇到这个小东西。和他一样，孤独，寂寞，有的时候更多的是不知所措的彷徨。

虽然常常被她气得半死，但不知道为何一听到她温柔甜美的声音，抑或是见到她蠢笨的身姿，那些不愉快的事总会烟消云散。

起初，只是几顿早饭，他以为他想念的仅仅只是她烧的早饭而已，后来渐渐他发觉不是自己想得这样简单，更多的是喜欢上和她在一起时那种淡淡的幸福感觉。

不过是一顿很简单的早餐，从周一到周六，似乎没有一天是重复的。每一天，她都会换着花样做不同的早餐。

她会问他，粥好不好喝？

她会问他，她自己磨的豆浆比永和的是不是差了很多？

她还会问他，小菜好像放多了盐，会不会太咸？…

就是这样一种温馨，舒服，像家的感觉。

其实，她问的时候，他会心底跟着回答："粥不错。""豆浆比永和的是差了一点，但不算差太很。""小菜刚好，不咸不淡。"

但她的问题真的很多，多到让他觉得自己成了试菜的。每次他都会以她的声音很吵为由，冷哼几声让她乖乖地闭上嘴。因为他不想一顿早餐都吃不安心，反而变成饥渴地去啃她动不动就在自虐的嘴唇，然后导致一起迟到的后果。

心底深处最柔软的那根弦不知在何时被轻轻地触动了。

生平第一次，他有一种想天天这样拥着她，和她一起共进早餐的想法。

有时候，习惯是件很可怕的事。

一句"不用"又断了江文溪说话的能力。

也许女人的忘性真的很大，结了伤疤就忘了痛。本来想要脱离困境，反而因挣扎而越陷越深，却不自知。

想了一会儿，她决定问他要不要留下来吃晚饭，似乎她与他之间除了吃还是吃。

不过，自古民以食为天，吃，没什么不好。

抬眸，她惊愕地张了张嘴。她是不是眼花了？盯着他勾起的薄唇看了两秒，他竟然好端端地一个人在那里偷笑。

一定是眼花了。

她用力地眨了眨眼，复睁开，那优美的弧度依然存在。

毫无防备，他欺近她，温热的气息吹拂在她的耳边："女人，通常紧盯着男人的嘴唇看，目的只有一个，就是索吻。"

平时在公司里一本正经，道貌岸然，然而现在，私下里，居然在向她调情。

索……索，索他个头！

她涨红了脸，想要起身，却被他的大掌无耻地紧紧扣住腰身。

起初，他只是蜻蜓点水般顺着她的耳垂、脸颊、嘴唇轻啄，但他又克制不住地轻轻含住她在颤抖的唇瓣，诱惑般挑逗着，渐渐地无法自恃，辗转深吮。

她的嘴唇真的很软，很温暖，很舒服。

紫乔曾经对他说，爱人，其实就是你一生都离不开的白米饭或者馒头，滋味虽然平淡，提供的营养却是你生命的支撑。

也许目前，她不能称之为是他的爱人，但却觉得这个白米饭是对她最好的形容。

"白米饭……"

白米饭？

深情长绵的吻结束的时候，江文溪莫名其妙地多了一个外号叫"白米饭"。她以为这种会给人乱起外号的事，根本就不像是他能做出来的。

回到房中，她对着镜子抚摸着有些肿胀的嘴唇，不由得想起从他身上站起身的那一刻，他仰面看她的样子，儒雅而魅力至极的面庞，深邃的眼眸里散发出的是她从未见过的温柔和专注。

倏地，她盖住镜子，双颊的温度在不断地升高。

她在心中咒骂，江文溪，你真是个没出息的东西，本来打算说要回归原来的样子，现在，美色当前，居然被吻到东南西北都分不清地在这里自我陶醉，连自己进房来要做什么都忘了。

匆忙换了裤子，她又回到了客厅。

"你今天去扫墓？"他倚在沙发上，凝视着换好裤子从房间走出来的她。

"嗯。"她轻点了下头。去墓园不是去扫墓，难道是去欣赏风景，他什么时候变得这么笨咯？

她想起在孝恩园的时候，他与江董，还有严姐祭拜一人。严姐哭得声音嘶哑，只是惊鸿一瞥，她留意到墓碑上刻着"亡姐严归云之墓 妹严素立"。

她有些好奇，遂问："今天你和江董是陪严姐去扫墓的吗？"她很奇怪，严姐和江董，还有他究竟是怎样的关系，会在这样重要的日子一起去扫墓，这时候不是应该只会祭拜自己的亲人吗？

"……嗯。"他垂下眼帘，淡淡地应了一声。

她见他的表情似乎不太愿意提及此事，她也很识趣地不问了，便动手收拾起有些微乱的茶几。

他看茶几上放着一只漂亮的折纸蝴蝶，不知道是用什么纸折的，会发出那种蓝色的光芒，对着不同光的角度，蓝色时深时浅，双翅上以浅色珠光笔画上的两道纹脉，就像是镶嵌上去的两串珠宝，十分迷人。

心存好奇，他问："这是什么东西？"

"哦，烧给我爸妈的纸蝴蝶。"她从他手中接过把玩，干涩地笑了两声，"这种蝴蝶叫做光明女神蝶，产于巴西、秘鲁等国，数量极少，十分珍贵，被誉为世界上最美丽的蝴蝶，因为不仅体态婀娜，展翅如孔雀开屏，而且蝶翅还会发光变色，光彩熠熠，就像这样，时而深蓝，时而湛蓝，时而浅蓝。好不好看？"

"有意思。"

"可惜这只是折坏的，很久没折了，有些陌生，手艺不如以前了。"她叹息，突然想到什么，叫了一声，"你等下，我给你看照片。"

她钻回卧室，找出一本厚厚的影集，里面存放着父母生前拍摄的各式各样蝴蝶标本的照片。

回到客厅，她将影集摊开在茶几上。

在江文溪纤纤细指的指点下，乐天生平第一次见到这么多品种的美丽蝴蝶。

她连翻了好多页，指着其中一只："呐，这就是光明女神。我折得像不像？"

他对比了手中的蝴蝶，看上去确实很像照片中的光明女神："嗯，很像。"

"折纸蝴蝶是我爸教的。生前，爸妈最想拍的就是这种光明女神蝶，可惜永远都没机会了……"她再次发出叹息一般的声音。

"这只送给我好了。"

她怔然："你要是想要的话，我重新折一只好了，这只没折好。"

他扬着手中的纸蝴蝶坚持："就要这一只。"

"……"面对他的坚持，她有权力说"NO"吗？

"今天，你究竟是怎么惹上九哥他们的？"偏过头，他又问她，"真的笑了？"

她咬着唇，点了点头，脸颊又微微泛红。

"究竟什么事这么好笑？"虽然她有些呆，但也不至于这么不分场合，所以，究竟什么事会这么好笑，他很好奇。

她支支吾吾："他们……他们忘了带鞭炮，然后，那个叫老九的老大就叫手下鼓掌，正好我从那儿经过……"

听完她的话，他不禁失笑出声。

"你看，你也笑了。哪有人会想到以掌声代替鞭炮声的嘛，真的很蠢。"回想起那番情形，她又忍不住地跟着轻笑开来。

他止了笑声："那你是听到掌声，然后受了惊吓，才会出手打人的吗？"

她有些窘然："也不是，可能是想要逃跑的本能吧。"

他淡淡地勾了勾唇角。

她歪着头，想了很久，忍不住问："他们是黑社会吗？"就连看上去满身黑社会气质的江董，都称呼那人一声老九，还有他也称呼那人九哥，这样的叫法，除了黑社会，她真的想不出来。

黑眸微眯，他专注地看着她红润欲滴的嘴唇，唇角轻勾："你香港警匪片看多了，哪来那么多的黑社会？"

她张了张嘴："不是黑社会吗？那他们干吗集体穿黑色西装，戴黑色墨镜？"

"那我也是黑社会的？"他瞥了一眼一旁的黑色西装外套。

她语结，因为事实是，她会在墓园跌倒，就是因为他、江董，还有两个手下，不仅穿了黑色西装，也戴了墨镜。

他见她那副呆样，轻笑出声："九哥是开保安培训学校的。"不过，在开保安培训学校之前，九哥是做什么的，他并没有说。

"……"她很难想像那样宏大的气势居然全部都是保安，这个世界真是太奇妙了。

蓦地，他话题一转："明晚打算怎么过？"

她又是一怔，但很快便道："去妍妍家。"

他点了点头，不用想，肯定是会去她的好友家，继而他又问："那年初一呢？"

"妍妍家吧……"

基本上过年期间，妍妍都会像连体婴一样守着她，生怕她寂寞了，即便是初三以后，妍妍全家要去亲戚家走访，也会找借机拉她出来逛街。但是，今年，妍妍交了男友，虽然不会因此而丢下她，她却不太想这样。毕竟，别人也需要有自己的生活，她不可能永远依靠妍妍。

"那初二呢？"他又问。

"应该还会在她家吧……"她很奇怪，他是不是打算从三十一直问到元宵节？

她的回答，让他的眉头越蹙越紧，最后只是淡淡地说了一句："……我知道了。"

之后的气氛，江文溪总觉得哪里怪怪的，明明说好了她烧饭菜的，却变成他主动提出要烧饭，结果再看到她昨天烧的许多菜之后，他就阴阳怪气地又说不烧了。

常人道，六月天，女人脸。

为什么她觉得这句话应该改为"六月天，男人脸"更为贴切一些？总而言之，她就没见过比他更难伺候的男人。

所有事忙完之后，客厅见不到他的人影，总算在卧室内找到了他，只见他立在书柜前翻看她的宝贝书，一双剑眉锁得很紧，脸色似乎不大好。

"怎么了？"她走过去。

他将手中的《犯罪心理学》塞回书架，面无表情："我觉得这种书，你还是少看为妙。"

别说是她对声音敏感会出现异样，就算是个正常人看那些书，也会越看越变态。

她皱了皱眉，不解："我从小就看这些书，如果没有出现意外，说不准我就是一名警察。当警察是我从小的梦想，可惜这一辈子都不会实现。"

他冷嗤一声，冷冷地道："当警察有什么可值得骄傲的？！"

"身为一名警察，保护市民生命财产安全，除暴安良，为维护社会和谐安定做出贡献，这难道不值得骄傲吗？当警察有什么不好？！"她没有意识到自己的声音高了许多。

"你只看到了光明的一面，可你是否有看到阴暗的一面？那些顶着'人民公仆'头衔的伪君子，明明抓错了人，却不敢承认自己无能，因为他们怕毁了自己几十年来树立的伟大功勋。那些被冤枉的人，轻则入狱，重则死刑，原本美好的人生全毁在他们这些所谓的警察手上。请问，这还是你所认为的骄傲吗？！"他冷着整张脸，一边说着，一边向她逼近，音阶一节节抬高。

她只好一步步向后退，很快，整个人背抵上书架，再无退路。

她抬起头，紧紧地盯着他，没法认同他的理解，大声回道："根本不可能的事！法律讲究证据，是公平公正的，如果你没有犯法，你问心无愧，谁也冤枉不了你！"

"证据？这世上连最基本的人性都可以出卖，还有什么不可以做假？"

"我不明白你为什么会这样想？你所说的事情根本不可能发生！还是你上辈子和警察有仇，非要这样说？"她捏紧着拳头，又气又急，颤着声音吼了出来。

她不知道他究竟是怎么了，为何会变得这般激动？

上辈子和警察有仇？岂止是上辈子，他不想有仇都不行。

他捏紧了拳头，额上的青筋暴跳而起。

他抢起拳头，一拳重重地打在她脸侧的书架上，书架激烈地晃动着，一些没放好的书重重地摔在了地上，沉闷的落地声直敲人心间。

她早已吓得闭起了眼。

"真不知道你是单纯还是单蠢。继续做你的警察梦吧！"声音冰冷异寒。

就像是被人狠狠地泼了一身的冰水，全身的血液仿佛都冻结了一般……

他居然骂她单蠢？！

"我哪有单蠢？！明明是你不讲理！"她仓惶地睁开双眸，只捕捉到他带着怒气离开的背影。

她追了出去，想要叫他的时候，回应她的却是"砰"的一声重重的关门声。

她从来没有见他这般生气过，即便是他在控诉她打他的时候，她害他喝墨汁的时候，他都没有这般生气。

她颤着唇跌坐在沙发上，脑子里一片混乱，连手都不由自主地颤抖着。

她不是冷，不是害怕，而是同样的气愤，气得浑身都在发抖。

究竟是怎么了？之前都好好的，为什么一提到警察，他就像是变了个人似的，就好像当警察的害死了他全家，积了几辈子的仇一样。

她真的很不能理解，到底他究竟要她怎样？

当警察是她的理想，每个人都有自己的理想，有理想也有错吗？

如果没有警察，谁来维护社会秩序，他和她的人身财产安全谁来保障？大舅为了不相干的人都可以把命丢了，难道当警察的连得到最起码的尊重都不能吗？

他为什么要那么专横？她是他的下属没错，可是离开公司之后，按他说的，是女朋友。女朋友啊，但她为什么一点身为女朋友的感觉都没有，仍然像是一个整天战战兢兢的下属。

从一开始，这份感情的天秤就没有平衡过，始终都是倾向他的一方，她只是一个毫无反击之力的可怜虫。莫名其妙地变成他所谓的女友，坐他的车上下班，一起吃早餐，牵手，接吻，吃饭，逛街……做着一些情侣们该做的事。

这些，始终都是在他的掌控之下，今天他要这样，明天他要那样，都是在他的计划之下安排得好好的，她没有自主的权力，没有拒绝的权力。她甚至怀疑，他之所以会选择她，是因她的懦弱无能正好满足了他骨子里那股强烈的掌控欲望。

该死的白发魔男，他怎么可以这样对她。

她咬着牙，在心中恨恨地骂着。

她再不要理他，要是他再来找她，她一定拿出今天在墓园劈人的骨气，学李妍手扛扫把，扫他出门。

乐天面色铁青地走出江文溪的家门，拉开车门并未坐进去，顿了一秒，他又狠狠地甩上车门，直踹了车前轮胎几脚。

倚着车身，他摸出一包烟，想抽出一根烟，因气愤而不停颤抖的手却怎么抽也抽不出来。他恼羞地将整包烟甩在地上，狠狠地踩了一脚。

盯着五楼的灯光，心中的怒气无处可泄，他双拳紧握，重重地砸在引擎盖上。

十年前，他被警察送进监狱；十年后，他温顺得像只绵羊的女友告诉他，当警察是她一直以来的理想。

警察？保护市民生命财产安全？除暴安良？为维护社会和谐安定做出贡献？

呵呵，那他算什么？刁民？还是贱民？当年，他一个循规蹈矩的大学生，是危害了别人的性命，还是夺了别人的财产，还是扰乱了社会治安？

法律讲究证据，是公平公正的，如果你没有犯法，你问心无愧，谁也冤枉不了你！

公平公正？问心无愧？

他在心中冷笑，这个世界哪里来的公平公正？举头三尺有神明，他问心无愧又能怎样？法律可曾还他一个公道？还不是一样被押进铁窗之中。当年他没饿死横尸街头，应该磕头烧香感谢几辈子修来的福分了？

这个该死的窝边草！她懂什么？那样单纯的脑袋，怎么能明白这世界的黑白两种颜色？

他挫败地又狠拍了一下车顶，愤然拉开车门，钻了进去。

只听车轮胎磨擦着地面，发出刺耳的声音。

瞬间，车子像是发了疯似的冲出了小区。

第七章

爱情就像一杯咖啡

With love
For you

爱情，讲究的是一种缘分，
就好似这咖啡一样，
总在不经意间，
散发着浓浓的诱惑香气，
只有经历了它的苦涩，
才能感觉到它的甜蜜。

"铃铃铃——"床头的电话响个不停。

眼皮连睁都不睁一下，乐天伸手摸到床头的电话，拿起，然后无情地挂断，以示他不想跟任何人说话的烂心情。

隔了不过半分钟，电话铃声又响了。他依然紧闭着双眸，再次伸手拿起电话，这次没挂断，却是不耐烦地搁在一边。

电话那端，传来严素暴怒的声音："乐天，你什么意思？手机关机，电话不接，你中午到底过不过来吃饭？喂？喂？喂？你这个死小子！你给我记着！"

严素听不到乐天的回应，知道他肯定是把电话架了起来，气得她索性挂断电话，管他来不来吃饭，不回来也不管他了。

卧室内又恢复了之前的宁静。

床上的人终于翻了个身，眉头紧蹙，缓缓地睁开了眼眸。

阳光透过厚重的窗帘，点点渗入。

一时间，他无法适应，又闭了双眸，左臂下意识地遮住了眼帘。

过了几分钟，他才松开手臂，睁开双眸，缓缓地坐起身。

胸中的郁结沉闷，犹如厚厚的云层压在半空中。

他伸手从床头柜上摸了一支烟点燃，深深地吸了一口，长吐一口，似乎想借着这口烟将心中的烦闷全数吐出。

恍神之间，软软绵绵，好听又舒服的声音传入他的耳朵里："你怎么又抽烟了？早饭还没吃就开始抽烟，这样对身体不好。"

"天天说，能不能换一句新鲜的？"他不假思索地回道，声音倏然顿住。下意识地，他坐直了身体，抬眸看向屋内，空空荡荡，除了他一人，还是他一人。

有时候在等她准备早餐的空当，他会习惯地抽一支烟，一支烟完了，早餐也准备好了。若是被她看见他在抽烟，她一定会那样说，声音总是柔柔的。她还会趁他不留神，抽走他手指间剩下的半截香烟。

他再度闭上双眼，用手按了按有些抽痛的太阳穴，调整了姿势，向后靠了靠。

方才不过是他的幻觉，现在太阳穴还有些微微抽痛，一定是昨晚酒喝多了，才会发了疯似的在一睁眼的时候便会想起那个该死的窝边草。

什么时候开始，会有女人让他寝食难安了？可笑！

他低咒了一声，将烟狠狠地按灭在烟灰缸内。

掀了被子，他缓缓移坐床沿，却发现床下只有一只拖鞋。找不着另一只，索性，他将床下的那一只鞋也踢得远远的，光着脚踩在了羊毛地毯上，往浴室走去。

　　倏地，他顿住了脚步，脚下刚好踩着了昨晚被他一怒之下砸坏的手机碎片。弯下腰，他捡起那个被他砸得已不成形的手机。

　　碎裂的屏幕上，原本是一张沉睡中傻里傻气的俏脸。那张照片，是他趁她在车上熟睡的时候偷偷拍的。照片中的她，头歪向车窗，双眸紧闭，嘴唇微启，似乎就差流口水了，真是傻到不能再傻的呆呆模样。

　　每天为了给他做早餐，似乎她都会起得很早，甚至有时候还会跑很远的地方，只为了买一杯喝起来和永和差不多口味的豆浆，所以，原本属于她的睡眠，却因为要与他共进早餐而不得不放弃。

　　真是再也找不到比她更傻更笨的女人了。

　　不知不觉中，唇角之处漾着的笑意越来越浓，他盯着碎裂的手机屏幕，又看了足足有一分多钟。

　　蓦地，碎裂的手机屏幕上，倒映着的属于他的笑脸一下子惊醒了他，下一秒，唇角之处的笑意迅速隐去。

　　他将碎裂的手机紧紧地握在手中，难以掩饰心底的暗波涌动。

　　昨天与她争吵完了，他便去了K.O.借酒消愁，他甚至还清楚地记得，一位酒醉的客人因为服务生送错了啤酒而无理取闹，正好被他撞见。他直接就拎着那位客人的衣领，将那人轰出了K.O.，并警告那人，K.O.以后都不会做他的生意。

　　为了证明，窝边草对他不会产生任何影响力，他不是因为她才会将客人丢出酒吧。他刻意喝得还留一分清醒，然后飞快地驾着车回到住处。

　　可当他看到手机屏幕上那张沉睡中傻里傻气的俏脸，霎时，所有的火气全涌了上来，他狠狠地将手机砸向墙壁……

　　为什么脑子里，每分每秒缠绕着他的始终都是她的身影？为什么他拼命地告诉自己她什么都不是的时候，他会觉得茫然得无所适从？

　　掌心传来细小的刺痛，他缓缓张开手，手机屏幕上的玻璃碎渣正扎在了他掌心的肉里，渗出点点血迹。

　　他抿紧了唇角，再度用力紧握了一下手机。

　　坏了便是坏了，屏幕上再也不会显示那张沉睡中傻里傻气的俏脸。

　　他究竟在懊悔什么？他也变白痴了吗？还是和白痴的人在一起久了，会传染？

　　他深深地吐了一口气，从中取出了SIM卡收好，将"寿终正寝"的坏手机直接扔进了垃圾筒内。

　　好好泡了一回澡，将昨夜全身的酒气全数洗尽，整个人觉得舒服了许多。

换好了衣服，胡乱地吃了点东西，他决定先去购物中心买一只手机，再回景湖山庄吃年夜饭。

到了购物中心，人头攒动，十分拥挤，这让他本来就很烦燥的心情更加不爽。

今天不是大年三十吗？这些人都不用回家吃年夜饭的吗？一个个没事跑出来乱晃什么？

他紧蹙着眉头，穿过拥挤的人群，好容易走到了手机柜台，买了一款与之摔碎的一模一样的手机。付完了款，他拿着手机正打算离开，目光不经意地瞥见隔壁专柜小姐将一款漂亮的女用淡紫色手机塞回柜子里。

这时，一对年轻男女走向专柜前，女的指着刚才那款手机对专柜小姐说："麻烦你将这款手机拿给我看一下。"

"小姐，您的眼光真好。这是我们今年刚推出的时尚日系翻盖手机，机身超薄，轻巧美观。该机配备了800万CCD摄像头，最高可拍摄2448×3264分辨率图片，同时它还可拍摄30fps 864×480像素高分辨率视频录像，这样超强的拍摄能力在手机上是十分少见的哦。你看，这么漂亮的颜色很适合我们女性用呢。"专业小姐噼里啪啦说了一大通，最后又将手机贴在耳边比划了一下。

那女孩子依依不舍地放下漂亮的手机，嘟起了嘴："唉，可是要四千多块，太贵了，超出了我的预算，我再看看吧，谢谢。"

"好的，欢迎您下次观临。"专柜小姐微笑着应道。

两人经过乐天身边的时候，他听到那位男生对女生说："喜欢就买嘛。"

女生说："太贵了，我还是看看别的吧。"

他回首又看了一眼那款手机，的确是非常漂亮。他不禁想起某个呆呆的女人，手机用得惨不忍睹，却还不更换。不经意地笑了笑，他向专柜走去。

他对专柜小姐说："我要这款手机，谢谢。"

专柜小姐抬眸，难以置信地望着眼前难得一见的帅哥，他竟然连看都不看，就买下了。

"好……好的，您稍等。"专柜小姐难掩激动的心情，迅速开起了小票，当将小票交给他的时候，她忍不住八卦了一句："送女朋友的？"

"嗯。"他淡淡地应了一声，便去收银台付款。

那位专柜小姐望着他颀长的背影，推了一下身旁的同事，咬着银牙感叹："看见没有？送女朋友的。不问是否打折，不问是否有活动，原价直接购买，最让人咬牙的是还要命地长得那么帅。真是没天理哦！"

同事飞了她一白眼："切！这世道不就是这么没天理嘛。有钱，专情，长得帅的男人不是没出生，就是早被人采了。卖手机啦，卖手机啦。"

回到景湖山庄别墅，刚踏进别墅门，就听到严素冷嘲热讽的声音传来："哟，我们的乐大少终于回来了，可真是不容易啊。"

乐天没答理她，往沙发上一坐，仰起头靠在沙发背上，闭上了双眸。

严素见他毫无生气，微微挑眉，挤在他的身边："怎么就你一人回来？小江呢？"

"应该去她的朋友家了。"他的声音很低，听上去有气无力。

"去她朋友家？！你昨天没和她说，今天要带她过来吃饭吗？"严素问完话之后，觉得自己是多此一问。

昨天半夜，K.O.的阿强电话都打到深哥手机上，说是这臭小子在K.O.喝了不少酒，甚至还把客人丢出酒吧。深哥让司机开车准备去接他，半路上又接到电话，说他一人又开着车回住处了。深哥担心他出事，立即让司机掉转方向又开去他的住处。

结果深哥敲了半天的门，他才开门。开了门只说了两个字"没事"，又"砰"的一声关上了门。

深哥无奈地摇了摇头便回去了。

今天她和深哥等了他一个中午，指望他回来吃中饭，结果过了中午十二点半还不见他人影。打他手机关机，打他住处电话，他给她玩挂电话和架电话。

瞧他那一副半死不活的样子，莫不是与小江有关？

她眼尖地瞅着一旁的一个漂亮的礼袋，打开一看，是款漂亮的女用手机。

她有些意外，惊问："这手机是你孝敬我当新年礼物的吗？"

她正想拆开来看看，倏地，乐天睁开双眸，一把夺了过来，声音冷得出奇："这款不适合你，你要是想换手机的话自己去购物中心。"

严素惊诧地望着他，愣了半晌说不出话来。

乐天直觉自己失言，努力让自己声音恢复平静："对不起，昨天酒喝多了，头还有点痛，我先上楼休息一会儿，晚饭时候记得叫我。"他抓起手机礼袋往楼梯走去，刚迈上楼梯，脚步顿住，没有回首，轻轻又道了一句，"如果你喜欢，改天我陪你去购物中心，钱我付。"

严素盯着他消失在楼梯间的身影愣了足足有好几分钟。

最后，她得出一个结论，那手机应该是送给小江的。之所以昨晚他会跑K.O.酗酒消愁，一是因为人没带回来，二是手机没送出去，以至于今天成了这么个半死不活的样子。

看来小江的魅力还挺大的。

严素坐在沙发上，咬着嘴唇，脑子飞快地转着。

向心公转

江怀深提着鱼杆和水桶进了门，瞧见严素咬着嘴唇倚在沙发上发呆，不禁挑了挑眉，问道："阿天是不是回来了？我刚看见新买给他的车子停在外面。"

严素抬眉，向楼上的方向努了努嘴："在楼上。"

"楼上？"江怀深一脸不解，"昨晚的酒到现在还没醒？"

"我怎么知道？瞧他那副半死不活的德性，八成是求偶不成。"严素站起身，接过江怀深手中装着"战利品"的水桶。

"他不是追上那丫头了吗？怎么不见那丫头跟回来？"

"追？我看是恶霸吧。"严素很鄙夷地冷嗤一声。以平时他那趾高气扬的拽样，小江那个乖乖妹绝对是被霸上的，而不是被追上的，八成昨晚两人闹了什么事，让他这位高高在上的总经理有失颜面，才会造就今日这副死相。

"哎？你今晚火气怎么这么大？"

严素哼道："有吗？估计是我想喝太太静心口服液想疯了，等了一年也没见着有人送，这火气不大就怪了。我去厨房帮我妈和花姐，懒得理那个臭小子，让他一个人在房里慢慢明媚忧伤吧。"

说着，她提着那一桶鱼走向厨房。

江怀深不放心乐天，遂上了楼，轻敲了敲他的房门。

只听屋内传出来一个闷闷的声音："我想先睡一会，晚饭的时候再来叫我。"

江怀深只是在他的房门前驻足了一会儿，便又下了楼。

到了晚餐的时候，乐天终于出现在餐桌上。

一家人团圆，其乐融融。

如果说他们是一家子，那也是这世上最怪的一家人。

谈血缘，严素是乐天的亲姨，严母是他的外婆，都是他至亲的人，可是他却从未叫她们一声小姨或是外婆。相反，他直接称呼严素全名，而严母，他会叫一声奶奶。

花姐是严家的用人，照顾严老太太多年，老伴过世的早，也无儿无女，就一直留在了严家。

说起来，江怀深算是一个彻底的外人了，可偏偏是他这个外人陪伴了严氏一家走过了坎坎坷坷二三十年。

突然，严素停下了筷子，对江怀深说："深哥，吃完饭我们去城东放烟花撞钟，怎么样？"

江怀深放下酒杯，有些疑惑："你不是说要陪阿姨打麻将的吗？"

"三缺一怎么打？本来指望多一腿……"严素斜睨了一眼对面的某人。

乐天的嘴角微抿，一言不发，紧皱着眉，又是一杯酒下肚。

严母见着，连忙为他夹了菜："阿天啊，多吃些菜，花姐的手艺可比外面的饭店要好上几百倍。"

"谢谢奶奶。"乐天浅浅地笑应着，手中的酒杯不曾放下。

严母对严素说："没事，你们去看烟花，不用理会我这个老太婆。怀深啊，这么多年，真是辛苦你了。你也多吃一点。"严母又为江怀深夹了好多菜。

年夜饭过后，严素帮着花姐和母亲收拾碗筷，乐天则与江怀深坐在楼顶天台上，欣赏着夜幕下湖光之色，聊着男人之间的话题。

隔壁人家，已经在自家的庭院里放起了烟花。

朵朵盛开的烟花照亮了整个夜空，火光映照在湖面上，湖水闪动着粼粼波光，漂亮至极。

一阵阵凉风从湖面吹来，也使人清醒了不少。

江怀深深吸一口气，道："我已经很久没见你这样心事重重，何况还是在除夕夜，是不是遇上了什么不开心的事？"

乐天把玩着手中的酒杯，淡淡地笑了笑："……没什么。"

"你从来不喝混酒的。"江怀深意有所指地看着他手中的红酒。

年夜饭的时候，他已经喝了一瓶白酒，这会儿上天台来吹吹风，他又开了一瓶红酒，一杯又一杯，若是心中没有藏着事情，他是拒绝喝混酒的。

乐天又是一笑，却笑得勉强："真的没什么，只是感慨一下，又是一年过去了。每年过年的时候，都会忍不住想起一些事情罢了……"

江怀深点了点头："今儿是除夕夜，你要是想喝个烂醉如泥，我不拦你，只要你开心就好。"

一阵沉默，乐天他转首看向江怀深，问："其实……你是喜欢阿姨的，对吧？"

江怀深紧抿的唇角微动，想说什么，却又难以启口，转而摸向桌上的烟，抽出一支点燃。

"为什么不娶她？你知道她等了你多少年吗？"乐天倒了一杯红酒，猛灌下一口，"如果说曾经有我妈在，但如今我妈已经死了快十年了。这二十几年来，一直等着你的是阿姨。过了今晚她就三十九了，一个女人的青春经不起岁月的磋跎，不会像我们男人一样，十年二十年，差不了多少……"有多少女人可以像严素那样，无怨无悔，心甘情愿地等一个男人等了那么多年？至少周梦珂就没有，甚至连最起码的信任都没有。

"我跟素素之间，不是三言两语就能说得清的。素素曾经和我说过，宁可一辈子不嫁，她也不要有一场像归云那样失败的婚姻。后来，她之所以会这样

对我用情至深，是以为当年资助她出国留学的人是我，那时的我，只不过是夜总会的小混混，有今天没明天，我哪来的钱供她上学念书？是归云嫁了可以做她父亲的男人，才有了那笔钱。也是从那时候开始，我才真正下定决心，脱离了以前那种生活。没有归云，就没有今日的江怀深。若是素素知道那笔钱是她姐姐用身体换来的，你觉得她还会这样对我吗？我对她太了解了，心中一直存有的执念一旦破灭，她会恨我，会恨归云。我答应过归云，不会让素素和你外婆知道……"

"你瞒着她，和与她在一起，两者之间没有必然的交集。既然你认为你可以瞒得了她一辈子，在一起又何妨？"乐天点了一支烟，"你知道有只海龟追她追得很疯狂吗？"

"知道，我为她高兴。这么多年来，我一直都希望她能找个合适的人嫁了，而不是等我……"江怀深吸了一口烟，苦涩一笑，"原谅我自私，我不想毁了这么多年来在你外婆和素素心中的伟大形象。"

"OK，算我多事，如果她真的被那只海龟追走了，你别对着我哭就行了。"乐天好笑地看着这个如同父亲一般的男人。

"臭小子，"江怀深大笑了起来，"别说我的事了。从昨天到今天，你就没正常过，说说吧，是不是为了那位姓江的女孩子？"

夹着烟的手停滞在唇边未动，不过几秒钟，乐天深深地连吸了两口，吐气，吸气，吐气……

江怀深挑着眉，又问："吵架了？"

沉默了几秒，乐天淡淡地点了点头："……嗯。"

江怀深笑了笑，将桌上已冷却的小半杯咖啡摆在乐天的眼前，道："你知道吗？其实，爱情就像是这杯咖啡，需要你用心慢慢去品味，才会感觉到隐藏在苦涩之中的甜蜜。刚开始尝的时候呢，你一心只想尝尝那种所谓的醇香滋味，孰不知，猛地一口喝下去，只感觉到它的苦涩。当你皱着眉头放下而不愿再尝，孰不知，错过了那种先苦后甜口齿留香的美妙滋味。当回首时，瞧见别人细品之下的幸福与满足感，心又开始动了，可是先前杯中的咖啡已凉，再喝，便品不出它真正所应有的味道。"

乐天的目光紧盯着那半杯咖啡，无法移开。

江怀深继续道："爱情，讲究的是一种缘分，就好似这咖啡一样，总在不经意间，散发着其浓浓的诱惑香气，只有经历了它的苦涩，才能感觉到它的甜蜜。"

太过于专注地听着深叔讲话，乐天却没有留意到手中的烟就一直这么燃着，直到一阵灼痛自手指间传来，他才回过神，慌忙将手中的烟头熄灭在烟灰缸里。

江怀深见着，淡淡一笑，又以其沉稳平缓的语调道："唉，男人嘛，只要能够放下身段，没有什么不可以。女孩子嘛，其实很好哄的。"

这时，严素端着果盘上来，刚好听到"女孩子嘛，其实很好哄的"这一句，便对江怀深横眉："很好哄？你确定你不是用骗的，而是用哄的？"

江怀深笑而不语，挑了一片西瓜。

严素将果盘放下，皱了皱眉，道："外面风这么大，你们赶紧回屋里去，别搞得明天大年初一进医院。"

江怀深道："风大？你不是还想去放烟花撞钟守岁的吗？我刚让人安排好，订好了烟花。"

严素刚想说话，乐天却抢先道："深叔，把订烟花的电话给我。"

江怀深怔了一下，打开手机，报了一串数字。

乐天记下电话，即刻站起身对二人道："我出去一下。"

"喂，你喝了那么多酒，还要开车上哪儿？"严素问。

"放心，死不了。"乐天拍了拍严素的肩膀，一本正经地说："你呢，还是在家打麻将比较好，年纪大了别到处乱跑。"

趁严素没发飙之前，乐天一边打着电话一边匆匆下了天台。

随即，身后传来严素狮子吼般的咆哮："臭小子，你今晚有种别回来，不然我一定要你好看！江怀深，你别拦我，别拦我！啊啊啊——真是气死我了，气死我了——"

车子飞快地驶出了别墅。

只花了半个小时，乐天便到了江文溪家的楼下，可想而知，这车速究竟有多快。

楼道依然是那般黑漆漆的伸手不见五指，他眉心深锁，摸出手机照亮了楼梯过道。

这里这么黑暗，如果横空跳出来一个人打劫，一般人不知要怎么应付，更何况是像江文溪那样的笨女人，若是真被人伤了，她一定只会哭。

改天他要找人来把这里楼梯过道的灯全部装起来。

到了五楼，他按了许久的门铃却没人应门。

也许，她还在她朋友家，没回来。

摸出手机，他拨了一串号码，正想按下通话键，他迟疑了。

打电话做什么呢？要她现在立刻马上就回来吗？告诉她，他在她家门口等

她？若是此刻她正和她的朋友很开心地吃着年夜饭，交流着，他这一通电话过去，她从朋友家里匆忙赶回来，无疑是扫了她和她朋友的兴。

他长长地叹了一口气，收起手机，放进了口袋里。

黑暗中，只有他的身影来回不停地走动。

突然间，楼梯道里响起了脚步声，他激动地正想喊江文溪的名字，却听到一声尖锐刺耳的叫声："啊——"

他也被这一声尖叫吓住，紧抿着唇角，站立不敢动，心中不禁疑惑，这声音不太像是江文溪的。

下一秒，对方手中的手电筒亮了起来，直射他的眼眸。一时间，他无法适应，微微眯起眼，隔了几秒钟方看清，原来是对门的王大妈一家人。

他们刚从外面放完烟花回来。

王大妈一见那头再熟悉不过的银白色头发，不停地猛拍着胸口，激动道："原来是你啊，吓死我了。"

他有些尴尬："不好意思，吓着你们了，我在等江文溪。"

王大妈爬上台阶停下，其老伴摸出钥匙开了门，家人跟着一一进了门。

王大妈说："你等小溪啊？她没和你说她今天去小妍家吗？每年逢年过节的，她都会住小妍家，今晚是不会回来的。"

乐天沉默了几秒，扯了一抹淡笑，语调平缓："没关系，我等等看。"

"那你要不要进来坐坐？"王大妈异常热心。

"谢谢，不用了，我再等一会儿好了，她不回来，我就回去了。"乐天婉言谢绝。

"那行，我不打扰你了。"王大妈这才关了门。

楼道里再度陷入了一片黑暗，乐天的心也跟着沉了下来。

立在楼道中，一无所措，索性，他坐在了楼梯台阶上，放下礼袋，默默地抽起了烟。

时间一点一滴地流逝，如同他手中的烟一点一点地燃尽。他不知道在这楼梯的台阶上究竟坐了多久，当手中的烟燃尽，再摸向烟盒，竟意外地发现，那是最后一支烟。

他沮丧地攥起拳头，将空烟盒握在手中。

爱情就像一杯咖啡？这是他从未深入想过的问题。

如果没有昨天，没有发生那一场争执，他不曾想过，他对江文溪究竟是怎样的一种感情。一直以来，他以为他是喜欢她的，可是，似乎不只是喜欢这样简单……

　　一开始，只是单纯地想恶整她而已，可是，每次他在整完了她之后，总会有那么些意外反过来降临在他的头上。他并不是刻意地想去关注她，可是，以她那般蠢笨迷糊的性子，想让人不注意都难。

　　怎么会有像她这样呆的女人？

　　思及，他忍不住失笑。

　　下一刻，却又无奈地叹了一口气。

　　那一场，他自认为始终稳稳掌握在手中的简单游戏，没想到却是这样轻易地输掉了。不，不是游戏，因为她从来不曾参与，甚至不知道。不过是他自导自演的一场独角戏罢了。

　　从什么时候开始留意她，从什么时候开始喜欢看她犯了错后那种不知所措的表情，从什么时候开始喜欢听她软软甜甜的声音，从什么时候开始追逐她的身影，从什么时候恋上她的笑颜，又是从什么时候开始会为她的眼泪而感到心痛怜惜……

　　那种淡淡的感觉，原来不是从一开始就有的，而是随着时间的日积月累，点滴加深，直到成为心底那划不去也抹不掉的印记……

　　江文溪，这三个字在不知不觉中成了那刻在他心底的一道魔咒。

　　他从没有想过，有一天，他会这样耐心地去等待一个人。即使当年和周梦珂在一起，也未曾如此，似乎一直都是周梦珂在等他。

　　真的有些可笑，他竟然会在如此特殊的日子里，发现了一件让他难以置信的事情，似乎他爱上了那根又呆又笨的窝边草……

　　是的，他爱上了她。

　　为什么？爱情来的时候，是这样的让人难以招架，措手不及……

　　"呀？快十一点了，你还没走？！"不知过了多久，王大妈家的门再度打开。

　　乐天从熟睡中惊醒，缓缓抬起头，睁开迷茫的眼眸望向门内披着衣服的王大妈。

　　"唉，我说那个……小溪的朋友啊，小溪今晚铁定不会回来了，你还是别等了，回家吧。"王大妈突然有些心疼这个孩子，咋这么死心眼地在这里坐了两个多小时呢？这年三十的不在家过年，怎么跑这儿来？这么冷的天，坐在这台阶上非得冻出病来不可。幸好她不放心出来看看，他果真还在这里等。

　　他紧抿着唇，脸色微僵，淡淡地道："我再等等，十二点前她没回来，我就走。"

　　"唉，那你进屋里来等，天这么冷……"王大妈出门意欲拉起乐天。

他一时无法适应这突如其来的关怀，索性对王大妈说："不用了，我回我车上去等好了，谢谢。"转身，他便往楼下走去。

王大妈叹了一口气，直摇着头："唉，真是没见过你这么强的孩子。"以为乐天真的下了楼，她方进了屋，关了门。

他并未下楼，只是静静地立在四五两层楼道之间，听到关门的声音，他才缓缓地重新爬回五楼。

立在江文溪家的门口，他摸出手机，屏幕上显示还差几分钟就十一点了，他有些迟疑，喃喃自语："为什么连一条新年的祝福都不发，还真是个狠心的女人。"

收了手机，他重新坐回台阶上，决心等到十二点。

江文溪并没有想到家门口有一个她念念不忘的人在等她，她一早便提着大包小包的礼品去了李妍家。

以前两家是邻居，一个楼上一个楼下，去年李妍家买了新房，搬离了瑞X路的老式住宅区。

李妍见她拎了这么多礼品，直说她是不是中了大乐透。她浅浅笑道，孝敬李爸李妈的东西怎能寒酸？

李妍是个实足的开心果，就连包饺子也能包出很多"花样"，还对自己包的"花样"饺子赞不绝口。这"花样"可不是称赞她包饺子的手意，而是指她包的饺子总是奇形怪状，每个饺子都是肉馅塞多了，饺皮就撑破了，只不过包了四五个，个个惨不忍睹。而江文溪包得饺子则是一个个挺立，煞是好看。

李妈妈炸好了春卷，李妍见着立即放下手中的饺子，跳了过去，夹了两个春卷，自己一个，江文溪一个。

李妈妈见了自己女儿包的饺子连连叹气，便用筷子打李妍的手："你呀，就知道吃，看看人家小溪包的饺子，好好学学。"

李妍咬着春卷，依在江文溪的身上，不甘地撇了撇嘴，回道："你这是没有艺术眼光。话说，哪个饺子脱了马甲不都是肉丸子？我这是提前展露它的内在美，这叫内在美，你懂吗？"

李妈妈直翻白眼："你省省吧，别以后嫁了人，丢老娘的脸。以后要是被婆家扫地出门，别回来见我跟你爸。"

李妍和李妈妈两人来回不停地斗嘴，江文溪一边听着，一边浅浅地笑着。

到了吃年夜饭的时候，在李妍的鼓动下，江文溪也端起了酒杯。江文溪的酒量不是很好，但喝得并不多，脸颊红扑扑的，看上去比平时更多一分娇羞。李妍因为高兴，多喝了两杯。

李妈死命夺她的酒杯，这丫头越来越不像话，不拦着她，估计她能把那一瓶酒全喂下肚。

"你看看，哪个女孩子像你整天抱着酒瓶？"李妈妈不停地念叨。

李妍嚷着："做业务的不能喝酒，还做什么业务？你放心啦，喝多了，睡一觉，明天照样活蹦乱跳。"李妍趁李妈妈不注意，将酒瓶又夺了过来。

"跳跳跳，你当你鲤鱼跳龙门！"李妈妈不高兴，又伸手去抢。母女为一瓶酒大眼瞪小眼。

江文溪站起了身："阿姨，没事的，妍妍的酒量她自己知道。"

李妈又道："你别向着她。"

浅酌的李爸只好打圆场："年三十，开心就好。"

"哼，父女都一条心了。"李妈妈气得索性不理这对父女，夹了好多菜给江文溪，"溪溪啊，别学我们家妍妍，来，多吃菜。"

吃完了年夜饭，李妍拉着江文溪下楼放烟花，烟花放完了，两个人便并肩坐在摇椅式的秋千上，聊着很多小时候的开心事。

蓦地，李妍依在她的肩上问："溪溪，今晚你开心吗？"

"开心。"她笑了笑。她知道李妍怕她不开心，大二以后的每年三十，几乎都会在放烟花的时候问她这个问题。

李妍嘟着嘴："可我感觉你今晚很不开心。"

听到李妍这么一说，她愕然，偏过头看着醉眼迷朦的李妍。

是的，她还在为昨天的事有些小小的郁闷，可是，她的心事有这样明显吗？

"没有，"她抬头看向天空，幽幽地说，"只是有些感慨又老了一岁。"

"老女人好啊，老女人嫁人了，有钱，有房，有依靠，想上男人不用到处找。"李妍越说话越浑。

"妍妍！你喝多了！"她怪嗔地推了李妍一下。

"唉哟，你真是够纯情的。"李妍抱着她眯起眼，带着浓浓的酒气，痞痞地一笑，"亲亲小溪，告诉我，你和白发帅哥怎么样了？到哪一步了？你的纯贞还在吗？"

她狠敲了一下李妍的头："你喝多啦！在胡说八道什么呀？！"

"呀！死小孩现在学会隐瞒了嘛，一定有情况。"

"没有啦！你喝多了！"

"怎么可能？我千杯不醉！快说，不然你今晚别想睡了。"

"真的没有啦……"

"一定有！"

"没有！"

……

常言道，男人喝完酒后是禽兽，这女人喝完酒后就是野兽。

怕酒后的李妍吹久了冷风生病，经过非人的抵抗，她终于劝动了半醉的李妍回家。

李妍全身的重量几乎都压在了她的身上，趴在她的肩头不停地呓语："溪溪，上楼我们就打麻将啊，别人不敢和你打，我跟你打啊，我不怕输的……"

她哑然失笑，不禁想到小时候和同学打麻将总是输，不甘心的她向大舅负责抓老千的同僚学了几手，之后就百战百胜，但有节制，从不乱赢别人的钱。但自父母和大舅相继去世之后，她为了筹学费，而不得不将此特长发挥，导致后来和她打过麻将的同学或者邻居阿叔阿婶们，只要见了她上桌，肯定不会坐上那一桌。

她得了个外号叫"麻室鬼见愁"。

甚至还有人开价，请她去赌钱。渐渐地，她觉得这样做是在丢大舅的脸，就再没有去棋牌室摸过麻将。甚至逢年过节，朋友邀约她也婉言谢绝。

"溪溪，别太压抑自己，我知道你不是故意打他们的。你大舅不许你练散打，不想你当警察，还逼你去医院，你不想去就别去，我给你当沙包，你有气我帮你挡啊，别一个人偷偷地哭啊，我不会笑你有病的……"

她惊愕地偏过头，凝视着满面绯红醉得迷迷糊糊的李妍，喉咙之处犹若堵了铅块似的。妍妍怎么会知道这件事的？一直以来，她以为她隐藏得够好，原来妍妍一直知道这件事，不说出来，是不想她难过而已。

"妍妍……"她哽咽着叫了一声。

李妍突然傻笑了起来："溪溪，你交男朋友了，我好开心，以后你就不会一个人了。白发帅哥有没有欺负你？他要是对你不好，你一定要告诉我，我一定替你揍他……"

男朋友？

"他没有欺负我……"她无奈地苦笑，昨天之前，也许是，今天是年三十，到现在不仅电话没有一通，连条短信都没有，如果这样还能是男朋友，她的人生可真是够完美。

"溪溪，我只是希望你开心，永永远远幸福开心……"

"……"

"溪溪啊，我可怜的小家伙……"

"……"喝醉了也不要这么肉麻吧。

她费力地扶着李妍："妍妍，你醉了，我没不开心，有你这个好姐妹在身边，怎么会不开心呢……"说着，暖暖的热流就涌上了眼眶，她深吸了一口气，轻扯嘴角，将眼泪硬是逼了回去。

这么多年来如果没有李妍的陪伴，她真不知会如何度过。

其实快乐，真的很简单。

虽不是亲人，但这种胜似亲人的温馨幸福感觉，每年逢年过节的时候，她都能感受一次，足矣。

"我没醉……没醉……"李妍不停地重复着。

往年，她都会和李妍挤在一张床上，一聊就是大半夜。今夜，李妍已经醉了，她只希望她好好地休息。

终于将李妍安稳地扶上了床，李妍占了床还在不停地重复着那些话。

她替李妍擦洗干净，为她拉好了被子，陪着她又坐了一会儿，直到她发出平稳的呼吸声，她才起身，将门轻轻地带上。

婉言谢绝了李爸李妈的挽留，她离开了李妍家。

再过两个小时就是新年，大街上四处可见人影，全是出来放烟花炮竹的人。

炮竹声声，烟花灿烂，大人小孩，欢声笑语，处处洋溢着喜庆的节日气氛。一时间，闷闷不乐的江文溪心情也好了起来。

再走几步就要到自家小区了，正好前面有个售卖烟花的摊子，她大步上前，决定买些烟火回去放。

当她走近，看到那个顶着一头犹似炸鸡窝头发的老板，控制不住地叫了起来："哦哦哦，原来是你！我找了你好几次，今天总算是碰上了。"

那个老板一见是江文溪，立即热情招呼："咦？贞子小姐啊，今晚有什么特别需要？"

她低咒一声，什么贞子小姐？什么特别需要？

"上次被你害死了，我明明是要买拳皇的碟子，你居然卖给我四张 A 片。"都怪那四张 A 片，要不是那四张 A 片，怎么会引得她上司兽性大发，怎么会害得她深陷情感漩涡而不能自拔。

"你要全黄的，不是 A 片是什么？"

"是拳皇，拳头的拳，皇帝的皇，不是安全的全，黄色的黄啦！"她越想越气，扯着嗓门冲着那老板吼了起来。

周围的人一见这情形，一个个专注地盯着二人看。

那老板挖了挖耳孔，眉头一皱，双手抱胸："小姐，是你自己词不达意，你指名要'拳皇'的碟，谁知道你要的是'拳皇'还是'全黄'？！谁知道你一个大姑娘，乌漆抹黑半夜跑出来会不会有特别需要呢？！"

"你、你、你——"江文溪气得语结。

什么特别需要？！她哪里像他说的那样会是有特别需要的人？连三级片都没看过的她，怎么可能会想看 A 片？真是太过分了！

这该死的小贩明摆着强辞夺理。

"唉哟，好啦好啦，贞子小姐，是我不对。你看再过一个多小时就新年了，大过年的，别生气了，和气生财。那那那，算我亏本，免费赠送你几根仙女棒，你想变什么就变什么啊。"那个老板怕江文溪是个难缠的角色，再这样吵闹下去，会影响他做生意。大过年的，不想惹是生非，要是撞走了财神，那可是触霉头的。所以，他好脾气地抓了几根最好卖的仙女棒烟花，塞在她的手中。

她盯着手中的仙女棒，很是无奈："我不是要你送我烟花啦。"

她本来是要买烟花的，不是来打劫的，只不过刚好发现摊主就是坑她的那个小贩而已，所以觉得很生气。

"那你想怎样？我的姑奶奶，我今天不卖 A 片，我只是想赚点微薄的烟花钱，好过年啊！"那个老板用拇指与无名指对掐，掐着指甲表示这烟花钱有多么的微薄。

她被他这么一说，反倒不好意思，看着周围的人又是那种怪异的目光，和那天晚上的表情无异。

她不免难为情，犯了急："我、我是来买烟花的啦。"她指着手中的仙女棒问，"这个多少钱？"

"十块钱一盒。看在贞子小姐的面子上，我买一送一，十块钱两盒。"

"我不叫贞子小姐。"这小贩真讨厌。她抽了十块钱，往小贩手里一塞，拿起两盒烟花转头就走。

"贞子小姐好走啊，下次想要'全黄'碟，我给你打对折啊！"那老板不死心地高呼。

去死啦！谁要看 A 片！真是受不了这个小贩！她脸都丢尽了！

她气鼓着腮帮，拔腿就跑。

摸着黑，她终于爬上了五楼。

她掏出手机，借着微弱的手机屏幕灯光，在包里翻找着钥匙。

蓦地，手机短信的铃声突兀地响了起来，吓了她一跳，害她好容易摸着钥匙，却因惊吓而颤了下手，将钥匙丢落在地。

"哦，但愿不是那个该死的家伙！"她懊恼地低咒，急急地翻看短信，当看到发信人的名字时，心中升起一股没来由的失落感。

原来是顾廷和。

本想等到零点送上祝福，可是怕到时祝福的信息铺天盖地，我的祝福将被淹没在遗忘的角落里，于是提前送上我的祝福。江文溪，祝你新年快乐，心想事成。如果感到孤单，记得转身，关心你的我就在你背后。顾廷和。

原本心中有着淡淡的失落，却因这则短信而温暖着，更多是感动和欣喜，甚至还有一种被人关爱的满足感。

至少，这世上还有一个人会记得她。

她简短地回了一条信息："谢谢你的祝福，同样祝你新年快乐，万事如意。"

发完了短信，她长叹一口气，喃喃低语："为什么当初选择的不是梨子……"苦笑着蹲下身在地上摸索着钥匙。

就在手触及到钥匙的时候，她听到了除她之外，另一个人的叹息声，还有衣服布料发出的窸窸窣窣声音。

她的身后有人！！！

她蹲在地上不敢起身，也不敢回头，攥着钥匙的手心开始冒汗。

因为这一片小区是老式住宅区，楼梯没有安装过道灯，一旦到了晚上，这里每个单元楼梯过道里都是一片漆黑，如果有歹人存心作案，深更半夜下手，是绝佳的机会。

她在这里住了这么多年，周围的人都知道她的情况，想要摸清她的底细很简单，大年三十打劫她，也比平时更容易。

她只敢浅浅地呼吸着，浓浓的酒气与烟味充斥在黑暗里，之前爬上来的时候，她竟没有留意到这么浓烈的气味。

酒气越来越重，那人向她走了过来。

当机立断，毫不犹豫，她猛地站起身，左臂曲起，迅速回转身给身后之人一个摆拳，直袭那人下颌。

孰知，拳头尚未触及那人身体，她的左手臂已被那人抓住。右拳迅速地再次攻击，依然落入那人的手掌之中。

黑暗之中，那人的眼睛仿佛可以洞察一切，速度快而准。

双手被控，就在她意欲弹腿攻其下盘时，她听到了熟悉的低叹："是我。"

下一秒，整个人便被紧紧地拥进了一个温暖的怀里，熟悉的男性气息夹杂着一股浓烈的烟味和酒气扑面而来，占据了她所有的呼吸。

她的身体倏然僵住，脑中混乱成了一片，一时间，无法思考。

他怎么会在这里？

乐天紧紧地抱着她，泛着酒气的双唇贴着她的耳际浅语："猫爪终于伸出来了？有机会一定要切磋下。"沙哑低沉的笑声自他的喉间逸出。

惊恐、错愕、恼羞……复杂而强烈的情绪一下子全数涌上了心头。

她想挣开他的怀抱，可他偏偏抱得很紧而不愿放手，她唯有无奈地低语："放手好吗……"

"我等了你三个小时，我以为你不回来了……"黑暗之中，虽然看不清他的表情，但依然能够清晰地听见拂在耳边的粗重不稳的呼吸声。

等了她三个小时？他不好好地待在家里和家人团圆，跑出来做什么？明知道她大年三十要去李妍家吃年夜饭，还跑到她门口等她三个小时，他究竟想怎样？

这个莫名其妙的家伙，说来就来，说走就走，从来不考虑她的感受。心情好的时候把她当宠物一样逗弄，心情不爽的时候就说她单蠢。

一个单蠢的人，他还跑来找她做什么？

窝着一肚子的气，她铆足了劲，挣开他的束缚："你喝多了，现在很晚了，你还是早点回去休息吧。"

未待他回应，她已转身。

钥匙尚未插入钥匙孔，她的身体便被强转过来。

"跟我走。"他不由分说地拉起她的手。

"不要。这么晚了，要去哪儿……"力道不及他，怎么也挣脱不开。她不想再做木偶娃娃，任人操纵，任人牵动。

"去了自然知道。"

"不要……"猝不及防，她整个人被拦腰抱起，她尖叫出声，"啊——"她尴尬地再度挣扎，"乐天，你究竟想怎样？！放我下来啦。"

"你要是想我们俩从五楼摔下去，大年初一凌晨进医院，明天上报纸，你尽管动，我不反对。"虽是威胁，同样也是事实。

这乌漆抹黑的楼道，要是摔下去，不摔成白痴，起码也是个半残。

她紧张地伸手紧紧抓住他的衣襟："你、你、你可要站稳了。"

他不禁轻笑出声。

蓦地，对面王大妈家的门打开了。

她见到身穿着睡衣的王大妈，顿时，涨红了脸，压低了声音对乐天道："快放我下来啦。"

乐天充耳不闻。

王大妈见着两人这般情形，笑了起来："哎？小溪啊，你竟然回来啦。你朋友今天坐在楼梯上等了你几个小时，我跟他说你今晚不会回来，他不信，叫他进来坐坐他就是不肯。你回来就好。"

顺着王大妈的视线，她望向楼道地面，光亮映照的地方满是烟头。微微抬眸，她看清了他清俊认真的面庞。

他真的等了她那么久……

她紧紧地咬着下唇，那一瞬间，她的心莫名地隐隐牵痛着……

"要不要借你们光开门？"王大妈又问。

"谢谢，不用了，我们正要出门。"乐天有礼地回应，抱着她向楼下走去。

"哦，那要小心点。"王大妈热情的声音很快消失在合紧的门缝内。

黑漆漆的过道里，只听到她尴尬结巴的声音："你、你、你放我下来，我自己走。"

"不必了，到了。"他已经抱着她出了黑漆漆的单元门。

借着隐隐灯光，她望着眼前应该是银色的陌生跑车，直到他为她拉开车门，她才恍然回过神来。

有钱人真是造孽！一辆车不够，还两辆，一辆比一辆骚包。

一如往常，她坐上了车，他倾过身帮她系好安全带。夹杂着酒气的熟悉气息萦绕在鼻翼四周，牵动着她的每一根神经。

她紧皱着眉心："你究竟想去哪儿？你喝了那么多酒，不可以开车的……"

"你要是累了就睡一会儿，到了我会叫你的。"乐天偏过头浅浅笑着，双眸黑而清亮。

"不要开车，好吗？"如今的路况越来越不好，他喝了这么多酒，还要坚持出去，她真不知道该如何是好。

"相信我，不会有事的。你先睡会儿吧。乖。"宠溺而轻软的声音像是诱哄着她一般。

她闷闷地不发一语，唯有死命地咬着下唇，睁大了双眸，眨也不眨地盯着车前方。

除夕夜接近零点时分的大街上虽是清清冷冷，见不到几个行人，但空中四处可见美丽的烟花。

车子开得飞快，若不是车窗关得严实，似乎能感觉出那迎面打在脸上的寒风有多么刺骨。

从车子起步的那一刻开始，随着车速越来越快，江文溪的心几乎快冲上了嗓子眼，虽然有舒缓的音乐放松着情绪，但她的双手依旧紧紧地攥着扶手，掌心那里，早已汗湿了一片。

她不知道他究竟想去哪儿，但看车子行驶的路线离市区越来越远，似乎是往城东郊的方向。

直到数根高大的石刻雕塑出现在眼前，她才恍过神，万万没想到他急于载她来的地方，竟是城东郊山脚下的市民广场，这里也正是允许燃放烟花的场地。

广场上很多人，都是从市内特地赶来放烟花的。

烟花炮竹流光溢彩，声声不绝于耳，抬首仰望这样绚烂的夜空，她心中竟有种说不出的激动。

"好美……"她喃喃自语。

他淡淡地扬起唇角，牵过她的手："别羡慕了，待会儿轮着你放，让别人羡慕你。"

"啊？"她震惊望着他，不是只是来看烟花的吗？

"跟我来。"他牵着她的手向广场旁摆放烟花售卖点的摊子走去。

摊主见是乐天，满脸笑容："乐先生，你要的烟花全都在这儿。我帮你把这些大家伙全拖到那边空地去啊，这些小的，你待会儿过来拿就可以了。"摊主从身后拖出一个约有大半个人高的方方正正的烟花。

江文溪惊诧地张大着嘴巴，顺着望过去，那里不只这么一个，还有大大小小好多品种，占了好大一个位置。

"谢谢。"乐天拉着正在发愣的江文溪，跟着摊主走到空地。

摊主的服务态度绝对一流，将每个烟花的引火线一一挑出来，方便到时点火，然后还赠送了他们一个打火机。

乐天将打火机塞进她的掌心："去点火。"

面对那么大的家伙，她有些迟疑，摇了摇头："我不敢……"

"有我在。"他安抚着将她推向烟花。

她苦着脸，缓缓弯下身，颤着手打起打火机，明明打火机还没有打着，她就害怕得捂着耳朵逃开了。

连着几次，引火线始终没打着。

一旁，刚点着烟的乐天，优雅地深吸了一口，吐出烟雾，唇角微微上扬，忍不住轻笑出声："算了，第一个我来，下面你来。"

"那，打火机给你。"她意欲将打火机塞给他，只见他扬了扬手指间夹着的香烟。她只好鼓着腮帮认命地捂着耳朵躲向一旁。

他深吸了一口烟，弯下身，将香烟的火星对上引火线，随即冒出"滋滋滋"的火花，他迅速地走开，揽过她向后又退了很远。

"轰"的一声巨响，一朵菊状的烟花在夜空中绚丽地盛开来，眨眼之间，落下之时，又变幻成满天星光，犹如天女散花一般，四周散开，落下，消逝。"咚"的又一声巨响，另一朵美丽的烟花飞向天空，散出五颜六色的光芒，盛开，坠落，以为它就要消逝的时候，又闪动出星星点点耀眼的光芒……

江文溪坐在广场一旁休息的木凳上，专注地凝望着夜空，再不肯去点烟花，只见乐天来回奔波，口中的烟很快就燃没了。

一颗又一颗，仿佛是亮丽耀眼的流星冲向夜空，眨眼之间，流星变幻成一朵朵绚烂的花朵……

喧闹的人群都在为夜空上美丽的烟花喝彩。

最后一个烟花点燃，他缓缓走向她，在她的身边坐下，温柔地揽过她，脸颊贴着她的发丝，声音低浅如风："以前小的时候，最喜欢的就是过新年。因为有新衣服穿，有好吃的，好喝的，好玩的。最开心的，就是到了晚上可以放烟花。可是后来，渐渐地，找不到这种感觉了，究竟有多少年没有这样放过烟花，我都不记得了……"

她缓缓转过头，调动目光，凝视着他的面庞，五颜六色的花火映照在他银白色的头发上，他的脸上，他的身上，忽明忽暗，他整个人仿佛置身于人间幻境一般。

他的发线，他的脸廓，他的眉目，他的鼻梁，他的薄唇……还有他专注而认真的眼神，所有他的一切，都叫人移不开视线。

酒不醉人人自醉，色不迷人人自迷。

她想，他前世一定是只道行很深的狐狸精，否则她原本坚定的心怎么又开始动摇了，心底那就快要熄灭的火苗却总是轻易地被他点燃。

蓦地，他转过头看向她，正好捕捉到她偷看他的痴迷神情，好看的薄唇向上轻扬，明知故问："在看什么？"

两个人相视的面孔，相距只差了几公分，她可以感受到他那带着淡淡烟草味的熟悉气息喷洒在她的面庞之上。

脸微热，她难为情地收回视线，垂眸看向地面两个人的影子。

她想了想，问："你不用陪你的家人吗？"

"他们不用我陪。"他的目光落在远处。

听到他的答案，她抿紧了唇角，心中有了一个不确定的想法。

难道，他和她一样没有家人，亦或是家庭不和睦，所以才会在今夜这样的日子，守了她三个小时？

这些疑问，她没有问出口。

她又偷偷地看了他一眼，似乎更确定心中的想法。

有人说，烟花是寂寞的。

而此刻，她觉得还有比烟花更寂寞的人，是他与她。

她缓缓将头倚在他的肩上，他调整了姿势，让她靠得更舒服一些。

"还有一分钟，新年的钟声就要敲响了，要不要去撞钟许个愿？"他的声音很轻。

她诧异地转眸望向广场正中央架着的一口笨重的撞钟，那边已经有很多人在排队，就等着零点时集体抱住木桩撞响新年的钟声。

撞钟许愿？

她有些怔然，自家人过世之后，她就不曾许过愿。因为那时候她最大的愿望就是时间倒流，家人的生命复还。可是，那是不可能的事。所以，许不许愿对她来说，没有多大的意义。

"不用了，人太多了。我还是在这里看着就好。"她的目光落在那口撞钟上。

"女孩子都喜欢许愿，你为什么不喜欢？"他不解。

"那是自我安慰，就算许了愿，也不一定能实现，何苦给了自己希望然后又失望。"她幽幽地说着。

"我以为你是幼稚梦幻主义者，没想到还是个清醒现实主义者。"他轻笑。

"我哪里幼稚……"她抬首不满地控诉。

"嘘，闭上眼许愿吧，零点的钟声就要敲响了。"他的手臂从她的身后绕过，将她拥在怀中，双手紧紧握住她的，做祷告状。

骤然间，听到广场正中央传来一阵激昂的高呼声，伴随着撞钟"当——当——当——"的激昂声响起。

江文溪怔怔地望着奋力撞钟的人，他们的脸上都洋溢着幸福的微笑。

新年到了。

她缓缓闭上眼，一时间，却不知道要许什么愿望，现在，似乎没什么是她可以要的。

曾经，那么多个深夜，她折了那么多纸蝴蝶，许了那么多个愿望，可是没有一个愿望成真，没有一只蝴蝶能将亲人带回她的身边……

蓦地，耳畔传来低沉如磁的嗓音："江文溪，新年快乐！"

她猛然睁开眼，偏首望向他，生怕这是幻觉。

"心想事成！"是他的声音，没错。他正看着她微笑。

胸腔内，那个承载了她所有心思情绪的东西在一紧一放地收缩着，难以言语的情愫在身躯内逐渐蔓延。

此时此刻，说不感动，那是骗人的。

她原以为昨天的争执已为两人之间这段莫名其妙的关系画上了休止符，孰知，他会在今夜这样一个应与家人团圆的特殊日子等了她整整三个小时。如果不是李妍喝醉了，她不知道他是否会坐在楼道里一直等下去。

在知道身后之人是他时，那一刻，她的心猛烈地跳动着，抑制不住的喜悦与激动填满了整个心房。一天一夜的郁结，随着他的出现而烟消云散了。

他带着她来看这一场绚烂的烟花，她始终都以为自己是在做梦，怕这一切都是幻觉，怕梦醒了之后，如这烟花一般，灿烂过后，便无情地消逝。

可是，"江文溪，新年快乐，心想事情！"这清晰的祝福切切实实地响彻耳畔。今夜，所有的这一切，不是梦，亦不是幻觉，是真真切切的存在。

这是父母和大舅去世之后，她过得最特别的一个新年。如果说李妍给她的是她失去的亲情，那么他给她的是她不曾尝过的爱情。

直到今夜，她终于尝到了恋爱的甜蜜滋味……

渐渐地，眸底呈现一片雾光……

"哭什么？傻瓜。"他笑着俯首轻轻吻向她的眼睫，温柔地吻去她滑落的泪水。

他沿着她的面颊一路亲吻，最终犹如蜻蜓点水，轻啄一下她柔软的吻唇，便稍稍离了一些距离，没有再近一步的动作。

眼对眼，鼻对鼻，嘴唇离了不过一两公分，两人的呼吸清晰地交织在一起。

"谢谢你……"她哽咽着声音，轻道一声，便缓缓闭上眼，双手环住他的颈项，颤着嘴唇吻上了他的唇。

当四片嘴唇紧密贴上的那一刹，她在心中许了一个愿望：如果可以，那就希望这一刻永远停住，不要离去。

激动人心的新年撞钟结束了，广场上，再一次烟花四起，炮竹声声，整个夜空再度变得璀璨而绚丽。

两人一直紧紧地相偎，直到人群渐渐散去，夜幕恢复了原本的安静，他才牵着她的手向停车场走去。

她多看了一眼那流线感完美的跑车，标志好像是一匹黑马，她不知道这是什么牌子，但肯定价值不菲。

坐在副驾座上，她忍不住问："你怎么好好的换车子了？原来那个四环不是挺好的吗？"

"四环？"他抽搐地动了动嘴角，"那叫奥迪，不叫四环。"

"真是蛮怪异的，为什么三菱和五菱可以这样叫，那个不可以叫四环？"

"你该不会以为这辆车叫黑马吧？"

"……难道不是？"她傻笑了两声，以示自己确实是这么想的。

"奥迪叫四环，法拉利叫黑马，我知道了。"他无语地替她系好安全带，然后回答她之前的问题，"有人无聊，硬是送了份新年礼物给我，岂有不收之理？"

他口中所谓的这个无聊人呢，凑巧就是大老板江怀深。

有钱没地方使，硬要瞎编个理由，说是他终于肯正经交女朋友了，非要送他一辆车，他能怎么办？况且他也没理由拒绝长辈的好意。

"新年礼物？"她的嘴角微微抽搐。

有钱人真是造孽！包个红包给个压岁钱就好了，居然送一辆车。为什么男人接受别人的礼物，总会让人想歪。

她上下仔细打量了他一番，怎么看也不像被富婆包养的模样啊。

他刚想发动车，突然想到什么，转身从后座拿过一个礼袋，对她说："我差点忘了，把手机给我。"

"手机？"她一脸惊诧。好好的要她手机做什么？

她翻开包包，摸出那只用了三年的古董手机，有点难为情地交到他的手掌之中。

他看了一眼颜色几乎掉没了的手机，皱了皱眉，便直接关机，从里面取出SIM卡，然后拆开礼袋，取出一款纤秀时尚的淡紫色女用手机。

正当他要将SIM卡更换到新手机里，她急忙阻止他："我的手机还没坏，还可以用的。"

他挑着眉："是吗？那我前天晚上就打了一通电话，你的手机就'自动关机'了，并且你自己也说了手机有问题，有问题那就换。"他还特别强调了'自动关机'四字。

"……"她一时语塞。

"想不到要送你什么，昨天你说手机有问题，所以就买了这个。"他将SIM卡插进崭新的手机里，一并塞进她手里。

"可是……可是……"

上次电饭煲坏了也是他帮她买了新的，每次和他外出吃饭都是他花钱，还有办公室柜子里的咖啡杯，她也拿了一套还给了小梁，现在又送她手机，她不想让他认为她是因为钱才会和他在一起，让他误以为自己是一个拜金女。

"可是什么？"他知道她在纠结什么，直接应道，"男人送女人东西很正常，何况我是你男朋友，有什么可是？"

她憋了半晌，道："我还是用我原来的吧，我用惯了……"伸手就要拿回自己的老爷机。

他白了她一眼，打开车窗，将她的老爷机用力地掷向了车外，接着便听到"啪"的一声，十分完美的机壳碎裂声。

霎时，她的脸色大变："你怎么可以扔了我的手机？"若不是有安全带的束缚，她只怕是要扑向窗外。这老爷机跟着她虽然三年了，可那是她花了一个多月工资买的，明明还可以用的。

"旧的不去新的不来，以你龟毛的个性，纠结到元宵节都不会有结果，所以，我替你做主了。"乐天说完便发动车子，迅速地驶离了"犯罪"现场。

"……"前一刻，他温柔似水，这一刻又恢复霸道蛮不讲理的本质。这人怎么可以在眨眼之间，比她受刺激后变得还要快。

作孽哦！有钱人怎么可以这么糟蹋血汗钱。

她直觉自己的心在滴血。

"天亮之后去我家吃饭。"路程走了一半，乐天突然开口。

可江文溪因他扔了她的老爷机，在车子起动之后就将脸转向窗外，闭上眼睛，生起了闷气。也许是太疲累了，就这样睡着了。

久久得不到回应，他偏首才发现她已经靠在椅背上睡着了，正发出平稳均匀的呼吸声。

他浅浅地笑了笑。

车子飞快地行驶着，并未往江文溪家的方向，而是向城南郊区景湖山庄的方向驶去。

回到景湖山庄别墅，已是深夜两点半。

乐天抱着熟睡的江文溪进了门，还在打通宵麻将的四个人齐齐回头望向他。

江怀深看向对面的严素，语调平缓："你输了，人带回来了。"

严素唇角微扬："你回头看看墙角的钟吧，已经两点半了，你跟我赌的是十二点之前。所以，还是我赢。"

"一条。"江怀深边打边同她分辩，"我们有赌时间吗？"

"当然有赌，不信你问我妈。"严素看了一眼脸上贴着面膜的母亲，"妈，你面膜可以取下了，这个只要贴十五分钟就可以了，你已经贴了一小时了。"

"哦哦哦。"老太太听了，摘下老花镜，那张纸膜直接从脸上掉了下来，"这真是瞎折腾，你让我一快七十的老太太还贴这东西。"

"这不是怕你这么晚睡，对皮肤不好嘛。"严素淡扫一眼抱着江文溪的乐天，"谁叫有人前几天明明答应了今夜带条腿子回来打通宵麻将的，可是，饭一吃完，筷子一丢就跑了。"

江怀深失笑："我和他在顶楼天台坐了有一会儿，没你说的那么夸张。"

严素白了他一眼："重点不在那儿。"

江怀深又笑："行了，明天继续打也一样，人回来就行。"

"哼！我对小江是不是被麻药麻晕了，深表怀疑。"严素不会放过一丝挖苦乐天的机会。她越想越气，这个死小子，敢说她老？她明明云英未嫁，哪里老了？

面对严素的明嘲暗讽，乐天充耳不闻，刚迈上楼梯，想了想，转身向正在看着麻将牌的花姐确认："花姐，客房有准备吗？"

"这个……"花姐捏着手中的牌，为难地直看向严素。

严素接过话："谁知道你晚上在不在外过夜。"严素一直笑，笑得很暧昧。

"你真是有够无聊。"乐天嘴角微微抽搐，转身抱着江文溪上了楼梯。

严素斜眼睨了一眼乐天的背影，云淡风轻地又道："我再无聊，那也比某人强。某人从前天就开始吹嘘年三十一定把人带回来吃年夜饭，结果呢？真是够逊的，好让人鄙夷。"她伸出纤纤细指打了一张牌，笑靥如花，"八万。"

乐天嘴角隐隐牵动，一声不吭地抱着江文溪消失在二楼转角。

严母突然插话："等下，刚才谁打一条的？"

"深哥。"严素努了努嘴。

"哦，那我胡了。"严母将牌推倒，居然是清一色对对胡。

严素摇了摇头，对着江怀深叹息："都说了你今晚必输无疑。"

江怀深只是淡淡地笑了笑。

严母站起身，捶了捶腰，道："阿天已经回来了，这八圈也打完了，我要上楼去睡了，真是闪了我这把老骨头。"

"唉，都散场了，我一个人怎么唱这独角戏？明天，多两个人玩，才更有趣。"严素动手收拾麻将。

"唉，你就别欺负阿天了，别忘了，你是他的长辈。"严母摇了摇头，在花姐的搀扶下，上了楼。

"我才大他九岁，我没老到你们说的那种地步，好不好？"严素咬牙切齿，一个个都说她老，太过分了。

江怀深收拾麻将的手略滞，眼底深处，划过一丝不易察觉的落寞。

乐天抱着江文溪进了自己的房间，将她轻轻放在床上，盖上了被子。

他并没有离去，而是在床沿缓缓坐下，凝视着她熟睡的脸庞。她的皮肤白皙细致，应该就是广告中说的那种如婴儿般的滑嫩吧。

他总是喜欢以指轻触她的脸颊，喜欢看她的脸颊飞上两朵艳丽的红云。心动不如行动，禁不住诱惑，他伸出手，以指顺着脸侧来回轻抚，指腹下的肌肤一如记忆中一般的温暖柔滑，熟悉的触感。

她虽不是他见过最漂亮的女人，但那黑白分明的瞳眸会让人一见难以忘怀，也许正是这样一双眼瞳从一开始就吸引了他。

手指已然来到她的唇角，来回轻轻摩挲，顿下，目光落在她红润欲滴的嘴唇上又停顿了数秒，便艰难地移开。

蓦地，他浅笑出声，有些鄙夷自己那被强抑在心底蠢蠢欲动的歪念。

他微笑着缓缓起身，出了房间，轻轻带上门。

严素立在走廊过道上，双臂抱胸，定定地看着乐天："别说我以大欺小，客房已经准备好了，不用我领你去吧？"

乐天双手抄在西装裤口袋里，淡淡一笑："你早点睡吧，明天你想怎么玩都随你。"

"切！少在那儿雨后送伞，事后献殷勤。明天要你好看。"严素飞了他一记白眼，转身回了自己房间。哼，明天若不让他的钱包瘦一大圈，她严素两字倒过来写。就算是外甥也没情分可讲。

乐天当然明白她的意思，每年在麻将桌上输点钱，让她和外婆开心，这已是他和深叔心照不宣的事。

唇边漾着了然的笑意，乐天神态自若地向客房步去。

"啊——"

江文溪从沉睡中惊醒，以手不停抚摸自己被撞痛的手臂，她完全不能理解自己怎么又跌下了床。

李妍说她睡相极差，每次和她睡在一起，不是自己被她踢下床，就是她自己滚下床，所以家中的床都被迫靠墙放置。李妍要是去了，总是拣靠墙的一边睡，可不管江文溪睡外边会不会跌下去。

李妍会振振有词地说："睡觉靠墙，胜似靠娘。"

事实，江文溪睡在外边，肯定会睡翻下床的。

天啊，她一个人睡时，已经很久没跌下床了。这是怎么搞的？难道昨晚看烟花兴奋过了头？

米白色华丽丽的羊毛地毯赫然刺入她的眼帘，她难以置信地瞪大了双眸，艰难地扭动着脑袋，环视这间装修奢华，充满了男性气息的房间……

哦！卖糕的！

这里不是她家。那就是他家！

第一直觉，她迅速低头审视，看到自己身上正穿着完整的并属于自己的衣服，不禁松了一口气。

还好，全都在。

可是，下一秒，心底又蹿出一阵小小的失落。

如果李妍见到，一定会嘲笑她："哎哟，你真是个好没用的东西，被受过酒精侵蚀的男人带回家，如此良辰美景，浪漫又激情，居然什么事情都没发生？简直是女人的耻辱。"

女人的耻辱……

唉哟，她倒底在乱想什么？

她懊恼地拍了一下自己胡思乱想的脑袋，正想起身将被子抱回床上，这时，身后的门响动，她惊诧地回头，便见到身着剪裁精良的银灰色西装的乐天立在门处，微笑着凝望她。

"你醒了？"声音有些沙哑，却依旧低沉如磁。

她惊慌地收回视线，扭过头，僵硬着身子，抱着被子坐在床边一动不敢动。

天啊！真的好丢脸！

怎么可以让他发现她睡觉滚下床？她真想挖个地洞钻进去。

"你……怎么好好的坐在地毯上？"他走了进来。

耳根之处微微泛热，她将被子往上抱了抱，紧抓着柔软的被面不敢吭声。

他强忍住笑意，走到她的身后，缓缓蹲下，哑着嗓音有意戏谑："刚才我听到你的叫声，那个……你该不会是跌下床才醒的吧？"

"轰"地，血液全数涌上了她的脸颊，她结巴着声音强作辩解："当……当然不是！"她羞愤地咬着下唇，以最快的速度起身，抱着被子，背对着他。

她刚想将被子放好，熟悉清爽的男性气息已然逼近她的身后，下一秒，一双有力的臂膀将她紧紧地纳入怀中。

"我不会笑你的，任何事情发生在你身上都太正常不过了。"说了不笑，他还笑得那么猖狂。

她十分恼羞，左手肘往他的腹部袭去，但听他怪叫一声，紧接着又是一阵大笑。

"好了，不闹你了，大家都等着你下去吃饭呢。"他收起了夸张的笑意。

她听出他的声音有些不对，遂问："你是不是感冒了？"

他轻咳了一声，道："有点吧，不过没什么大碍。我先下去，等你开饭。"他揉了揉她鸡窝一样的乱发，微笑着出了门。

望着他离开的背影，她依依不舍地将视线拉回。

他做什么要笑得这样迷人？从第一次见到他的时候就知道他笑起来的样子

很魅惑人，如今更是了不得。

唉，她就是个易被美色迷惑心智的俗人。

蓦地，她反应过来，那个"大家"该不会是他的父母吧……那个，岂不是这么快就要丑媳妇见公婆……

她什么都没准备好！她哀鸣地扑倒在床上，羞赧地将脸深深埋在被子里。

未过多久，她梳洗好，出了卧室门，小心翼翼地下了楼，深怕自己一个失礼给乐天的父母留下什么不好的印象。

她站在楼梯口，望向不远处客厅里沙发上坐着的人，略有迟疑，是不是就这样走过去？

"小江。"严素从沙发上站起身，热情地向她招了招手，"快点过来。"

严姐？！她惊愕地瞪大了双眸，难以置信地望着冲她微笑的严素，嘴巴张了又合，合了又张，完全不知道要怎么回应。

当看到坐在另一侧沙发上的江怀深回转头看过来时，她的脑袋"轰"地一下，已然成了一片浆糊。

为什么严姐和江董会坐在这里，而不是乐天的父母？！这究竟是怎么一回事？！

严素微笑着向她走过来，挽过呆如木鸡的她走进客厅。

她憋红着脸，朝江怀深打了招呼，颤着声音叫了一声："江董，新年好。"

江怀深十分客气："新年好。不在公司，就跟乐天一样叫我一声深叔就可以了。不必拘束，当在自己家就好了。"

她困窘地望向乐天，满脸疑问，这究竟是怎么回事？

他只是淡淡地笑了笑，轻轻揽过她坐在身边。

严素拿着两个红包向她走过来，笑道："新年快乐！那，这个是我给你的压岁钱，这个是深哥给你的。"

"啊？！压……压岁钱？！"她震惊地望着眼前两个看上去非常厚实的红包，一时间蒙了。怎么还会有压岁钱收？自从她过了十六岁之后，就再没收过压岁钱，因为爸妈说，她拿身份证了，就是大人了，所以这种给小孩子的东西，她不能再要了。但现在奇怪之处并不是为何成年了还可以收到压岁钱，而是，这究竟是怎么个状况？严素和江董是什么关系？他们与乐天又是什么关系？

带着满脑子的疑问，她回过神，连忙推却："这个我不能收！"

严素知道她脸皮薄，将红包硬塞进她的手中，笑道："别不好意思，快收

着。要是以后结了婚，我们可就不会给了。"

"结……结婚？！"她惊诧地张大了嘴。严姐所谓的结婚，是指她和某人吗？好像她和某人还没有到那种深入的地步吧。

她偷偷瞄向身侧的某人，正好撞见他漾着迷人的笑容望着自己。

又来了……为什么从昨夜开始他就这么爱对她笑，如此销魂，叫她如何消受是好。

乐天紧握住她的手，将红包握进她的手心，轻道："收下吧，说不定明年真的没机会拿了，所以能拿一点是一点，不拿白不拿。"

明年没机会拿？他的意思该不会是……

她的嘴角微微抽动，尴尬地握着手中的红包，低垂着头，不敢视人。

乐天神态自若，伸出手，笑望着严素："还有我的呢？"

"你个臭小子！吃完饭就叫你连本带利给我吐出来！"严素又拿出两个红包，气得扇了他两下。

他不以为然，毫不客气地将两个红包收下。

"饭菜好了，可以开饭了。"严母从餐厅走出来。

乐天牵起江文溪的手走向餐厅。

严母见着，非常欣喜："这位就是你们说的江小姐吧。"

江文溪茫然之中，严素已经走了过来，为她介绍："这是我妈，千万别叫她阿姨，要叫奶奶，不然有人会急的。"严素意有所指地望着乐天，眼底尽是戏谑。

"奶奶，新年好！"摸不着头脑，江文溪怯怯地叫了一声。

"乖，这是给你的。"严母给了她一个红包，然后又给了乐天一个，对着他笑眯眯地说，"哎，长得可真是水灵，我们家乐天真有眼光啊。"

这还是第一次有人称赞她长得水灵。

江文溪更加难为情地收下了红包。

原本以为只是吃一顿饭，可是怎么也没料着，竟然收了三个大红包。

餐桌上，严素与严母不停地为江文溪夹菜，热情得几乎让她招架不住，这番情形下，她索性埋头猛吃。

饭后，江文溪还没来得及问乐天，他与严姐还有江董究竟是什么关系，便听见严素嚷着将麻将桌摆开了。

严素问她："小江，会打麻将吗？"

江文溪连忙摆了摆手，道："我不会。"她一上桌，就会控制不住自己的手，若是在这样的日子赢了严姐他们，会非常的失礼。

江怀深走过来，道："不会可以学，自家人玩玩而已，没关系的，让乐天坐在你后面教你好了。"

"我很笨的，你们玩吧，我坐一边看就好了。"她又摇了摇头，说什么也不能上桌。

孰知，话音刚落，她便被带进温暖的怀抱，回过神，她已被按坐在了麻将桌上。

她急了："我真的不会打……"

乐天对她的话置若罔闻，黑眸盯着麻将桌面，道："待会儿跟着摸十三张牌。"他搬了把椅子坐在她的身后，细细地说明了麻将的打法和规则，"明白了吗？"见她一脸茫然，他挑着眉峰，低喃一句，"边打边说吧。"

她当然明白，麻将规则她上小学时就会了，初中时更上一层楼，高中时便是所向披靡。

她点了点头，为难地咬着嘴唇，对身后的乐天压低了嗓音："那个……不管我打什么牌，你可不能说我哦。"

他浅浅笑着，点了点头。

她在心里松了一口气，心道：走一步算一步了，如果待会儿惹毛了大家，她就去蹲墙角画圈圈好了。

洗牌期间，江文溪不停地警告自己，不能做牌，千万不能做牌，可是两只手就是不听使唤，面前的十七墩牌在她的纤指之下细摸之后，牌面很自然地跳进她的脑海里。

真是要命！

摸牌时，她小心翼翼地摸着每一张牌，甚至不敢像平时一样用手指看牌，而是一张张佯装用眼睛看过之后再故意乱七八糟地摆放。

乐天见她放错了牌的位置，伸手帮她理齐，道："牌不错。要这样放，把没用的牌先打了。"

十三张牌摸齐，她不禁叹了一口气，竟是万字清一色的牌。

好吧，把万字全开掉。

乐天坐在她身后，看见她将没用的牌全留在手下，却将一张张有用的万字甩出去，眉头紧皱成了一条线。

在她将最后一张绝只的二万打出去时，他终于忍不住开口："二三四是一起的，五万没有了，你把最后一张二万也打出去，你三四万放在家里做什么？"

"也开掉啊。"她故作轻松地回答，要知道她是好不容易把清一色牌打散了，只要不打深叔要的二五筒，严奶奶要的四七条，严姐要的北风就万事ＯＫ了。

乐天瞪着双眼，郁闷得无话可说。

又听她可怜兮兮地说："你答应过我，我打错牌，你不会怪我的……"

……

最后，是江怀深放炮，打了一张七条，严奶奶和了。

新的一局又开始。

江文溪盯着十三张牌傻了眼，大大……大四喜？！

作孽哦！她恨不能剁了自己的手，都警告自己千百遍了，洗牌时不可以做牌。呜呜呜，大四喜耶，这么有成就的牌，就要这样毁掉了。

纤细的手指夹起一张东风就要扔出去，身后的人见着立即伸手拦下，大喝一声："一条不打，你打这个做什么？"

顿了一秒，她想到了理由："你之前不是说了吗？起手牌见风就打，这个留在家里只会碍事。"

"……"乐天嘴角不停地抽动，声音也不由得大了起来，"我刚才说的是单张，但现在你手上的是三张。"

她当然知道是三张牌，可是不打，再摸两圈过来，这牌必成无疑，说不准还是门清自摸，这局她又是庄家，到时候可不是方才严奶奶赢了十几块钱那么简单。

不行！一定要打。

唉哟，该死的，他抓她的手那么紧做什么，一定要打啦。

抵不过他的手劲，她急着大喊一声："你说了不干涉我打牌的，说话不算话，我不要你坐我后面啦，你走开！"

话音落下，只见乐天瞪着双眸凝视着她，幽黑的瞳仁不易察觉地收缩了一下，下一秒，他松了手，紧抿着薄唇，一言不发地挪开椅子，坐在了严母身后。

气氛一下子变得凝重起来。

众人张大着嘴巴，惊诧的目光在算是在吵架的两人身上来回穿梭。这样也能吵起来？

江文溪垂下眼帘，捏着手中的东风沮丧地紧咬着下唇。她就知道会这样。

生怕脸皮薄的江文溪就这么会哭出来，严素猛踢了乐天一脚，横着眼："你多什么事？让人家自己打，她想怎么打就怎么打。"

严母轻拍了拍江文溪的手背，哄着道："好了好了，没事了。你想打什么牌尽管打好了，别理他。想我年轻的时候学打牌，刚开始的时候，连牌都垒不好呢。"

江文溪咬着唇，紧捏着手中的东风，艰难地打了出去。

不一会儿，严素高兴地叫了一声"和"，依然还是江怀深放炮。

江怀深眉头连皱都不皱一下，淡定地吸着烟，嘴角噙着一抹似有似无的笑意，任由严素从他的面前抢夺走几张钞票。

江文溪惊愕地望着关系暧昧的两人，再细看江董门前打出的牌，另有玄机，原来有人和她一样。那她故意乱打牌的伎俩，也一定逃不过江董的法眼咯？

江怀深似乎察觉她的目光在看他，淡淡地看了她一眼，轻描淡写地说："不要紧张，想怎么打就怎么打，你打得很好。"

她有些尴尬，讪讪地干笑两声。

原本，每当江文溪打一张牌，乐天的眉头便会紧皱一下，但随着牌桌上打出的牌越来越多，他的眉峰挑得老高，目光带着探询的意味凝视着她。

直到捕捉到她明亮清澈的大眼里，闪过一丝不经意察觉的精芒，他紧锁的眉心猛然间舒展开来。

勾起唇角，他迅速地熄灭了手中的烟，拍了拍深叔的肩膀，意指让他来玩一局。

江文溪并不知乐天已经看破她的小伎俩，咬着嘴唇呆呆地望着他俊朗的身姿在对面坐下，以为他还在生气，气不过才会坐上牌桌。

"该你打牌了。" 性感的薄唇微微上扬，他轻敲了下桌面，沙哑着嗓音提醒盯着他发呆的她。

她恍然回神，抬眸的瞬间，恰好撞见他那双勾人心魂、幽深含笑的眼眸。

又来了……

她喜欢看他的笑，但又怕见着他的笑。以前他要是这么对着她笑，就意味着她要倒霉了，但经过昨晚，他似乎对她笑的次数多了，那笑容里包含的再不是曾经的威胁与警告，更多是堂而皇之的赤裸裸的勾引。

真是要命！胸口之处，那颗不安分的心又在"扑通扑通"乱跳个不停。

她赶紧垂下眼帘，颤着手打了一张牌："三条。"

"三条，碰。"乐天打了一张牌，将她打出的三条很自然地收回面前。

她抬眸看他，嘴角处那浅浅的笑意，暗藏着一丝难以察觉的狡黠。

她怔了怔，暗念：一定是错觉，是错觉。

之后，她无论打什么牌，他不是碰便是杠，她手中的牌对他来说仿佛透明了一般，从头到尾没有放炮过一次的她，居然连着放炮三把。

洗牌间，严素故意调侃了起来："真是肥水不流外人田啊。"

她表面镇定地垒着手中的牌，心中早已澎湃不已。早在打第二局的时候，她就明白了一件事：对面那个满面桃花的坏男人，是故意与她作对的，其实他早就看穿了她会打麻将，才会主动请缨坐上桌，目的就是想逼她出手，看她还怎么装下去。

这个可恶的家伙，竟然对她使美男计！

再这么玩下去，她一定会暴露的，得想法子开溜。目光恰好瞥见正在抽烟的江董，好似抓住了救命稻草，她急中生智："深叔，你帮我打一把，我去一下洗手间。"

"好。"江怀深熄了手中的烟，微笑着一口答应，他也猜到这丫头快顶不住了。

就在江文溪逃向洗手间的下一刻，乐天将位置让给了坐在一旁观看已久的花姐。

江文溪一边走着一边在心底咒骂着乐天，不帮她就算了，还故意拆她的台，哪有像他这样当男友的。

听到身后有脚步声跟来，她迟疑地顿住脚步，身后之人似乎非常配合，也顿住了脚步。

不用说，一定是那个拆她台的家伙。

她在心底又咒骂了一声，顿住的脚步向前迈进，手刚要搭上卫生间的门把手，一只大掌先她一步，撑在了门板上，熟悉的气息混着淡淡的薄荷清香伺机混入她的鼻息。

"没想到你还会使尿遁的烂招。"戏谑的声音在她的耳边寸许处响起。

她没有回头，故作镇定地回道："哪有？我是真的想上洗手间，你让开啦。"

"生气了？"他轻轻扳过她的身体，拨开垂在她耳侧微乱的发丝。

她鼓起腮帮，有些埋怨："你既然知道了，干吗要那样逼我？"

"谁让你隐瞒会打麻将的实情？你知不知道这是对别人的变相侮辱？"

"我只是想严姐和严奶奶开心嘛，如果我从头赢到尾，扫了大家的兴，那多失礼。"

"你有那本事能从头赢到尾吗？讲大话也不怕鼻子变长了缩不回去。"

"谁说不能？！我师傅可是当年全 N 市警——"她原本想说她师傅是当年全 N 市警局里最闻名的反千高手，外号"老千杀手"，转念思及前天为了警察的事与他闹得不愉快，她便及时住了口。

"你还有师傅？"他万万没想到她会在这方面拜师学艺，"你师傅是全 N 市什么？"

"呃……"虽然不知道他为什么那么讨厌当警察的，但还是避免提到这个会引发争执的字眼比较好，"那个……那个……我师傅他……"她的脑子飞速地转着，有什么词可以代替"警"字发音的？眼睛不停闪烁，突然想到什么，她激动地道，"他是全 N 市境界最高资格最老的麻将高手，经常出入市内小区各大棋牌室。境界，是境界，非一般的境界！"

乐天的眉峰微扬，虽觉得她言辞有些怪异，也并未特别留意，只是好奇："你怎么会拜师学这种东西？"

她在心底松了一口气，面对新的问题，突然有些不好意思："说来丢人。"

"你丢人的事还嫌少吗？"

"……"

"说来听听。"

"……不讲，丢人。"

"我不会笑你的。"

"不行。"

"那我——"

眼见他的脸越来越近，她紧张地以双手抵着他的胸口，激动地叫了起来："我说我说！"

一想到昨晚在广场木凳上，两个人忘我地接吻，居然丢人地跌翻在地，思及，她就十分崩溃。如果在这卫生间的门口，要是他不懂得节制，弄坏了门，她就别想抬头做人了。

果然，他满意地撤离了寸许。

"唔……其实，就是以前上学的时候，放暑假和同学一起玩，老是打麻将输给他们。然后输了的人要往脸上贴纸条，每次四圈下来，我的脸上就全贴满了，还被同学拍照。开学后，不知道哪个缺德鬼，把我那张照片贴在学校宣传栏里，结果全校师生都知道了，为此我还被记了一过，理由是在校学生不可以赌博。再后来，为了一雪前耻，我就去拜师了。说来，这个理由还真的可笑。你说我是不是很傻？"话音落下，她便注意到身前的男人已笑得几近站不住，就差没挂在她的身上，"喂，你说过不笑我的，竟然笑成这样！"她瞪着眼，羞愤地咬着牙，身体都在颤抖。

他强抑住笑意，哄道："不笑了，不笑了。"

她嘟着嘴，有些郁闷，想到大学时曾经有一段时间，不得不靠这种旁门左道赚学费，幽幽地接着说道："你知道吗？我不轻易打麻将，是因为以前还小，不懂事，以为这种伎俩很了不起，后来把人全得罪光了，别人都不愿意和我打。爸妈和大舅他们去世之后，我曾为了交学费，利用这种伎俩，赚过学费，有一次，差点被抓……后来，我就发誓，再也不摸麻将。"实际上，她真的因为出老千而被抓，因为警局上下全都认识她，念在大舅的旧情上，只是狠狠地教育了她一番，放了她。还好，师傅他老人家先大舅一步去世，不然一定不会轻饶她。

听了这番话，乐天的心底倏然冒出一丝酸涩感，似乎有什么被触动着，眼神也变得深邃而幽幽无底，就这么深深地凝望着她。

下一刻，他伸手将她轻轻纳入胸怀。为了不想她难过，故作轻松："原来你还有这种特长，不简单，我可以考虑投资一家棋牌娱乐连锁店。"

她趴在他胸前，闷闷地说："我很笨，小心亏死你。"

"嗯，是很笨。不过我没说让你去看场子，端茶倒水扫厕所，应该是能应付的。"

"……你真要这样无情啊？"耳边满是他毫无掩饰的嬉笑声，她不停地以牙齿蹂躏着下唇，窝在他的怀里，鼓着腮帮，生着闷气。

蓦地，她想起先前一直困扰着她的问题，抬起头问："对了，严姐和江董，他们跟你究竟是什么关系？还有，这里究竟是你家，还是哪里？"还有一句"你的父母呢"她没有问出口，她怕结果会和她猜测的一样。

他凝视她片刻，没有松手，浅浅笑道："我还以为你不会好奇呢。"

"什么关系？"她十分好奇。

"这里是严素的别墅，她是我的小姨，奶奶是我的外婆，深叔是我的恩人。至于严素与深叔之间的关系，就如你看到的。"

她惊愕地咬了下嘴唇，更加不解："可是你不叫外婆，也不叫小姨，很奇怪啊。"

"习惯成自然。"

"啊？严姐和江董……真的是那个？"

"那个？哪个？"

"就是像——"她在自己和他之间比划了几下，见他一直挑着眉，她憋了好久终于吐出，"就是像我们这样。"

"我们怎样？"

"你知道的。"这男人有点过分了。

孰料，他讪笑一声道："嗯，我不知道。"

"……"

"嗯哼！那个，麻烦你们俩能不能换个地方谈情说爱？"

身后传来熟悉的声音，江文溪惊慌地转眸，见是严姐，她便对乐天使了眼色，示意他松开拥着她的手臂。

乐天不以为然，转过身，改将她轻轻揽在身边，微笑着望着严素："输了？"

"怎么可能？"严素双手抱臂，意味深长地看着乐天，语带嘲弄："楼上房间很多，别堵在这里妨碍别人。"

江文溪窘得涨红了脸。

"嗯，不打扰你进去改运气。"乐天不以为然，反讯一句，微笑着揽着江文溪回到客厅。

严素凝望着两人离去的背影，挂在嘴角之处的笑意渐渐隐了去，眼底尽现一片淡淡的哀伤。

又是新年了，她又老了一岁。二十几年了？她自己都记不清了。她羡慕江文溪，至少阿天守了江文溪一晚，守到了她。可是有人宁可守一个已经不存在的人一辈子，也不愿将就。一直以来，她觉得自己的人生是失败的。

苦涩一笑，她推开了洗手间的门。

快乐的时候，时间总是溜得飞快。

当江文溪反应过来，已是傍晚，这时才想起要去李妍家。打开手机，赫然发现三十多个未接电话，二十几条短信，面对这恐怖的数字，她吓得魂都要飞了，颤着手，软了腿，连忙给李研回拨了过去。

电话刚接通，便听到李妍紧张的声音："是不是溪溪？"

"妍妍，是我——"未等江文溪说完，电话那端便传来一阵河东狮吼："江文溪，你死到哪里去了？！你知不知道，你家里电话没人接，手机又不回，我以为你昨天晚上回家被人劫了，打电话找小顾要报警，结果人说不满二十四个小时不可以报案。你知不知道我有多担心你？你知不知道我爸妈听到你失踪了，今天一天都提不起劲？哎，你知不知道？！你知不知道？！你知不知道？！死丫头，你给我说，到底死哪里去了？！"

江文溪十分内疚，知道自己这叫有异性没人性，她不停地道歉："妍妍，对不起，我不是故意的，对不起哈。"

"对不起个屁啊，你到底死哪儿去了？你给我说清楚！"

"昨晚从你家回去后，我就和乐天去城东广场放烟花啦，然后回来的时候半路上我睡着了，乐天他不想打扰我睡眠，就带我去他外婆家了，现在我还在他外婆家。对不起啊。"

她解释完，却久久听不到那端的声音，试探地叫了几声："妍妍！妍妍！你还在吗？"

依然还是听不到李妍的声音，她急了，对着手机喊了起来："妍妍，你别生气啊，我真的不是故意不告诉你的。对不起啊，妍妍。我马上就去你家，一个小时之内一定到。"

"谁要你死回来啦。"终于等到了李妍再度开口，"江文溪，你给我老实回答，昨晚，有没有被白发帅哥吃了？"

做什么要问这种没营养的问题？

对着一片湖水，她的脸红得好似熟透了的蕃茄，她避开身旁的乐天，向

前走了很远，压低了声音急急地道："没你想得那样啦，我怎么可能会做出那种事？"

果不其然，便听李妍鄙夷了一句："唉哟，你还真是有够丢人。算了算了，女孩子保守点是福。"

"我马上去你家，和阿姨叔叔道歉。"

"唉哟，不用了，你还是待在白发帅哥的身边，多培养下感情比较好。明天初二记得回来就好了。"

"不要，我马上回去。"

……

两人在电话里争了一会儿，她还是坚持要回市里。李妍懒得再争，索性随她好了。

挂了电话，江文溪转身向身后的乐天道："妍妍和叔叔阿姨都很担心，我还是先回去了。"

乐天点了点头，也觉得她应该和朋友及其家人当面解释下会比较好。

江文溪谢绝了严素与严母的再三挽留，乐天开着车送她回了市内。

车子稳稳地停在李妍家的楼下，江文溪的手刚搭上安全带的解扣，眼前一片阴影投了过来，温暖的手掌随即覆在了她的手背上。她愕然抬首，一双漆黑的眼眸正灼灼地凝望着她，那削薄的唇角勾勒出一道优雅弧线。

又是那种令任何女人都不能抗拒的魅惑眼神，她扯动着嘴角，小声提醒："我要下车了——""能不能将手拿开"这句她原本将要说出口的话，却因那熟悉的气息迎面而来，而倏然住了口。

乐天伸出另一手，轻轻扣住她的后脑勺，沙哑着嗓音轻道："就这样下车吗？不来个特殊的告别方式吗？"

温热的气息不停地撩拨着她的神经，她害羞地偏头望了望车外，虽然车灯未亮，可是车外还有那么几个三三两两走动的人，不知道经过车前，能不能看见车内的情况。

"可是……车外还有人……"她羞赧地开口，身体也下意识地往后缩了缩，但眼前的人却霸道地不允。

"我保证外面的人看不到里面。"他扬了扬眉，同时听见"吧嗒"一声，安全带解开了。

好吧，那就豁出去吧。

她将脸缓缓凑向前，正要亲吻上他脸颊的时候，孰料，他微微偏首，吻刚好对上她的唇。她惊愕地瞪大了眼，未等她反应，他已经扣着她的后脑勺紧紧地将她纳入怀里，细细密密的吻落了下来。

唇齿纠缠间，她直觉车内的空气越来越稀薄，不知是因为车内的空调越吹越热，还是因为乐天的怀抱太过温暖，灼热的温度让她不禁以为车子燃烧起来。

　　她的双手紧紧地抓着他胸前的衬衣，渐渐地，身体虚软到再无力支撑两个人的重量，整个人向后仰去。只听闷闷的一声玻璃响，她的后脑勺压着他的手撞在了车窗玻璃上。

　　倏地，她紧张地睁开双眼，却见眼前的人一副心满意足的样子对着她微笑。

　　"你的手……"目光轻瞄了下两人之间暧昧的姿势，她的脸颊又控制不住地滚热起来。

　　他淡淡地笑着，轻轻将她拉起，自己也坐直了身体，道："玩得开心。我等你电话。"

　　"嗯，你回去路上也要小心。"开了车门，她下了车，向他摇了摇手再见。

　　银白色的车身很快便消失在夜幕中。

　　江文溪沉浸在甜蜜之中，脸上洋溢着难以形容的幸福笑容，正欲往李妍家步去，孰知，一个转身，便被身后的人吓得尖叫出声："啊——"

　　李妍咬着牙，恶瞪着她，凶道："叫什么叫？！"

　　"妍妍，真是被你吓死了。"江文溪拼命地拍着胸口，就怕心脏受不了负荷，一下子蹦了出来。

　　李妍一手叉着腰，一手死不停地死命戳着江文溪的脑袋，咆哮着："吓死了？！我们全家才被你吓死了。你这个臭丫头，只要美色当前，你的魂就不知道被勾哪儿去了，哪里管我们死活。"

　　"哪有你讲的这么难听……"江文溪一边躲着一边低鸣。

　　"哼！重色轻友！有异性没人性！我今天算是认识你了，臭丫头！"

　　"我就这一次，可你有异性没人性的时候，我的双手双脚都不够数……"

　　"江文溪！！！"

　　江文溪成功惹怒了李妍，为了躲避李妍的"天马流星拳"，只得抱头鼠窜，直到逃进了李妍的家门，有李妈挡着，总算是人身安全了。

　　晚饭的时候，江文溪解释了自己消失一天一夜的原因。李妈妈得知她交了一个男朋友，直嚷着改天带回来瞧瞧。突然间，她有些不好意思，因为她不能确定乐天是否愿意同她来见见算是她半个父母的叔叔阿姨。

　　倒是李妍嘴快，还唱起了反对票："溪溪又没说要嫁他，这么急着见干吗？这样我们溪溪会掉身价的，起码也得谈个一年半载的，我审核过关了，他才能进我们家门。"

李妈妈白了李妍一眼："那你的那头熊审核过关了没？我们老两口能见他了吗？"

李妍连忙扬着手，打起岔："哎哎哎，吃饭吃饭，别在饭桌上说这么些没营养的话，会消化不良的。"李妍最怕提这事，如果要是老爸老妈看对眼，怕是下一步就逼她结婚，她和熊亦伟说好了，要好好逍遥逍遥，所以谁家父母都暂时不见。

江文溪总算见着李妍有吃瘪的时候，除了李妈妈能在气势上压倒她，怕是真没人能有这个气场了。

吃完了晚饭，江文溪和李妍两人坐在床上打纸牌麻将，依着往年的老规矩，谁要是输了就要往脸上贴纸条，然后拍照留证。

江文溪只使出了三分力，所以李妍才免于满脸是纸条。

一声陌生的手机铃声响起，江文溪完全没有意识到那是自己的新手机在响。

李妍瞄了一眼床头自己的手机，好奇地问她："是你的手机在响吗？我记得你手机不是这个声音啊。"

她怔了怔，赫然想起她的老爷机在昨晚已经被乐天毁了，她跳下床，从包里翻出那部漂亮的新手机，打开一看，果然是她的手机在响，有一条新短信进来。

她正奇怪会是谁给她短信，打开一看，竟是乐天，只有简单的三个字：在干吗？

新的手机还没来得及研究透彻，花了一分多钟的时间才回了"和妍妍在打纸牌麻将"几个字。

发完了短讯，她对着手机傻笑着。

李妍瞄见了那部漂亮的手机，立即跳下床，一把夺了过来，大声叫道："啊啊啊，这款手机是前几天才上市的，要四千多块，我咬碎了我满嘴的小银牙还是没舍得买，你什么时候买的？"

她瞪大了眼，指着手机惊道："什么？！你说这个要四千多块？"

"嗯，四千多块，哎哟，真是越看越喜欢，这月发工资我也要败一个回来。"李妍兴奋地捣弄着手机，猛然意识到江文溪不知道手机价格，她倏地抬起头，"这个，白发帅哥送你的？"

她满脸愁绪，喃喃自语："竟然这么贵……"

李妍眯着双眼，依然可以看出眼底闪烁着的兴奋又激动的光芒，狠拍了几下江文溪的肩头，称赞："哎哟你个死丫头，总算像回人样了。"

她被拍回过神，锁着眉头，收回手机，道："不行，这么贵的东西，我一定要还给他。"

李妍不可置信地瞪大了双眼，以手指戳了下她的脑袋，道："你又开始犯傻了不是？手机还他，是他能用，还是他能送别人用？虽然我对他不是很了解，以第一次在酒吧见他那副要生吞活剥你的恐怖模样，你要是把这部手机还他，他一定会砸烂了它以泄愤。要知道，男人最要紧的是什么？面子！懂吗？你还会去，不是驳了他的面子？"

她咬着嘴唇，望着手中的手机一时间迷茫了。李研说得没错，她可以想象出他暴怒的模样，不是一定会砸，是他已经砸了她的老爷机。

真是好讨厌，他做什么要送她这么贵重的东西？

李妍推了推她，道："哎，情人节就快到了，你要是觉得收这么贵重的东西心里不安，那情人节买份礼物送他好了。"

她抿起嘴唇，总算舒展了双眉，点了点头。

又一条短信过来，这次的内容是：你脸上贴条了吗？她扯着嘴角笑了开来，回了一条：当然没有。

两人一来一往，李妍深感受了冷落，噘着嘴，逼她和白发帅哥道晚安。

她唯有无奈地发了一条短信：妍妍吃你醋了，晚安。

那端，乐天收到短信，笑着回了几个字：就这么晚安？

她收到短信，红着脸，打了一个字：啾。

乐天见到"啾"字，脑中浮现出她闭着双眸噘着嘴的模样，禁不住笑出声，回道：勉强过关，啾！晚安。

这边，她抱着手机傻呵呵地笑个不停，引来李妍无数白眼。

第二天年初二，江文溪一早回到自己的家，刚走到楼下，就看见顾廷和倚在车旁，烦闷地抽着烟。从认识他以来，她鲜少见着他抽烟。

她快步走过去，叫了他一声："廷和。"

顾廷和回眸，一见是她，便熄了手中的烟，一脸欣慰："看到你没事我也放心了。妍妍昨天很担心你，给我打电话的时候一边哭一边说。"

"真不好意思，给你添麻烦了。"江文溪十分内疚。

"你没事就好，今天看到你人，我也就放心了。"顾廷和将手插进裤子口袋里，目光落向别处。

"我以后会注意了。"江文溪咬了咬唇，"要不要上楼去坐坐？"

"不用了。我想我应该走了。"顾廷和勉强笑了笑。

江文溪突然不知道要说什么好，许久，便道了一句："那你路上开车一定要小心。"

顾廷和怔怔地看着她，终于忍不住问道："文溪，你真的是在和他交往吗？"

江文溪有些奇怪，不明白顾廷和为什么这样问。

顾廷和补充："就是江航的乐天。"

江文溪点了点头，道："嗯，是的。"

"那你对他了解吗？你了解他这个人吗？认识他之前，你了解他以前的人生是怎么样的吗？比如他以前做过什么，他的家庭，等等，这一切，你都了解吗？"顾廷和又道。

江文溪错愕。顾廷和说的这些，除了昨天她刚知道严素是他的小姨，严母是他的外婆，江董是他的恩人，其他的她全都不知道，对她而言，这一切就像一张白纸。

她有些紧张："廷和，你究竟想说什么？"

顾廷和望着不知所措的她，大约明白了她根本不知道乐天曾经坐过牢的事。他看着她，很认真地问："如果那天，那场电影，我没有失约，教你游戏，我也没有晚来，你会选择我吗？"

旧事重提不免让江文溪显得尴尬，如果不是他失约，不是那个拳皇惹的祸，也许在一起的会是和他。

"廷和，对不起。咖啡杯是我真心实意要送给你的，可是，任何事情都是无法预料的，那时的我从来没有想过，有一天我会和他走在一起，而不是你。但是，感情一旦开始了，就再也停不下来。"她并不是一个会见异思迁的人，也无意伤害任何人，怪只怪，他与她错失了太多。

"我明白了。"顾廷和一脸黯然，他没有输给任何人，而是输给了时间。他转身拉开车门，顿了顿，又回头对她说："文溪，不管怎么样，你要记着，一定要好好地保护自己，千万别让人欺负了。如果发生什么事，记得一定要打电话给我。"

江文溪似懂非懂，只是点了点头，看着顾廷和坐上了车子，车子在起动的那一刹，她激动地大叫了起来："廷和，我从来没有想过要伤害你，我是真心把你当好朋友当知己看的，因为你，我才找到了人生的自信。不是我贪心，是我真的不想失去你这个好朋友。"

顾廷和先是一怔，接着苦笑。

难道她不知道吗？男女双方，一旦一方对另一方有了爱情，那就永远都不可能再做好朋友了。

车子远去，江文溪依然站在那里一动不动。

也许，赢得爱情，就注定要失了友情。

第八章

最怕天雷勾地火

一个男人，

若是对前度女友、

前度情人或是其他

不相干的女人多情等同于犯罪。

因为，他让一个又一个的女人

有了太多不现实的幻想。

所以，每个人都会明白：

爱情之中，不能做烂好人，

否则会引来一身的麻烦。

时间过得飞快，转眼春节已过，又到了上班的时间。

乐天一如之前，每天都会去江文溪的家中用早餐，但江文溪坚持在公司附近提前下车，然后走去公司上班，乐天只得依她。

某日，他按响了她家的门铃，她开了门之后，却立在门处一动不动，目不转睛地盯着他的头发看。

过了半晌，才听她道："那个，你有没有发现，你的头发好像白的少了一点，黑的多了一点。"

他浅浅一笑："是吗？没怎么在意。"

其实早在过年的那几天，他就发现自己的头发有了明显的变化。严素甚至当着外婆和深叔的面调侃："爱情真伟大"。

"你要不要去染个发？"她好心提议，她觉得他头发变黑了，会更帅一些吧，虽然这样也很帅，但是很招眼啦。

"不要。"他想都不想直接拒绝。

后来，她也放弃了，如果他真的想染发，也许早就染了，不会等到今日。

又过了几天，便到了期待已久的情人节。

一如八点档狗血电视剧一般，江文溪坐上乐天的车子去了市中心一家五星级饭店。两个人坐在格调优雅的餐厅里，有鲜花有美酒，最夸张的是旁边还有人为他俩拉着优雅动听的小提琴。

可这让江文溪浑身不自在，曾经她十分羡慕偶像剧里的那些女主角，能在这样优美的环境里和男友共享一顿浪漫的晚餐，她从没想过有一天自己会像那些女主角一样坐在这里。

她好不习惯，虽然与乐天吃过很多次饭，可是每次用刀叉总是那么别扭，她觉得自己用刀叉的样子很蠢，总会忍不住问他，是不是该这样，是不是该那样。其实她更想说他们会不会笑她，还有能不能拜托拉小提琴的离远一些，这样真的没法吃啊。真不知道为什么要这么高调。

乐天知道她那脑袋瓜子在想些什么，吃到一半，他从身边的袋里拿出一个漂亮的礼品盒送给她，语调平淡且漫不经心："送你的情人节礼物。"

差点被口中的食物噎着，她怔怔地抬眸看眼前那个包装精美的礼品盒，咽下食物，眉头蹙起，咬了咬下唇，说："除夕夜你才送过一个手机给我。"

"那是除夕，今天是情人节，这是情人节礼物。"他的声音轻而温柔。

是这样的吗？

她也有准备礼物，可是憋了很久都送不出手。

她默默地接过礼物，心念：又不知是什么贵重的东西。

她刚想拆开，却被乐天按住了手："回家再看。"上次送她一个手机，她喋喋不休地念了好久，这次送的东西比手机要贵重得多，如果她现在拆开来，这顿饭也就吃不安生了。

江文溪只好将东西收好，过了半晌，她放下刀叉，不好意思地从身边一个纸袋里又摸出一个纸袋，然后低着头递给乐天，声音低得好似蚁子在哼："情人节快乐！"

乐天很意外，勾了一抹淡淡的笑容，接了过来，打开纸袋，一条亮丽的粉红色斜纹领带赫然映入眼帘。

目光落在这粉色斜文的领带上，他有瞬间的错愕，嘴角微微牵动，细细地看了又看，脑中不停地构想自己系上如此新潮的领带会是怎样一番情形，似乎这么多年来，他还没系过这样亮丽颜色的领带。

江文溪见他的表情有些呆滞，心猛地收缩了一下，难道他不喜欢粉红色？可商场里那个营业员拍着胸脯保证粉红色是今年的流行色啊，说什么领带是男人将内心世界传达出来的最佳配饰，这款斜纹的系起来不会太张扬，只会更显男人的魅力。

本来还有些犹豫，可是这款领带真的很漂亮，虽然没见过他系过这种颜色的领带，但她觉得他系起来应该会很好看。李妍见她犹豫不决，也鼓励她买，说他戴这种粉色的一定会是人群中最炫目的焦点。可是不需要领带的衬托，他本来就是人群中最炫目的焦点。最终，因为喜欢，她还是买下了，甚至还花了她大半个月的薪水。

可是为什么他会是这种表情？似乎不太喜欢这份礼物。

"你要是不喜欢这个颜色，我拿去换好了。"难掩沮丧，她伸手就要去拿回那个礼袋。

乐天反应过来，紧张地将礼袋收在身边，挑着眉："谁说不喜欢？"

"可是你那是什么脸？"

"沉思的脸。"他理直气壮，"我在想要配什么衣服。"

"……"真是讨厌的家伙，想要配什么衣服不能回家去沉思吗？差点让她以为他不喜欢。她气鼓着腮帮，捣弄着盘子里的食物，嘴角之处却忍不住漾起一抹开心的笑容。

突然想到电视里的情形，于是她端起红酒，对着乐天浅浅笑着，道："Cheers！"

乐天见她那副呆样，忍不住轻笑出声，端起红酒刚想说一声"Cheers"，这时，手机铃声响了。

他接起电话，脸色在瞬间变了，原本欢喜的神情不复存在，取而代之的是满脸的愤怒与焦虑。他淡淡地道一句："我马上就来，你们给我看着她，别让她乱来。"

江文溪一脸错愕，放下酒杯，手却依然紧紧地握住杯身，不安地问："发生什么事了？"

"我马上要去Ｋ．Ｏ．一趟。"乐天迅速起身，对服务生招了招手，"买单。"

江文溪不安地看着他，似乎从认识他以来，鲜少有见过他会这般慌乱，究竟出了什么事？

她不知所措地咬了咬嘴唇，轻问："要不要我也去？"

"不用。"乐天直觉脱口而出，但见她咬着唇，仿佛像是受了伤的小兽一般的表情，知道自己太过于焦虑的语气伤了她，于是走过去，牵起她的手道，"跟我来。"

又是一阵惊愕，江文溪回过神，人已被乐天带出了饭店。

车子飞快地行驶在去Ｋ．Ｏ．的途中，甚至一连闯了好几个红灯。坐在副驾的江文溪回忆起她砸散了乐天急要的壁布样本那一次，当时，他也是这样疯狂地开着车子。

她紧抿着嘴角，一只手不停地捏身上的安全带，另一只手紧紧地握住扶手。在闯了第三个红灯的时候，她忍不住偏首看向正在驾车的乐天，他的脸色十分凝重，眉头锁成了一条线。她咬了咬嘴唇，转过脸看向窗外，一颗心忐忑不安。

约莫过了二十分钟，车子嘎然停在了Ｋ．Ｏ．。

乐天松了安全带便直接下了车，将车钥匙抛给了门口的泊车小弟。

江文溪脸色苍白地下了车，胃里那翻江捣海的滋味使她扶着车，身体立在那儿一动不动。她抬起头，目光直直地看着快步走向酒吧大门的乐天，心口有种难以言明的痛楚。以往上车下车，他都会主动地为她系上和解掉安全带，可是今晚，他却忘了为她系上和解掉安全带。

究竟是什么重要的事，他会这样着急？

"江小姐，你没事吧？"泊车的小弟见过江文溪很多次，知道她是老板的女友，自然不敢怠慢。

"哦，我没事，谢谢你。"她浅浅笑了笑，深吸了口气，向酒吧大门走去。

进了酒吧，江文溪远远地便看到乐天跟一个女人在争吵，那个女人扬着手中酒瓶冲着他嘶吼，让他别管她，让他有多远滚多远。

在那个女人拨弄头发的一瞬，她看清了，是那个她在这里经常见到的非常美丽的女人——曾紫乔。

江文溪有些茫然失措，脑子里也开始胡思乱想起来，似乎从认识乐天开始，就常常可以见到这个女人，无论是酒吧，还是办公室，任何的电话他可以不接，但唯独这个女人的电话，他一定会接会回。这个女人究竟与他是怎样的关系，为什么会让他这样激动地冲过来？

她咬了下唇，缓缓地向二人走去，若不是酒吧里音乐还在响着，她可以想象出这个女人的声音有多么的歇斯底里。

她见着她举着酒瓶对他嘶吼："我喝酒关你什么事？我是死是活关你什么事？我又不是你什么人，你管我做什么？！"

乐天寒着俊脸，大步上前一把夺下曾紫乔手中的酒瓶，扔给一旁的服务生，冷冷地说："你喝多了，我懒得跟你讲。"

"好！K.O.是你的，那我去别的地方喝，我就不信你有本事让全N市的酒吧都关门！"曾紫乔愤怒地抓起身旁的包就要走。

江文溪原本表情就有些失落，再也没想到自己会见着这样的一幕，乐天跟着冲向前一把拉过曾紫乔，将她抱住不让她走。曾紫乔回转身，像是发了疯似的拼命捶打他，最后哭喊到无力唯有伏在他怀里伤心地低泣。乐天低声哄了她有很长一段时间。

江文溪脸色苍白，表情僵硬，喉咙犹若堵了什么东西似的，脚下更像是灌了铅一般，立在那儿无法移动自己的脚步。

她望着紧紧相拥的两人，身体打了个寒颤。她想走，可是却移不动自己的脚。

有时候，眼见不一定为实，耳听更不一定为实。

他让她跟来，一定会给她一个解释。

但是，酒吧里越来越多的人望着他们两人窃窃私语，那种想要逃开的欲望愈来愈浓烈，就在她下定决心要转身的时候，只见乐天抱起曾紫乔，大步流星地向她走过来。

他抱着曾紫乔在经过她身边的时候，她听到他对自己说："跟我走。"

江文溪闻到曾紫乔的身上满是酒气，一头卷曲的长发凌乱地披散着，遮住了她在不停啜泣的精致脸庞。

江文溪苍白着脸，咬着唇，脑子里混乱一片。

是她要跟来的，他又叫她再跟着走，那就走好了。她紧紧地攥着拳头，复松开，深吸了一口气，僵硬着步伐，跟了上前。

乐天将曾紫乔抱进后座，折回车前，见江文溪还没跟上来，他深锁着眉心，直接走过去，将她拉了过来，塞进副驾座。

江文溪咬着嘴唇，系上安全带，头偏向窗外，一句话也不说。

乐天坐进车内，神色微敛，淡淡地看了她一眼，便转首对曾紫乔低沉着声音说："我送你回家。"

"我不要回家！我不要回家！"曾紫乔一听要送她回家，手立即搭上了门锁，冲着乐天尖叫，"你要是敢送我回家，我保证从今以后你就别想再看见我。"

乐天咬着牙，回首低吼一声："那行，你不想回去，去我家总可以吧？"

那一瞬间，异常激动的曾紫乔总算是平静下来，嗯了一声软软地瘫在后座。

一脸怒气，乐天发动了车子。

车内，一种说不出压抑的气氛。

乐天抿着薄唇，时不时通过后视镜看向半躺在车后座毫无生气的曾紫乔。

这一切看在江文溪的眼里，心里有种难以言语的滋味，她甚至开始后悔坐上车子，也许他们两人应该有很多话要说，但眼下，碍着有她，什么也说不出口了吧。

她的手里紧紧地抓着他送给她的礼袋，然后松开，再紧紧地捏住，这样反反复复数十次，如果再捏下去，礼袋口怕是要被她揉烂了。

车子约莫行驶了十分钟，她缓缓转过头，对乐天淡淡地说："就在前面路边停车吧，我自己回去，你先带她回去休息吧。"

乐天淡淡地看了她一眼，紧抿着薄唇，不应声。

得不到回应，她噤了声，头微微偏向车窗，再次紧握着手中的纸袋。

不一会儿，车子便停在了环境幽雅的小区楼下。

跟随着乐天下了车，江文溪抬了抬头，"天都豪庭"几个大型霓红灯字清晰地映入眼底。

夜风袭来，满是玫瑰花的香气，这香气却让人有种快要窒息的感觉。

乐天拉开后车门，寒着脸对曾紫乔怒道："是你自己走，还是要我扛你上去？"

曾紫乔有气无力地下了车，推开挡在面前的乐天，直往大楼方向走去。乐天一言不发，跟着上前。

这是江文溪第一次来到乐天的房子，但她清楚地知道，曾紫乔一定不是第一次来。

一如她想的一样，乐天是一个人独居。

简洁大方的设计，永远都是他的风格。

江文溪不曾想到第一次走进乐天的居室会是在这样的情形下，她完全没有欣赏的心情，两眼只有直愣愣地看着眼前让她纠结了一路的男女。

空气仿佛凝结了一般，三个人谁也不说一句话。

蓦地，曾紫乔从包里摸出烟，刚想点燃，却被乐天毫不留情地抽走，丢进在烟灰缸内。曾紫乔再度翻包，又摸出另一包烟和另一个打火机，一支烟刚从烟盒抽出来，便被乐天打掉。

乐天直接夺过她的包，索性搜出她包内的所有烟和打火机，谁知，曾紫乔见到，像发了疯似的护着自己的包，尖叫出声："你别碰我的东西！"

乐天见她的神情不对，突然像明白什么似的，黑煞着整张脸，怒道："包里有什么东西不能见人？"

曾紫乔慌张地将包藏在身后，抹一把脸上的眼泪，站起身，道："没什么，我想休息了。"

"拿出来给我看，里面究竟是什么东西？最好别让我知道你碰了什么不该碰的东西！" 乐天不信她，上前抢夺她的包，"给我看！"

"我的事不用你管，把包还给我！你去谈你的恋爱，去过你的情人节！滚啊！"

乐天翻遍整个包没有翻到他不想看到的东西，不由得松了口气，如果真让他发现她嗑药，他不会轻饶她的。正要将包还给她，却看见一本病历夹了好几张单子，他的心跟着悬了起来，难道她生了什么重病？

他急忙打开，"人工流产知情同意书"几个大字赫然映入眼帘，下面的签名，是曾紫乔的，日期是今天。

火气一下子冲上脑门，他抖着那几张单子，冲着曾紫乔怒吼了起来："刚做完这种手术，你竟然跑去酒吧喝酒，还敢在包里装这么多香烟？！有什么事，你不能说出来吗？一定非得要这样作贱自己？！你这样做和当年丢下你在孤儿院的父母有什么区别？不，你比他们残忍多了，至少他们还会留一条命给你，你却连一条命也不愿意留下！"

除了与乐天争吵的那一次，江文溪从未见过他发这么大的火。乐天的话，已经让她的心悬到了嗓子眼，不经意地，她瞥见了乐天扬在手中的单子上的字——人工流产知情同意书，一时间，她的脑袋"轰"的一声炸开了。

会让他这么急着赶来，是因为曾紫乔肚子里的孩子吗？那个曾紫乔不是有夫之妇吗？为什么还会做人流？流掉的是他和曾紫乔的孩子吗？

第三者插足，勾引良家妇女，始乱终弃等词语一下子占满了她的脑袋。

曾紫乔没有应声，只见她突然快步奔进卫生间，趴在马桶上吐了起来。

江文溪以为自己已成了不会动的木偶，却依然管不住自己的脚，先乐天一步跟进了卫生间，递上一盒纸巾。

吐完之后，曾紫乔接过，擦了擦嘴角，虚弱地抬眸看了她一眼，淡淡地道了一声："谢谢。"然后像一抹游魂似的走出卫生间，"残忍？残忍……"口中不停地喃喃念着，抚着额头开始痴笑，不停地笑。

有那么一瞬间，江文溪以为自己眼花，因为她不仅看到她削瘦的双肩因笑而颤抖，还看到她眼中闪烁的泪光，最吸引她的还是曾紫乔右眼角靠上的部位，一条栩栩如生的凤凰，像刺青，却又不像，更像是一块伤疤。

"曾紫乔，你够了没有？你究竟还想要发什么神经？你告诉我，你究竟还想怎样？"乐天大步上前，就在他的手刚触及曾紫乔的瞬间，她却紧紧抱住他，伏在他的身上再次伤心地哭了起来。

乐天叹了一口气，原本想要怒骂的话也在瞬间收回，伸手拍了拍她的背，一边替她顺着气，一边开始安慰她。

此时此刻，江文溪觉得自己仿佛是这个空间里硬生生插进来的一个多余之人。她难掩失落，只觉胸口不断地紧缩，紧到几乎快要窒息的地步。她伸出手，不着痕迹地按向胸口，试图让自己好过一些。

这一切，是她自找的，她就不该跟来。

眸中早已溢满了水气，可泪珠却倔强得迟迟不肯落下。

她才不是小说里那种小气到不听解释，就自己胡思乱想，然后含愤走掉的憋屈女主。

她在等，等他给她解释。

不一会儿，眼前的两个人终于动了。

曾紫乔在乐天的安抚下，擦干了眼泪，进了客房。直到曾紫乔洗过，躺在床上，乐天才离开客房，将门带上。

刚出客房，他便瞧见傻站在客厅不知有多久的江文溪。他大步上前，很抱歉地看着满眼雾气的她，伸出手抚摸了她柔顺的发丝，叹了一口气，道："别胡思乱想，事情不是你想的那样。"

"你哪只眼看到我乱想了，我感动不行吗？！"她咬着牙愤然转身离开。

乐天快步上前，抓住她的手，急道："我送你回去。"

她没有挣扎，因为她知道就算是输了人，也绝不能输了势，就算是她再伤心再难过，她也绝不可以在这里，在他的面前哭出来。身为他当众承认过的女友，她还要听他解释呢。

他揽着她出了门。

这一次，乐天没有忘记为她系上安全带，车子也是缓缓驶离他的住处。

"她叫曾紫乔，你应该知道吧。"他稳稳地开着车，右手时不时抚摸着她纤细冰凉的手。

"嗯，和你去过 K.O. 那么多次，想不知道都难，她是那里的钢琴师，偶尔也兼做歌手。"她面无表情地答道。

他"嗯"了一声又道："我和她都是 S 市一家孤儿院的孩子。"

她偏过头，惊诧地看着他："孤儿院？"她知道乐天的父母亲不在人间了，可是她却万万没有想到他是在孤儿院长大的。

"对，孤儿院。紫乔还在襁褓时，也就两三个月大吧，就被人丢在了孤儿院门口，好心的院长妈妈将她抱了进来。紫乔很漂亮，院里的男生都喜欢跟她玩。很奇怪，她却喜欢跟在我身后，我问她为什么，她说我从来没称赞过她漂亮，所以她要跟着我直到我赞她一声漂亮，她就再也不会跟着我了。"说到这里，他忍不住笑了出来。

他不记得他究竟有没有称赞过曾紫乔漂亮，但是她就是那么一直跟着他，直到离开孤儿院。甚至后来回来看望他，依然是这样，最让他不解的是，她讨厌周梦珂，没有理由的讨厌。可是他知道，紫乔对他不是爱，只是当他是哥哥一般、家人一般地护着他。她全部的爱，给了她那位名义上的哥哥了，否则，也不会搞成今天这个样子。

江文溪见乐天无端发笑，咬着唇，酸酸地说道："从小被女孩子追着跑，是件很荣耀的事吧。"你就乐吧，妖孽一般的狐狸精。她在心中愤愤地补充。

乐天听见，笑得更大声："我还以为你不知道吃醋两字怎么写呢，没想到居然是一坛陈年老醋。"

她咬着牙，伸手在乐天肩上捶了一拳。

他大笑："我在开车，这可是性命攸关的事。"

她恼羞地将脸转向车窗外。

他继续说："那时候，有一对夫妻非常好，每年会来孤儿院好几次，看望我们这些被人抛弃的孤儿。大概是紫乔六七岁的时候吧，因为她长得太招人喜欢了，很多夫妻都向院长妈妈提出要收养她。不过，院长最终还是把她托付给了这对已经有一个儿子的夫妇。她被收养之后，生活得很好，而且还会经常来孤儿院和我们玩，直到那对夫妻搬离 S 市，我才没再见到她。后来我来到了 N 市，好多年之后，意外地又碰见了她——"

正当乐天还想继续说下去的时候，一阵悠扬的手机铃声响起。

乐天诧异地望了望一旁专注听他说话的江文溪，江文溪对他摇了摇头："不是我的手机。"

手机铃声还在响，乐天将车子紧急停下。

两人回首望向铃声传来的方向，后车座上一部手机在不停地闪烁。

乐天下车拿到了手机，接了起来，甚至没开口，眉头便深深地拧在了一起，只听他对着手机怒吼一声："我正要找你呢。你现在在哪儿？"

不一会儿，他愤然地挂断手机，并伸手拦了一辆出租车，然后打开副驾车门，对满脸惊愕的江文溪说："对不起，我还有事要处理，不能送你回去了。"

淡淡地愁绪爬满了江文溪的脸，她解开了安全带，下了车，轻道一声："没关系，我自己回去好了。"

乐天在她钻进出租车前，大力地拉过她，在她的唇角爱怜地印上一吻，道：

"对不起，今晚实在是太糟糕了，改天再跟你说紫乔的事。"

江文溪没想到他会当着司机的面亲她，双颊不禁染上淡淡的绯色，点了点头，带着一颗狂跳不已的心钻进了出租车。

出租车起步，她回首，看他迅速钻进车内，一个转弯，车子如旋风一般，迅速地消失在她的视野之内。

回到家中，她盯着那个礼袋看了半晌，最终还是拆开，随即一条精致的手链映入眼帘。链坠是一只不停闪烁的蓝色水晶蝴蝶，在灯光的映射下，她仿佛看见了爸妈最期待的光明女神蝶。

她颤着手，将手链系在手上，心中难掩激动的心情，就怕一个万一，这只蝴蝶展翅飞走，对着灯光看了很久，才将手链收好。

翌日，江文溪一早起床，盼了很久，也没有等到乐天来用早餐。打他的手机关机，墙上的时钟指针已指向八点，再不走，她要迟到了。

一颗心沉到了谷底，当指针指向八点一刻，她终于放弃了等候。

到了公司，已是九点，她竟然迟到了半个小时。以往，她会担心这个月的全勤奖没了，但现在整颗心却放在本应在对面门里的人身上。

到了中午用餐时，依旧还是不见那个卓越的身影。

所谓食不下咽，就是她这样的情形，匆匆用了午餐，便回到了办公室。

这时，行政办公室的人送来了一封信，上面写着"乐天亲启"，寄信地址是 S 市 XX 律师事务所，署名是方子贺。

方子贺？名字这般熟悉。

她想起来了，她与乐天之间奇妙的开始，要拜这位方先生及其太太所赐。甚至她还记得这位方子贺先生在那场婚宴临别时客套的邀请呢。

捏着手中的信，她不禁好奇，这里面好像是硬硬的类似于卡片的东西，该不会真的是什么邀请函之类的吧。

她抿着唇，自嘲自己还真把别人的客气当回事了。耸了耸肩，她将信送了进去，立在乐天的办公桌前又发起了呆。

他究竟去了哪里？为什么到现在还不出现？她记得昨夜他接那通电话的时候，神色很是愤怒，手机应是曾紫乔留下的，电话那头的人与曾紫乔会是什么关系呢？

叹了口气，她方出了他的办公室。

她的脑中一直缠绕着这些问题，就连严素立在她的面前，也未曾察觉。

严素见她那副魂不守舍的模样，不禁弯了弯嘴角，再度敲了敲她的桌子："准备开会了，东西准备好了没有？"

"啊？"她终于回过神，撞见严素取笑的眼波，不禁羞赧，急忙道，"哦，准备好了。"她将准备好的资料递给严素，拨了拨垂在脸侧的发丝，以掩心思，"你帮我把笔电带到会议室，我先去下洗手间，稍后就到。"说完，未等严素再笑话她，她逃也似的离开了办公室。

洗手间内，江文溪对着镜子顺了顺头发，又整理了下衣服，直到有两位女同事进来，她才微笑着点了点头，打算离开。

虽然乐天曾抱着她进公司，引来了同事们诸多议论，后来不知有谁又传开乐总之所以会那样做是"知恩图报"，感谢她及时送他去医院。况且一旦进了公司，她也很自觉地将自己归位回他的下属，而非女友，人前尊他一声"乐总"，再加上行事低调，从不在公众场合对他抛媚眼、嗲声嗲气说话或是做带有暧昧意味的亲密动作，即便是在他的办公室独处也不曾，因而公司里的同事，也只当她是江助，仅此而已，甚至还有些八卦的同事会拉着她打探一些乐总的小道消息，但往往总是她惊愕地发现，原来还有那么多有关他的事竟是她不知道的。

尚未走出洗手间，她便听见那两位女同事的议论声。

"哎？瞧见今天乐总系的领带没？粉红色的耶。"

"他一进公司我就看见了，我进江航都快三年了，还是第一次见他系这种颜色的领带，还真是好看。"

"你说，乐总是不是恋爱了？"

"有可能，从去年底就觉得他不太一样了，以前他总是板着一张脸，现在逢人就笑，满面春风的样子。"

"会不会是Ｋ.Ｏ.的那位钢琴师啊？"

"说不准，男才女貌，两人挺般配的。"

"可我听说那位钢琴师已婚了啊。"

"已婚也可以变成未婚嘛。"

"也是，还真没见过乐总对哪个女人有像对她那样好的。"

……

江文溪几乎是以龟爬的速度挪出洗手间的，两位同事的对话一字不漏地飘入她的耳中。

起初，她是那般惊喜，他来公司了，还系上了她送他的领带，可是后来听着，心中又泛起一阵淡淡的失落感。

原来不只是她一人觉得他与曾紫乔的关系暧昧。

唉，昨晚他不是说了，不是她想的那样吗？若不是那通莫名其妙的电话，有关他和曾紫乔的事已经解释清楚了，何况今天还系了她送的领带，她还有什

么好纠结的。

松了一口气，调整了心情，她往会议室的方向迈去。

刚走进会议室，她的脚步顿了一下，目光直直锁在那个系着粉色领带的男人身上，一脸的惊愕。

她百分百确定自己没有眼疾，但她又质疑自己是否眼花，他左脸上贴着的是OK绷吧？还有他的嘴角似乎有些红肿……

鉴于会议室内人多嘴杂，落在乐天脸上的目光不易久留，她埋下心中的疑惑，垂下眼睑，快步走向座位坐下。

原先超市改造饭店项目已经进入最后阶段的装修，再过一个多月，历经大半年的装潢工程终于要完工了，紧接着便是饭店开业。会议上，企划部提交了开业活动的详细方案，乐天对此非常满意。

冗长无味且长达三个多小时的会议终于结束了，大家收拾东西，陆续离开。

江文溪望着眼前笔记本电脑屏幕上只有寥寥可数的几行字的会议纪要，不由得咬了咬唇。

真是要命，她怎么今天就是定不下心来，已经有很久没犯这样的错误了，待会儿某人找她要会议纪要，怕是又要一场暴风雨来袭。

她抑制不住，目光又向左前方正在和江董谈话的乐天脸上望去，他的嘴角，还有那可笑的OK绷，如果没有判断错误，那伤绝对是与人打架弄出来的。

昨晚，他那样急着离开，是去和人打架吗？

发怔之际，一道阴影投了过来，随即一抹亮丽的粉色跳入她的视线内。

她回过神，抬眸看向眼前的男人，只见他斜睨了一眼笔电屏幕上那可怜的会议纪要，眉头微蹙，嘴角紧抿，脸上呈现出相当不满的神情，紧接着便听到冷淡的声音响起："下班之前我要见到完整的会议纪要。"

言下之意，她交不出来就不准回家。

"哦。"淡淡地应了一声，她的目光依然还是盯在他脸上的OK绷上。

有点无所谓，似乎她现在胆子越来越大，仗着有严姐而有恃无恐，在经历了某人几个月魔鬼训练般的摧残后，她已不是刚来那会儿什么都不会的菜鸟了。

她低下头开始收拾东西，再抬眸，却见会议室里只剩下他们两人。

在他快要走出门时，她忍不住开口："你没事吧？身上还有伤吗？"

听闻她的声音，乐天怔怔地回转头，未久，面部的细条柔和了下来，轻道："没事。"这一点点小伤算得了什么。

"下班之后，去我那儿，我给你上点药吧。"她抱着笔电经过他的身旁，抬眸又看了一眼那个OK绷，浅浅一笑，"你贴着那个玩艺有点蠢，配上这条领带，想让人不笑都难。"

他的嘴角微微抽搐，额上的青筋抑制不住地跳了起来。

前一句，温柔得让人犹似上了天堂，后半句，该死的让人抓狂。

这个可恶的女人，什么时候跟严素一样，学会微笑着嘲讽人了？很蠢吗？顺手贴个OK绷在脸上，总比涂上红红紫紫的药水或是暴露伤口来公司吓人好吧。还有，这种二十多岁毛头小伙子才会系的粉嫩嫩的领带可是她挑的。是怪他昨天半途丢下她，所以今天存心来找碴吗？

不知道为什么，明明是那样担心他的伤，却因为昨天、今天，还有刚才他那副不以为然的模样让人有些恼羞，甚至有了要气一气他的念头。

见自己的目的达到，江文溪满意地微笑着越过他，离开会议室。

乐天紧紧地捏着拳头，跟在那个笑得很可恶的女人身后，生平第一次有怒气而不得不隐忍。

回到办公室，乐天看到搁在办公桌上的那封来自S市的信。

当"方子贺"三个字刺入眼底，他的眉头蹙得更紧，拿起那封信，撕开，却是一张精美的邀请函。

目光只是淡扫而过，已明了这封突如其来的邀请函所代表的意味。

好个莫名其妙的高中同学毕业十一周年聚会，去年是十年聚会，他都未曾参加。如今方子贺携爱妻归国，举办这场高中同学毕业聚会，他这个当年的好兄弟若是再拒绝，意味着什么？缩头乌龟？

他冷笑着将邀请函用力地揉在掌中，随手掷向一旁的垃圾桶内。

那一段兄弟情分，早在十年前了断干净。

S市，除了养他长大的孤儿院，一切都与他无关。

和着下班铃声的拍子，江文溪顺利地完成了那份会议纪要。

她轻敲了敲乐天办公室的门，直到里面传来一声"进来"，方推开门进去。

乐天倚在靠椅上，背对着办公桌，她看不见他的表情，只是轻轻地将会议纪要放在他的办公桌上。

"乐总，会议纪要放在你桌上了。"她小声道。

"我刚还在算，你要到什么时候才能交出会议纪要？现在看来，比以前有进步。"乐天坐着转椅转过身，凝神望着她，"以后，无论发生什么事，会议上绝不可以开小差。"话中虽带着责备，却也尽现温柔。

"嗯。"她垂下眼眸，"那我先出去了。"

"等会儿一起走。"

"嗯。"她转身离开。

下了班，坐在车内，江文溪察觉乐天似乎心情不是很好，好看的眉眼始终蒙着一层看不透道不明的情绪。

她想问他脸上的伤是怎么来的，可话到嘴边却怎么也问不出口。

两人回到她的小窝，乐天主动要求做饭。江文溪凝望着他在厨房内忙碌的身影，那一瞬间，心头暖暖的，整颗心被幸福的感觉填得满满的。

"那个，口水滴下来了。"乐天盛好了汤，见她立在厨房门口凝视着他发傻的可爱模样，忍不住捉弄，之前因为那封邀请函的不快霎时一扫而光。

"啊——"她下意识地抬手擦拭嘴角。但见他眼中流露出的戏谑神情才明白他在使坏，给了他一记白眼，恼羞地转身离开厨房，在客厅的餐桌前坐下。

乐天坐下吃饭，嘴角处那抹浅浅的戏谑笑意却始终不曾淡去。

她羞愤地伸脚踢了他几下。

这不仅没让他停止笑意，反而笑得更大声、更得意："啧啧啧，你彪悍的本性暴露的次数越来越多了，说不定很快就会是另一个江二娘。"

呕！他居然拐弯抹角地骂她是"孙二娘"。真是个过分的男人！

她索性不理会他，一言不发地默默吃着饭菜，任他笑，任他嘲弄去。

乐天见她生气，敛了笑意，夹了块排骨放进她的碗中，哄道："吃饭的时候生闷气，会消化不良，对胃不好。"

脸上虽还是现着恼意，其实她啃着口中的排骨，气已暗自消去。

吃完了饭，乐天主动收拾碗筷，以博取美人欢心。

她倚在沙发上，时不时偏着头看着他洗碗。

以他的身份、长相、地位，是人中龙凤，可偏偏就是遇上了她这样一个"三无"产品，甚至偶尔还会人格分裂的非正常人，有时候，她都会忍不住为他感到惋惜，惋惜他不幸地碰上了她。

更多的时候，她觉得自己身在梦境之中，说不准某一天这一场黄粱美梦毫无预示地就那样醒了，那时候，她该怎么办？

她觉得自己变得贪婪了，他对她的温柔，对她的宠溺，对她的好，让她变得越来越贪婪了。

"在想什么？"他洗完了碗，见她又在发呆，伸手轻刮了下她小巧的鼻头，然后在她身旁坐下，将她拥入怀中。

她抬首望向他脸上的伤，眉头略皱，轻问："你这伤口是昨晚后来同人打架留下的吗？"

"嗯，算是替紫乔出口恶气吧。"他在她的唇上轻吻了一下，以示安慰。

"……哦。"果真是为了曾紫乔。

昨夜打车回到家睡不着，她上了网，刚巧李妍也在线，她心里憋得慌，于是向李妍大吐了苦水。

紧接着，李妍的ＭＳＮ不停地闪动。

"一个男人，若是对前度女友、前度情人或是其他不相干的女人多情等同于犯罪。因为，他让一个又一个的女人有了太多不现实的幻想。所以，每个人都会明白：爱情之中，不能做烂好人，否则会引来一身的麻烦。我想他不会是那种人到处为自己惹麻烦的人，也许另有原因也不一定。溪溪，要对自己有信心，别这样自卑，和你在一起久了，是人都会发现你的好，温柔，体贴，居家旅行必备的良妻，许多人求也求不来。"

望着电脑屏幕，她怔然。

现在，她多么期待他能继续和她解释，一如李妍说的那样，可是她却不知道为何就是问不出口。

"一直以来，我当紫乔是妹妹一样看待，除却她那个家庭，在Ｎ市她也只有我这么一个哥哥一样的亲人。昨晚揍的是她那个不负责任的老公，也算是我这个做哥哥的替她出了近二十年来的一口恶气。唉，只可惜那孩子没留住。"他俯在她的肩头喃喃地说了一些曾紫乔与其丈夫之间的纠葛。

听闻，她十分意外。

原来真是她多想了，那孩子不是他和曾紫乔的。

李妍真的说对了，她缺乏的就是信心。

压在心间的巨石在一瞬间消失得无影无踪，她倚在他的胸前浅浅地笑着。

她的眼神闪烁了一下，目光瞥见一旁解下的领带，转眸，凝视着他微微敞开的衬衫领口，那露出的锁骨散发着魅惑的气息。脸微红，她挪了挪身体，换了个舒适的姿势，聆听着他有力的心跳声。

虽是初春，可还是有些微寒，抱着江文溪，乐天却觉得浑身火热得难以言语，搁在她腰间的手微微施了力，尔后又松开，反复几次，最终还是松了手。目光不经意间落在电视机柜下那个第一次带来的ＰＳ２，让他没由得松了口气，轻道："想玩拳皇吗？我突然很想和你玩。"

"啊？"一听到"全黄"，她的耳根本能地红了起来。

她与他正式交往了两个月不到，虽然李妍有事没事会给她上上成人知识课，孜孜不倦地"教导"她现在成人之间的速食爱情是怎样的，但是，这种事情对她来讲真的太快了，她一时之间还不能接受。她始终认为这档事应该是在新婚之夜才可以做。

正当她想拒绝说不要现在玩"全黄"的时候，却听他浅笑一声："有我这个师傅在，包你出师。"

他笑得那样春风妖媚！

要命啊，她现在一点也不想玩，如果大舅知道她发生婚前性行为，一定会从坟墓里跳出来抽死她的。

她的手在不知不觉中，紧紧地揪住他微敞的领口，瞪大的双眸满是紧张，她不好意思开口婉拒，唯有拼命地摇了几下头。

他见着，爽朗地笑开："放心，你打得再烂，我都不会笑你。"他起身，走向电视机，"其实你很聪明，只要用心学，上手很容易。"

她再次瞪大了双眸，见他麻利地接起PS2，倏地，滚热的血液直涌上她的脸颊。

脸丢大了！人家只不过非常纯情地要教她玩"拳皇"，而非"全黄"，她居然在那里意淫了半天，原来有非分之想的是她。

难怪李妍总是喜欢对着她念叨："可怕的潜意识。"

哦，要是让他知道她脑里的所想，她真是没脸见人了。

乐天接好了游戏设备，转身见她满面通红，不禁紧张："怎么了？脸这么红？"他伸手摸了摸她的额头，并未发热。

"哦，没事，可能春天来了，觉得有点热吧。"她慌乱地掩饰，绝不能让他知道她满脑子的有色思想。

原来她也觉得热。

乐天不着痕迹地坐下，手臂很自然地穿过她的身侧，将她拥在怀中，手覆上她的手，操纵着游戏手柄，耐心地教她怎么使用操纵手柄，怎么样开始，怎么挑选人。

面对一排排的卡通人物头像，她的注意力全部转移。

"挑三个人。"他道。

她盯着电视机屏幕看了好一会儿，道："哦，这个，这个，还有这个。"

草雉京？八神庵 ？二介堂红丸？

他挑了挑眉，第一次选人，还不算太糟，看来她还挺有天赋的。

"怎么会想到选这三个人的？"他随口问道。

"哦，这三个男的算是这些人里面长得还比较帅的吧。"她完全没有注意到身后的某人脸已经阴沉了下来。

他一言不发，黑煞着脸退出，重新进入，这次他直接选了三个女人。总之，他不喜欢听到她称赞他以外的男人，就算是游戏中的卡通人物也不可以。

她不解："咦？好好的，为什么要退出又换了人？"

"刚刚几个人不适合你，用女的你上手会快一些。"

"哦。"她不懂，自然不会明白他的心思。

"这个拿扇子的美女叫什么？"

"不知火舞。"

"那这个呢？"

"麻宫雅典娜。"

"还有这个呢？"

"MARY。"

"下前拳，后前拳，是这样吗？"

"嗯。"

……

江文溪从不知自己竟然还有这样的天赋，乐天几乎只教了一次，她便学会了，几个回合下来，完全不像第一次玩的生手，也许她的体内本身就有着暴力的因子。

乐天侧着脸，凝视着她兴奋而绯红的小脸。今晚，他发现只是拥抱亲吻已经不能满足他对她的渴求，为了打消心底蹿出的邪恶念头，他才会想到用教她打游戏的方法来缓解他内心对她的渴望。孰料，她在他怀中激动地扭来扭去，还有那时高时低兴奋的叫声，更让他难以忍耐。

可惜面前的女人完全感受不到他的内心与身体煎熬的痛苦。

他叹了口气，搁在她腰间的手猛然收紧，将脸埋进她的颈窝，贪婪地汲取她身上散发出的诱人香气。

"阿天，你抱得太紧了，我打不了游戏了。"颈间那温热的气息，轻轻浅浅，弄得她好痒，一时之间无法专心盯着电视机屏幕。

乐天对她的话置若罔闻，双手再次收紧，脸埋得更深了。

"阿……阿天，我……快要不能呼吸了……"就算是再迟钝，她总算察觉到他的异样，整颗心按捺不住地狂跳起来，她的手紧紧地捏着游戏操纵柄。

电视机里传出的战败惨叫声，已无法拉回她的视线。

她缓缓转头，想要看清他究竟是怎么了，就在那一刹，他的头抬了起来，温热的唇毫无预示地掠上她的唇瓣。

不想再掩饰自己强抑了很久的欲望，乐天含住她微启的红唇，将她的身体轻轻扳了过来，与他面对面。

他的双臂将她紧紧地抱在怀里，仿佛欲将她融入自己的身体里一般，越吻越深。

激烈的吻纠缠于唇齿之间，眼前早已一片迷蒙，江文溪原本紧握着游戏操纵手柄的双手早已松开，转而紧紧地揪住他胸前的衣襟，不知不觉中又攀上了他的颈项，整个身体软软的，似要化成一滩春水。

他再无暇顾及两人的重心，顺势拥着她缓缓向沙发上倒下，一只手紧紧地扣着她的后脑勺，另一只手在她的身上缓缓游移。

绵长热吻间仿佛心灵交融在了一起，声声呻吟盖过电视机里透出的游戏的声音，充斥在偌大的客厅内。

渐渐地，他不能自已，手缓缓伸进她的衣服内，贴着她光滑的皮肤慢慢向上，隔着胸衣覆上她的双乳，轻轻地抚摸揉捏，引来她身体倏然一僵。

他松了手，紧拥着她，手掌顺着她光洁的背部来回不停地摩挲，唇舌不忘与之纠缠。

未久，她僵硬的身体在他的安抚下放松了下来。

他的手熟稔地挑开了她胸衣的扣子，终于无隔阂地抚上了她的酥胸，温柔地揉捏着她的丰盈。

她颤着身体，下意识地瑟缩了身体。

他不允许她逃避，嘴唇疯狂地纠缠着她的，手下的动作不曾停，直到感受到那一抹浑圆在掌中慢慢地变得坚挺，他的嘴唇沿着她的唇，她的耳垂，她的颈间一路向下……

混沌的思绪让她理不清为何会这般炽热，眼前雾蒙蒙的一片，身体不停地阵阵发颤，虚软没一丝力气，任由他紧紧抱住，轻触。

他将她的衣服缓缓推向上，脸埋藏在她柔软的胸前，轻舔细咬着那让人着迷的粉红蓓蕾。

"呜……"说不清的酥麻感觉，一声低呼从她的口间逸出。

两腿之间膨胀而痛楚的欲望让他轻轻地喘息着，他颤着手摸向她的腰间，当手指触碰上那一粒扣子，他抬眸望着怀中仿佛化成一滩春水的人儿，有些犹疑了。

蓦地，"啪嗒"一声响，惊醒了躺在沙发上身体软弱无力的人。

她倏然睁开双眸，对上他因染满情欲而迷蒙的双眼，胸前清凉一片，那微微刺痛的感觉让她彻底地清醒了，目光顺着向下，他的手指正搭在她裤腰的扣子上。

两人蓄势待发的姿态，清清楚楚地告诉她，如果没有那一声响动，后果将不堪设想。

"不要……"她惊慌地脱口而出，急忙拿下他覆在胸前的手掌，羞愤地侧过身，拉下衣服，本能地护住自己的胸部。

曾经，她看过一篇文章，叫做"女孩，请守护你胸前的那一寸黄金地"。女人的胸部一旦被男人摸了第一次之后，那一片宝贵的黄金地就会贬值为银子，摸第二次，就会从银子变成黄铜……

眼前，她不仅丢了自己的黄金地，还差点丢了宝贵的处女地。

所谓色不迷人人自迷，也许就是她这种德性。

"对不起，是我……"乐天深深地叹息，是他太过急于一时而吓着她了。

他起身，将她轻轻拉起抱在怀里，在她的嘴角温柔地印上一吻，安抚着她不安的情绪。待她不再惊慌，他又伸手探进她的毛衣内，她的身体又是一僵，往后缩让。

他尴尬："我只是想帮你扣好衣服。"

她大窘，低垂着头小声道："我自己来。"

背过身，她急忙伸手扣自己的内衣，可是不知怎地，反复扣了不下数次，那三个不听话的内衣小扣子总是扣不上。

蓦地，一双温暖的手自背后握住她的双手，下一秒，已帮她扣上了内衣，并且还将她的衣服拉好。

她羞得无地自容。

他从身后轻轻拥着她，贴在她的耳际沙哑着嗓音再次道歉："对不起。"

她咬了咬唇，轻道："你不生气吗？我只是……只是觉得这样太快了，我还没有准备好。"

"嗯，该生气的是你。"他淡淡地笑着，他的窝边草纯情得堪比任何一只小白兔，是他太过于猴急了。唉，怀中娇软的身躯若是再这么抱下去，只怕他真的要化身为午夜狼人，虽有诸多不舍，可还是不得不放开她，轻道："很晚了，我该回去了。"

"……哦，好的。"她咬着唇，带着淡淡的失落应声，目光在他的脸上流转，生怕看到有一丝不悦的痕迹。

在她的额际浅吻一记，他松开手起身，低垂头，以掩眸底那在不断跳窜的欲望之火，抓起外套及领带大步向门的方向走去。

听到关门声，她才沮丧地轻打了一下自己的脸颊。

她一定是让他受伤了，所以他才会那样急于逃开，可是她真的没法接受这么三级跳的速度。

这一夜，除却她，他也是一夜未眠。

翌日，乐天依旧准时接江文溪上班，仿佛昨晚那令人尴尬的事情完全没有发生过。

中午到了用餐时间，江文溪刚要离开座位去员工餐厅用餐，一通电话接了进来。她拿起电话，标准的公式化口吻："你好，江航集团总经办。"

电话那端飘来一声优雅而不失魄力的声音："桑渝，请找乐总。"

桑氏集团的桑总！

早些日子的八卦里，江文溪听了太多有关这位桑总的事迹，鉴于江航与桑氏密切的合作关系，她毫不犹豫地将电话转了进去。

可没过一会儿，便听见里间办公室里传来乐天与人争吵的声音，甚至那挂电话的声音都比平日里来得要强烈。

这时，立在门口处打算下楼用餐的江文溪而不得不停下脚步。

下一秒，便看见乐天怒气冲冲地从办公室里走了出来，对她吩咐："以后，桑氏集团桑总的电话一概不接，若是公事，转到相关部门去，搞不定的让相关部门来找我。"

"哦。"她完全弄不清状况。论公，江航与桑氏合作算是亲密无间；论私，乐天与桑总的男友应算是那种"手帕交"吧，怎么一下子变成了这种情况？

然而，更令江文溪想不到的是，隔了两三天，同样是在中午用餐时分，她亲眼见到了传说中美丽而强势的桑总。她气势汹汹地来江航，身后还跟着有过一面之缘的英俊男人。

"乐天呢？"桑渝脸色不是很好，一副要吃人的模样。

"哦，乐总他今天上午没来公司。"江文溪回答。其实他有来，只不过送她到了公司后，他随即又去了饭店那边。

桑渝听闻，咬牙切齿："那他是在度假村，还是在饭店？"

江文溪隐约察觉不对劲，依旧还是一副公式化的口吻回复："不好意思，桑总，乐总没有交待他的行踪。若是您有什么急事，不妨留言，我帮您转告。"

"私事怎么转告？不然我干吗在你们中午下了班后跑来？"桑渝漂亮的眼眸一瞪，双拳紧握得咔嚓咔嚓作响。

沈先非见着，连忙劝她："你别这样吓到人家。"

江文溪怔怔地望着两人，这位桑总还真是公私分明，转念思及，这两天乐天送她到了公司后，不是去度假村就是去饭店，难不成是在刻意躲这位桑总？

"狡兔三窟。OK，我就不信他能躲得了一世。"桑渝扯了抹冷笑，然后又以极其温柔的声音对江文溪道，"麻烦你转告乐总，每天这个时候，我一定会不辞辛苦地来拜访，谢谢。"说完转身，迈着优雅高贵的步调出了门。

沈先非一脸无奈，正欲转身，突然又问江文溪："请问近期，你有没有见过一位叫曾紫乔的小姐来找你们乐总，或者接过她的电话？"

"呃，没有。"自情人节那晚，她就没再见过曾紫乔出现，之后也未曾听乐天提起过她。

"好，谢谢。"沈先非弯了弯好看的唇角，跟随着桑渝的步伐离开了。

隐隐约约，江文溪听到桑渝气极败坏的声音传来："他有种一年三百六十五天，天天躲着我。只要曾紫乔一天找不到，我一天都不会让他好过。"

隐约，江文溪知道曾紫乔失踪了。

桑渝的话，她一字不漏地转述给了乐天听。

乐天听后，一脸的不以为然，但不一会儿他也泄了气，说自己也不知道曾紫乔在哪儿，他还在找她呢。

对于桑渝一连一个多月的天天到访，江文溪已习以为常，从一开始对她这样的执著与坚持难以置信，到后来不得不佩服她，难怪桑氏家居连锁在国内屈指可数。

私底下，她有问乐天："你是不是得罪她了？"

乐天只是回以浅浅一笑："算是吧，不过，我对凶悍粗暴动不动使用武力的女人素来敬谢不敏。这段时间，辛苦你了。"要知道桑渝可不是一般的女人，完全是铁铸的。

凶悍粗暴动不动使用武力的女人？

为什么听起来这般熟悉？

江文溪眉头轻皱，那个因为某些刺激性的声音而会突然变成另外一面的她不就是又凶悍又粗暴，甚至还会动用武力……

留意到她表情不自然的变化，乐天轻揉了揉她的发丝，道："那个你，除外。"

清明将至，乐天有意随江文溪一同祭拜其父母。当天到了墓园，却因饭店那边临时有事，他与江董半途赶回公司，只剩下江文溪与严素二人。

到了饭店开业那几天，乐天更是忙得不可开交。

江文溪几乎见不到他的面。

疯狂的忙碌过后，乐天好容易想在周末好好休息，却意外地接到了方子贺的电话，意在提醒他，别忘了明日的高中同学聚会。

乐天想都没想，直接以工作忙为借口推托。

电话那端，方子贺似乎早已算准了他会这样说，不禁笑了起来："阿天，以你如今的地位与身份，你究竟还在怕什么？如果你还放不开十年前的事，我只能遗憾地说，十年前，我认识的那个兄弟，绝不是现在这样只会一味逃避的懦夫。"

乐天未曾来得及开口，电话已经切断。

对着电话，乐天怔了很久。

兄弟？嗤！那四年中，有谁当他是兄弟？！他怕？他是只知一味逃避的懦夫？可笑，他不想去，是不想与曾经过往的人再有所牵连，难道给自己一个全新的生活，就叫懦弱？

他皱着眉，想到诸日来桑渝逼得他够呛，这两日去S市权当他怕了这个凶悍的女人，避避风头好了。手指轻敲着沙发，他轻挑了挑眉，拿起手机给江文溪拨了一个电话。

江文溪正与李妍坐在街边休息区喝着饮料，手机响动，见是乐天的名字，她连忙接起。

"在哪儿？"富有磁性的嗓音传入耳中。

李妍凑着耳朵贴了过来，被她无情地推开，她和乐天的对话怎么能被偷听，万一要是像上次一样要电话吻别，她岂不是丢人丢大了。

眼见对面的李妍用唇语说着："靠，你家男人现在就学会查你岗？"

她狠瞪了李妍一眼，回着电话："哦，在和妍妍逛街呢。"

"周末两天有没有什么特别的事？"

"特别的事？那倒没有。"她歪着头想了一下，"怎么了？"

"那好，明天陪我去 S 市出差。"

"出差？！"她惊得差点将口中的饮料喷洒出来。

"嗯？有问题？"

"没。"

"嗯，那你早些回去休息，别玩得太晚了。"

"嗯。"

"那，晚安。"

"……哦，晚安。"她咬着吸管，想不通怎么好好的要出差，饭店已经开业，度假村一直在进行中，还有什么重要的事吗？

挂了电话，便见李妍探了脑袋过来，两只眼睛冒着亢奋的熊熊火焰："他要你陪他一起出差？"

"嗯。"她点了点头，轻啜一口饮料。

"出差好出差好，出差最能培养男女奸情。走走走，陪你去买点出差必备用品。"李妍说着，便起身拉起她。

"出差必备？"无非是洗发水沐浴露毛巾牙刷，可这些她家里都有啊。

"待会儿你就知道了。"

"他有没有说出差几天？"

"周末两天吧。"

"OK。"

还未来得及反应，她便被李妍拉着跑开了。

当两人立在一家成人用品商店门口时，江文溪满脸的难以置信，窘得她恨不得一巴掌劈晕了李妍。

她忍不住对李妍吼了起来："妍妍，说什么买出差必备用品，你怎么能带我来这种地方？"

原来李妍口中所谓的出差必备用品竟然是避孕套，她气得转身就要走。

李妍一手掩着耳朵，一着手死拽着她不放，满脸的不以为然："拜托，我的大小姐，你先回答我，你觉得你的工作有出差的必要吗？"

她皱着眉心，咬了咬唇，过了一会儿才道："……没有。"

"那你家男人有没有说为什么事出差？"

她摇了摇头："……没有。"

"那不就对了。"李妍一把揽过她，"你家男人莫名其妙毫无征兆地就拉你去出差，你就没想想会是什么原因吗？"

"当然是工作需要啦。"回答干脆。

"我真不知道该怎么说你好，你还真是够单纯的。难怪你家男人非要拉你出差才能排解生理需要。"李妍听了直摇头，工作需要？她家熊每次找机会硬是要和她凑一起出差也是工作需要？

"干吗左一个你家男人又一个你家男人？干吗说得这么难听？什么排解生理需要啦，怎么可能？"她真是要快被李妍气死了。

"怎么可能？！我拜托，你家男人无论从长相还是体格，看上去就是一副他很行的样子。你当真觉得这趟出差真的只是出差吗？哎，要知道，你和他两人会开始就是因为婚礼上那个吻。别瞪我，好，就算你是被强迫的，可是这也正好说明了，你们两人从一开始就少了正常恋人应该经历的什么眼波大战啦，什么气氛暧昧啦，什么牵牵小手啦，总之很多很多应该有的步骤，你们都直接省略了，直接三级跳向热吻。还有，你和你家男人常常吻得难分难舍，这个我可是有亲眼见证到的——唔唔唔——"

李妍还想再接着说，却被她死死地捂着嘴。这个臭妍妍，怎么可以在成人用品店门口说这种事。她真的没脸见人了。

她将李妍拖到隔几个店的门口，才松了手。

"啊，你个臭丫头，差点被你闷死。"李妍大喘几口气，平复之后，盯着她又道，"话说回来，热吻了三个多月，你觉得下面还有什么可以做的？天雷勾地火，嗳，你懂不懂？"

天雷勾地火？

她的脑中立即浮现起前几日，两个人越吻越烈，倒在沙发上的一幕，若不是那游戏操纵手柄掉落在地发出声音，震醒了她和他，也许那一晚就真的天雷勾地火了……

李妍见她双颊绯红，鄙夷了一眼："瞧你这脸红得跟猴屁股似的，被我说中了吧。好姐妹我是怕你年幼无知，提前给你打好预防针，做好预防措施是必要的。"

"不会的啦！没结婚之前，我是不会允许这种事发生的啦。"她坚持。

"OK，不跟你说，你在这里等着就好。"李妍没辙，索性自己一个人进了成人用品商店。她追了几步，只敢小声地叫着"妍妍，回来"，却引来来往行人异样的目光，她唯有闭嘴，在隔壁店门口左右徘徊。

隔了好一会儿，总算见着李妍出来，只见她扬着手中五个色彩缤纷的避孕套。

她快步上前，整个人挡住李妍，生怕被路上行人见着她们买了什么。

"哎哎哎，有什么好遮掩，"李妍将五盒避孕套塞进她的手中，"全部都是旅行装，一盒两片，我给你买了五盒，螺纹的，浮点的，G点的，超薄无感的，还有我最爱的香草味的。看你家男人那精壮的模样，就算是一夜十次郎也够用了。"

一夜十次郎？啊，李妍真是口没遮拦，亏她说得出口。

她望着手中五个"炸弹"，羞愤地塞还给李妍："都跟你说了不会的。你自己留着慢慢用吧。真是被你气死了。"

她狠瞪了李妍一眼，转身快步往公交站台走去，她要早点回去，再和李妍待下去，她一定会忍不住将她大卸八块。

李妍见她真的生气了，连忙跟上前。今夜无论如何，她也要跟着溪溪回家，一定要将这五盒出差必备品塞进她的包包里。

江文溪回到家中，在李妍的指导下开始收拾东西，她决定将手链带上。

当李妍看到那条手链，又以惊人的高八度女高音尖叫起来："这手链你从哪儿来的？好漂亮啊。该不会又是你家男人赠送的吧？"

她眨巴着眼，点了点头。

确实是他送的。

"是不是很像光明女神蝶？"她将手链对着灯光，蓝色水晶吊坠闪烁着耀眼的光芒。

李妍羡慕不已："臭丫头，真是好命，居然让你钓着一个金龟婿。"

"什么金龟婿啊？他是人，不是龟，好不好？"她心中说不出的甜蜜，小心翼翼地将那条手链收进包包里。

"死相，还没嫁，就这么护着你家男人。真是女大不中留。"李妍以指戳了戳她的额角。

"懒得理你。我去洗澡。"她冲李妍吐了吐舌头，扮了个鬼脸便钻进了浴室。

李妍终于找着机会，贼笑着将五盒避孕套偷偷塞进她的双肩背包内，然后若无其事地爬上了床。

如果事成了，她这个正牌红娘，就等着两人步入婚姻礼堂时，狠狠地讹一份超大的红包。

第九章

我要我们在一起

With love
For you

有人说，

世人最浪漫的语言不是"我爱你"，

而是"在一起"，

这是对爱人一生一世的承诺。

翌日晌午，乐天身着蓝灰色西装，脸上洋溢着幸福的笑容，敲响了江文溪家的门。

江文溪背起早已准备好的双肩背包，乐天见着不禁哑然失笑。

"是不是样子很呆？"她撅起嘴。

"嗯，有点。不知道的人还以为是小学生野外郊游。"他微笑着揽过她出门。

"什么小学生？我这叫青春无限。"

两人用完了午餐，乐天开车载着江文溪去了 Jessie 的店里，让 Jessie 为江文溪挑一套合适的晚装。

跟着乐天的脚步，江文溪迈进了 Jessie 的精品店，望着明亮的店堂内的模特身上，以及衣架上一排排各式各样华美的晚装，惊愕得嘴巴不停地张合。

不是要去 S 市出差吗？怎么会突然带她来这样的精品服装店？

她脑中浮现出偶像剧里，男主们似乎总是喜欢带着女主去服装店里挑衣服，欣赏着女主不停地从更衣间里进进出出，左一件右一件，试着漂亮的衣服，待试完了数件衣服后，终于有一件让男主的眼睛一亮，叫一声："就是它了。"然后两人相携，迈着优雅的步调去参加盛宴。

OMG！这种八点档的狗血小言剧怎么可能在她身上发生？如此狗血为哪般？

这些晚装真的是太漂亮了，她忍不住伸出手，摸上其中一件衣料质地精良设计高雅大方却不失性感的黑色晚装，惊叹它的美。目光不经意间，瞥见上面的标价牌，下一秒，她的眼眸瞪得老大，等一下，那个……后面究竟是几个零？

手再次伸向旁边一件衣服，标价签依旧还是那么惊人

OMG！她在心中不停地惊呼，一件平常人根本没机会穿上身的衣服竟然这么贵？真是造孽啊！

她惊叹地咂了咂舌，吓得赶紧缩回了手，生怕那么摸两下，摸坏了这件晚装。

立在一旁，双手抱臂的 Jessie 已经审视了江文溪好一会儿。她很难相信，这么多年来，从不陪女人逛街试衣服，只会一个电话，叫她打包把衣服送到指定地点的乐某人，会陪女人一起来挑衣服。

瞧他那副含在嘴里怕化了，捧在手里怕摔碎的表情，哎哟！好可怕的爱情！

乐天见江文溪在那件黑色晚装面前流连了很久，以为她喜欢那件黑色晚装，大步上前，自衣架上取下那件衣服："喜欢就试试。"

"不要啦。"她连连摆手。

抗议无效，没有几秒，她便连人带衣服被乐天推进了更衣间。

进了更衣间，江文溪死命地咬着下唇，终在犹豫了片刻之后，还是换上了那件晚装。

可是，做什么这晚装的胸口设计这么低？不必弯身，从她的视角看下去，乳沟很明显地显露出来。她站直了身体，对着面前的镜子照了又照，她承认，非常的合身，该死的好看，可是那胸部，那背部……要命！这种样子要怎么出去见人。

乐天等了很久，都不见江文溪出来，便伸手敲了敲更衣间的门："喂，你在里面该不是睡着了吧？"

听到他的声音，她苦着脸急道："没有。只是……只是觉得这件衣服不太适合我。我还是穿自己的衣服好了。"

Jessie无语地望了望天花板上吊着的精美水晶灯。

这件衣服可是她的镇店之宝，不是她看得顺眼的人，她是不会轻易让人家试穿的。所谓的不太合适，不过是里面那位保守的女孩子个人意见罢了。她还真是个奇葩，话说，这年头，哪个女孩子不是能露则露，若是能不穿，说不准满大街全是裸奔的人呢。

乐天立在门外，轻皱了皱眉头："你先出来，让我和Jessie看看。"

"不行。"里面的声音毫不犹豫地拒绝。

"没关系，就算穿得难看，我和Jessie都不会笑你的。出来吧。"

"不要。"

"出来吧。"

"不行啦，真的不合适。我还是穿自己的衣服。"威胁也不行。

"哎，你是要我破门进去拉你出来还是选择自己走出来？"

……

最终，在乐天不耐烦地胁迫下，江文溪双手护着胸部，缓缓走出更衣间。

Jessie很不配合地走向前，拉下她护着双胸的手，吹了一记口哨，赞道："Perfect！"

乐天抬眸凝望着眼前换了装的女人，瞬间失了神，那玲珑的身姿，配着这袭性感的晚装美得叫人移不开视线。他的目光再次顺着裙摆一寸寸向上轻移，最终定在她的胸部，虽然她已经将头发全数拨在了身前，但依旧还是遮不住那里的一片春光。

这该死的衣服是怎么设计的？

骤然，他的脸阴沉了下来，站起身，快步走向衣架，迅速地挑了另一件晚装，然后塞给了愁苦着脸的她。

双手抚上她裸露的双肩，掌下那滑如凝脂的肌肤让他恋恋不舍，却也控制不住粗声粗气："不是不适合，是非常的不适合！试试这件。"

他将她又推进了更衣间。

啊，这么凶做什么？早就说了不适合，他偏要她走出来。

她咬着唇，无语地又换上衣服。

乐天转身，狠瞪了一眼立在一旁观战的Jessie，目光不悦地控诉着她是怎么设计衣服的。

布料少得连胸都遮不住，更让人恼羞的是背部露一大片也就算了，就连臀沟都一目了然。一想到江文溪要是穿成这样出席晚上的那一场宴会，引来一片目光在她的身上肆意逗留，他就抑制不住地想要撕人。

这种变相被人吃豆腐的事情，他是绝不允许出现在窝边草身上的，要吃也只能他一人。

他的声音带着浓浓的不满："你挺会精打细算的，布料用得可真是省。"

Jessie一脸无辜，自打她开店这么久以来，从未有客人抱怨过她设计的衣服布料少的问题。

一如江文溪想的那样，她真的是左一件右一件被迫试个不停。

在不知试了多少件之后，总算是有一件入了乐天的法眼，因为这一件紫色系脖设计的晚装，除了露出双肩之外，前胸和后背都包裹得严严实实，非常映衬她的气质。

她也很喜欢这件不完全像是晚装的衣服，尤其是胸前直至腰间那一大片人工绣珠设计，她在更衣间里，对着镜子照了又照。

可是这一件衣服真的太贵了，她不能这样的贪心。她羞愧地悄悄挪至Jessie的身旁，压低了声音道："请问有没有款式差不多，但是要便宜一点的衣服？"

Jessie忍不住笑出声，除了桑渝身边那个活宝袁润之之外，她真的很久没见过这么可爱的女生了。

"有，但是我怕我拿出来，对面沙发上的那位一定会立马砸了我的招牌。"如果她敢把T恤和牛仔裤拿出来，她想短期内她别想在某人身上赚到一毛钱。

江文溪怯怯地转眸望向某人，那脸上冰寒得可以刮下一层霜，"……没这么夸张吧。"

江文溪与Jessie的对话，不偏不倚地传入刚刚挑好高跟鞋的乐天耳中。他的嘴角微微抽搐，寒着一张俊脸："换回衣服吧，我们该走了。"

待江文溪换回自己的衣服，Jessie 亲自将晚装打包，交到乐天的手中。

本来 Jessie 指望乐天会有礼貌地赞扬她的精品店一番，谁知他接过几个手袋，牵着江文溪的手，直接拖着她头也不回地出了店门。出门之前，他顺手从模特身上扒了一件米色长款风衣，披在了江文溪的身上。

Jessie 捶胸哀号，那件大衣也很贵啊，不带这样连买带抢的啊……

坐在车内，江文溪感受到乐天身上散发出的隐隐火气。

她低垂着头，咬着唇道："你生气了吗？可我觉得花这么多钱买一件穿不了几次的衣服很不值。"

"没有。"乐天转身为她系好安全带，脸部的线条随即柔和了下来，"如果喜欢，花再多的钱也值得。但有些东西，有时候，就算你有再多的钱，也买不到。"

江文溪怔怔地望着他深邃而幽幽无底的眼眸，深深地叹了一口气，似乎什么话只要到了他的口中，都会变得那般有理。

从 N 市开车到 S 市虽然只有两个多小时的路程，但车子抵达 S 市的时候，天已暗沉下来。

江文溪对 S 市的印象也仅限于八九岁时的记忆，记忆中的 S 市水多桥多古宅多。

车子进入 S 市大约又行驶了约莫二十多分钟，终于在 XX 酒店门口停了下来。

江文溪身着休闲服饰，外加背着一个可爱的双肩包包，与一身西装的乐天相携出现在酒店大堂之内，便引来众人侧目。

江文溪左顾右盼，意识到自己的服装与身旁卓越不凡的男人太不搭，连忙甩开他的手，站离他起码三四米远的位置。

乐天皱着眉回首："你在干什么？"

"没什么。"她不敢直视他。

留意到周围的人都在打量他们，乐天紧抿着唇，大步上前，牵过她的手，不顾她的意愿，将她拉至前台接待处。

一男一女两位前台接待员，眼见乐天拖着位美女过来，惊愕地张了张嘴，一句"乐总，您好，有什么需要为您服务的"卡在喉咙间无法说出。

其中一名男性前台接待员目光在乐天与江文溪身上来回不过四五秒，便抢在乐天开口定房前，率先说道："这位先生，您好，时下正值旅游旺季，刚好我店的单人间、标准间、三人间、商务间、豪华间全部已满，只剩下一间观景总统套房。"

这位前台接待员话一出口不仅令江文溪和乐天怔然，就连身旁的同事也不禁惊诧地张大了嘴巴。在同事尚未穿帮之前，他一边对着江文溪和乐天死命地微笑，一边及时地踩了同事一脚，让她乖乖闭嘴。

乐天淡淡应了一声："那就这间吧。"

江文溪一听，惊呼一声："等一下！"总统套房？那岂不是李妍所说的通常只有最傻的人才会花钱住的最贵的房？

前台接待员很期待地看着她。

只听她咬着唇小声问："那个……房间里有几张床？"

前台接待员微微一笑："一张床。"

"一张床？！"江文溪惊叫。

"嗯，一张床，2米宽。"随便怎么滚床单都没有问题。

江文溪忍不住抱怨："实在很难相信你们这么大一间酒店，就只剩下一间房，还只有一张床。"就算是2米宽，那也是共睡一床啊。

"这位小姐，首先，我代表本店向您表示深深的歉意，相信您也知道S市是一座历史悠久风景如画的旅游城市，时节正值旅游旺季，客房满员这是正常的事。"这位前台接待员微笑着对江文溪说完，随即又向乐天投以一抹饱含意味的笑，"如果需要的话，我这就为您办理入店手续。"

乐天望着眼前的前台接待员微微眯了眯眼，收到他眼中传来的讯息，只是略皱了皱眉头，并未答话。

江文溪轻轻拉扯了一下乐天的衣袖，道："我们……还是换一家吧。"同睡一张床太不安全了。

那位前台接待员一听，立即又道："这位小姐，我店是前来S市旅游或者商务的旅客们的首选，现在已经是北京时间六点整，正是住店高峰期，离本店最近的酒店开车大约是二三十分钟的路程，若是您和这位先生在半小时之内还找不到可入住的酒店，恐怕……"言下之意，就是要睡马路了，所以快点办理入店手续吧。

"不用说了，就要那间。"乐天掏出身份证。

"好的，您稍等。"前台接待员微笑着接过乐天的身份证，为其办理入住手续。

江文溪干瞪着眼，关于一张床的事，她又不好当着这么多人的面说什么，死命拉扯着乐天的西装衣袖，不一会儿便被她扯得一道道细细的褶印。

乐天索性拉下她不安分的手，紧握在手中，待办理好了手续，直接将她连人带物拖进了电梯。

电梯门刚刚合上，前台接待处便起了小小争执。

"喂，你怎么能对乐总说只剩下那间观景房？"

"没看见乐总牵那位美女的手牵得那么紧？如果开两间总统套房，你觉得合适吗？早在来此之前，乐总一定为开什么房而纠结很久，我当然要抢在他开口之前为他分忧，全店最富浪漫情调的观景房最适合不过。没瞧见乐总回首时那隐藏着的澎湃笑意？"

"哎！你还真是有够狗腿。"

"亏你做了这么久的前台接待，都不知道要察言观色，以后机灵点，跟前辈我多学学，什么叫眼观四路，耳听八方。"

"……"

江文溪虽然感慨自己在有生之年，终于得以入住一次总统套房，但感慨房间奢侈豪华的同时，不免忧心晚上睡觉问题。

纠结了一晚上，在乐天进入浴室后，她瞄准了那奢华客厅内的沙发，抱了一床被子铺在沙发上。

不一会儿，乐天身穿白色浴袍，顶着一头湿漉漉的头发从浴室里走出来，对坐在镜前发呆的江文溪道："早点洗洗睡吧，明天会很辛苦。"

江文溪回首，她不得不曾认，美男出浴图十分养眼。浴袍领口微敞，随着他不停擦动头发的手上下伏动，漂亮的锁骨和厚实的胸肌若隐若现。

乐天见江文溪还傻坐那儿盯着自己看，不由得挑了挑眉，走上前轻捏了捏她的下颌："再看要收费的。"

"……"江文溪尴尬地收回视线，连忙起身去翻包包，拿出换洗的衣服，谁知道，一拉开拉链就从包里掉落几盒色彩缤纷且十分眼熟的小东西，当她意识到那是什么玩艺的时候，已经迟了。

乐天弯下身意欲捡起，待看清那掉落在地的东西是何物时，手僵在那停止动作。

"那个，那个，不是我买的。该死的妍妍，怎么可以做这种事，脸都被她丢到外太空了。"她急得语无伦次，连忙蹲下身捡起那几个该死的罪魁祸首，然后奔出房间。

再进房间的时候，她的手上已经没了那几盒避孕套，而乐天一脸平静地坐在书桌前翻看着文件。

她心念，果真是出差，是妍妍想歪了。

她自我安抚地拿了换洗的衣服迅速闪进了浴室。

听到门合上的声音，乐天放下手中的文件，开始发怔。

突然之间，他有些无法适应，这孤男寡女共处一室，似乎比他想像的要糟糕很多，窝边草似乎一直在怕他。

他扒了扒头发，叹了一口气，起身缓缓走向落地窗前，隔着玻璃，望向窗外，冷冷的一轮孤月挂在夜空中。夜风中，护城河边杨柳飞絮，护城河水在河两岸灯光的照映下，金光粼粼。

已有十年，他不曾好好欣赏夜幕下的护城河了。但愿此行，这十年的心结算是真正的化开。

蓦地，身后传来一阵窸窸窣窣的声音，他回首，正好看见身着一袭卡通睡衣的江文溪，披散着一头湿发，蹑手蹑脚地抱着枕头向客厅走去。

他是毒蛇猛兽吗？和他同床至于惧怕到这种地步吗？他有说他会对她做什么吗？这个笨丫头！

"你要是敢再向前跨一步，我保证你今晚睡酒店大堂。"带着隐隐的怒气，他出言威胁。

顿时，江文溪收住了脚步，再不敢向前。她背着身，苦着脸，怯怯地说："刚才的事，我很抱歉。我怕你觉得我是个攻于心计的女人，所以，我觉得我还是睡沙发比较好。"

"真的是这样想的吗？而不是怕我对你图谋不诡？"

乐天削薄有型的双唇抛出这样的反问，让她不禁打了个冷颤，他做什么要这样了解她的内心？

他大步上前，从她的怀中抽出枕头丢回床上，居高临下地凝视着她，愠道："要不要我让他们送一个汤碗上来，装满清水放在床正中？" 在床正中放碗水？

她一听连忙摇了摇头，她和他又不是梁山伯与祝英台，要不要这么夸张？如果真的放了那么一碗水在床正中，她想，半夜会爬起来喝掉那碗水的一定是她。她的睡相那么差，她宁可被水撑死，也不要睡在湿湿的床上。

"不要，那就上床睡觉。"他命令。

她只好认命地耷拉着脑袋缓缓向床移去。

"等一下。"身后男人的声音再次响起。

又什么事？她转身，一脸不解外带满脸委屈地凝望着他。

怔然之间，他已将她轻轻拉坐在镜前，手持着吹风机，细心地为她吹起未干的头发。

她坐直着身体一动不动，透过镜中，却看到他的头发微湿，不禁疑惑："为什么你自己不吹头发？"

"不习惯。"言简意赅。正当她翻了一记白眼时，却又听他柔浅如风的声音响起，"我头发短，上床之前肯定会干。你头发这么长，湿着头发睡觉很容易生病。"他垂着眼睑，专注着手中那三千青丝。除却怕她生病的原因，还有，他喜欢她这一头柔软顺滑的发丝在他指间缠绕的感觉。

淡淡的温暖感觉在她的心间慢慢扩散开来，她的嘴角微微向上弯起，墨黑的双眸目不转睛地望着镜中，专注为她吹发的他。

这样的感觉，真的比吃了蜜糖还要甜。

吹完了头发，他怕她再有所想法，索性先在床上躺下，背对右侧的方向，闭上了眼。

她深吸了一口气，缓缓坐上了床，偏首，看着他背侧的身子随着浅浅呼吸轻轻起伏，不由得松了口气，在右侧慢慢躺下。

如果说正值荷尔蒙不停喷涌的一男一女，躺在一张床上却不发生一点事情，那对男人来说是种耻辱；如果说发生一点事情，却是男人被女人一脚踹下床，那对男人来说简直是奇耻大辱。

半梦半醒间，乐天撑手坐在柔软的羊毛地毯上，掌下那羊毛地毯的柔软触感，让他难以置信地反复看向那个占据了整张床的女人不下数次。

他很难相信自己居然是被她踹下床的，这让他不禁想起她在别墅睡翻下床的事。

他从不知有人睡相可以这样差。见鬼，他活了三十年，从未觉得这么丢人过。似乎遇上她，几乎没有什么不可能发生的事了。

他低咒了一声，从地上起身，弯下腰，抱起她往床另一侧挪了挪。见她翻了个身，他叹了一口气，才重新在床侧躺下。

原本就浅眠的乐天，经过一夜与江文溪在床上非人的"激战"，早早起了床。

江文溪觉得这一夜睡得是有史以来最舒服的一觉，总统套房的床果然就是不一样。可为何某人从吃早餐开始一直到现在都是一副谁欠了他巨债似的模样？

刚换好衣服，江文溪便被拖出了门。

江文溪一直以为，江航的工程项目只在 N 市，却没想到在 S 市还有同类项目。

外地的工程多为江董直接负责，而此次乐天利用参加同学聚会的机会，顺道来看看。

项目经理及副理对乐天和她毕恭毕敬，当她换上了工装，头戴安全帽，举

着相机，深一脚浅一脚，踩在满是泥沙浆的工地上时，突然明白乐天昨晚对她说的那句"明天会很辛苦"的真正含义。

虽不是盛夏，可今年这天热得早，晌午时分，烈日当头，她不禁一阵阵犯晕。所幸，眼前还有位养眼的帅哥可以一饱眼福，不然，她真怕自己会晕倒在这工地上。

都说认真工作中的男人最迷人。

乐天一举手一抬足均是气宇轩昂，自然无比，只是那一身工装加上那顶头盔，实在是与他的气质不搭。

她在脑中不停地勾画起他是一名建筑工人，然后捧着饭盆蹲在工地上狼吞虎咽吃饭的傻样，不由地咧开了嘴。抑制不住，她摸出手机，将镜头对向了他。拍完之后，将他顶着头盔歪着头沉思的照片做成手机桌面。

"什么事这样好笑？"乐天走至她身边，"让你拍的照片都拍好了吧？"

"嗯，拍好了。"她心虚地收起手机。

"走吧，我饿了。"他轻轻揽过她。他婉言谢绝了项目经理与副理的盛情招待，已经是下午一点了，若是等到吃完饭，没多久他又要开车赶往聚会的酒店，他不想把与她在一起的私人时间浪费在同别人吃饭上。

回到入住的酒店，用完午餐，江文溪正琢磨着下面是不是该去四处欣赏一下富于古典气息的 S 市。孰知，她就这么毫无预示地被乐天推进了酒店的美容馆。

她以为昨日挑完了衣服一切便结束了，完全忽略了小言桥段中，挑完了衣服后还有必要的精致的妆容。

她被丢在美容馆里，从全身按摩到脸部妆容，接受了长达三个多小时从头到脚化腐朽为神奇的改造，尔后宛如一件高贵精致的待售商品一般，展现在了乐天的眼前。

此时此刻，乐天身着一身裁剪精良用料讲究的银灰色西装，坐在沙发上翻看着杂志，领间系着的是她送的领带。她只感觉呼吸一窒，目光落在他清俊的面庞之上，一时间无法移开。

当看到纤细的脚踝出现在视线内，乐天微微抬眸向上，这一次，只是一两秒钟，他淡淡地点了点头，牵着她的手出了美容馆。

直到上车，那牢牢牵着的手才松开。

乐天过于冷淡的表情，看在江文溪的眼里，有种说不出的滋味，心底有种涩涩的酸楚，伴着微微的疼痛。

她这样一定是丑人多作怪，才会让他有这样的反应，就算是穿上了公主服，灰姑娘还是灰姑娘。

殊不知，乐天是强压着心底那份想要拥吻她的冲动，而不敢多看她一眼，生怕自己一时冲动，毁了她脸上那漂亮精致的妆容。

夜幕降临，星星点点的灯光，让原本熙攘的城市安静了很多。

车子很快抵达了市郊一座假日酒店。

迈入店堂，一片金碧辉煌。

江文溪抬眸看向金灿灿的大堂顶部，数不清多少枚金箔铜板，在水晶吊灯下闪闪生辉，让人叹为观止。

跟随着乐天的步伐，江文溪一路欣赏着华美的装饰。整个酒店的风格尽显东南亚风情，各式小竹楼、垂钓长廊、小桥凉亭、充满着神秘色彩的壁画以及旖旎迷人的热带风光缩影，仿佛把游人带到了异国他乡。

欣赏之余，她偷偷瞥了一眼身侧面色沉暗的乐天，隐隐觉得，今晚这场宴会，才是他此次前来 S 市的目的。

正当神游之际，一声优雅的男音传来："我就知道你一定会来的。"

她抬眸望着戴着金色细边眼镜的男人，一袭暗纹蓝灰色西装，衬托出他儒雅的气息，很难忘记这个第一眼就给人印象深刻的男人——方子贺。

乐天笑了笑，与其热情相拥，脸上呈现出的激动表情犹似见到了多年未见，感情甚笃的好兄弟。

"哟，这不是我们的乐天兄弟吗？"来人带着不友善的口吻嘲弄。

江文溪闻声略微偏首，见到三位身着西装的男士向他们走来。

"老同学，老朋友，十年未见，风采依旧，不输当年啊。"这次开口的是为首的一位男士，一双锐利的眼眸直射在乐天身上，下一秒转视依在他身侧的江文溪身上，眼睛一亮，"老同学，不为我们介绍下身边的美女吗？"

乐天的脸上依旧保持着那浅浅的笑容："我的未婚妻，江文溪。"随即为江文溪一一介绍，"周绍宇，王浩磊，童建成。"

"姓江？看来你与姓江的还真不是一般的有缘。"为首的周绍宇讽刺地抬了抬嘴角。

江文溪不解地望着乐天，只见他嘴角挂着一抹似有似无的淡淡笑意，双眸直视着周绍宇，但那笑容里却找不出一丝温度。

周绍宇被乐天看得有些不自然，向江文溪伸出手："很高兴认识你，美丽的小姐。"

周绍宇的长相、身高、体格都不输于乐天，但一双细长的凤眼却透出阴沉的邪气，让她很不舒服。王浩磊与童建成两人，无论是从外表上还是从气质上，都要相差了好几等，尤其是王浩磊那双原本不是很大的眼睛，浑浊泛黄，

从见到她的第一眼开始，目光便不曾从她的身上移开，再加上厚重的眼袋，整个人有种异常猥琐的气息。

她突然有种想要抠掉此人极度猥琐的双眼的冲动。

出于礼貌，她向周绍宇伸出了手，机械地道了一声："你好。"

冷淡的语调让周绍宇微微眯了眯眼，嘴角轻扬。

立在一旁的方子贺道："进去再好好叙旧吧，里面还有很多多年不见的同学等着呢。"

当乐天携着江文溪盛装出现在宴会大厅时，场内顿时一片寂静，所有人的目光都向他们投来。

在众人惊诧的眼光中，直觉，让江文溪有一种说不出的怪怪的感觉。

乐天自见到方子贺的时候，脸上始终保持着迷人的微笑。只有江文溪知道，那是他伪装出来的笑容，因为面对这群多年未见的老同学，她在他的眼底看不到一丝应有的欣喜。

记忆中，是周绍宇打破了这有些冷场的气氛。

乐天一直揽着她，一一向众同学介绍。

也许从小跟在大舅身后，练就了一种本能，在场的每一个人，无论是相貌、声音、背景等，只要是乐天说一次，她都会牢牢地记在脑中。所以她常叹自己不当警察，真的很可惜。

乐天陪了她一会儿，便被一群男人拉走了，进行所谓男人之间的话题。

望着茫茫的陌生人群，江文溪不禁苦笑了一声，她早就知道会有这样的结果。她尝着精美的食物，美味的食物可以让人缓解压力，放松精神，顺手从身边经过的侍者手中端起一杯饮料，浅尝一口，居然是酒，口味还不赖，又浅啜一口。

不知道是不是自己的听力太好了，其实她很不屑于偷听别人说话，但往往事与愿违。这不，身后就有那么几只喜欢说三道四。

"你说那个女人知道乐天十年前的事吗？"

听到乐天两个字，她浅抿着杯中酒，耳朵在无形中伸得老长。

"应该不知道，一般很难有女人能接受自己男人以前做过'那种'事。"

"说得也是。"

"那也不一定，现在的女人只要有钱，什么样的男人不跟啊，何况以他现今的身份地位，不怕没有女人。"

她很好奇，十年前，乐天究竟做过"哪种"事，以至于十年了，还这么让人"津津乐道"。其实，有时候回过头想想，她自己也有种是在傍大款的感觉。

只听那几只又接着说：

"十年了，他竟然比十年前更吸引人。唉，我至今都不愿相信十年前那事是他干的，只要他随便勾勾手指，主动扑上前的女人犹如过江之鲫，他怎么可能会做出那种事。"

"得了，老公孩子都有的人，还学人家毛丫头犯花痴。如果他真的没做过，法院怎么可能乱判？周梦珂怎么可能会离开他？谁不知道他和周梦珂当年爱得有多疯狂。"

"也是哦。我倒是没想到，周梦珂居然会离开他，嫁给方子贺。"

"切！当年我就看出来方子贺暗恋周梦珂，像她那样的女人，哪个男人娶了至少少奋斗二三十年。"

"你们有没有发现，乐天的未婚妻，那个叫江什么的从某些角度看还挺像周梦珂的。"

"哎，你不说还不觉得，还真有那么一点点。"

江文溪将杯中的酒一仰而尽，捏着空杯的力道越来越大，仿佛要将酒杯捏碎了一般。

她从来不知道自己竟然会从某些角度看像那个女人。

似乎觉察前方有人凝视着她，抬眸，不远之处，正立着一个女人，一袭性感的黑色晚装，衬托出她高雅的气质。

哦，是那个她从某些角度看像的女人，周梦珂。

她看见周梦珂迈着优雅的步调向她缓缓走来，下意识里，她抗拒与这个女人攀谈，漠然转身。身后一直在叽叽喳喳的几只停止了八卦，惊恐地看了她一眼，然后尴尬地在眨眼之间消失于人群中。

"我以为阿天他不会来。"周梦珂的声音犹如她的长相一般，温柔清甜。

江文溪缓缓转过身，嘴角之处漾着一抹迷人的淡笑，算是无声地应答。

周梦珂不勉有些尴尬，又道："你是不是忘了我是谁？在N市，周成的婚礼上，我们见过面的。你好，我叫周梦珂，很高兴再次见到你。"周梦珂向她伸出手。

迟疑了一下，江文溪还是伸出了手回握："记得，很高兴再次见到你。"

周梦珂看了看她，轻道："我很高兴阿天有你陪在他身边。"

江文溪一点也不感觉不出周梦珂的高兴之意，相反倒是透着一股子浓浓的酸味。她淡淡地笑着应声："缘分天注定。"下一秒，目光却是落在两人还在相握的手上，然后又看向周梦珂，似乎在说：是不是可以松手了。

周梦珂脸上的表情微滞，缓缓收回了手，垂下眼眸，凝视着江文溪手腕上

那串十分特别的水晶手链上，赞道："很特别的手链。"

"他亲手为我做的。"江文溪从不知道自己可以眼睛眨也不眨，说谎话说得这样自然。

周梦珂的脸色猛然一白，江文溪的脸上亦没有露出胜利的微笑，脸色不比周梦珂好到哪里去。不知道为何，面对周梦珂，她无法像面对曾紫乔那般坦然。

谁不知道他和周梦珂当年爱得有多疯狂……那个叫江什么的从某些角度看还挺像周梦珂的……

一声声回荡在心间，仿佛似在啃噬着她的心。

她将手中的空酒杯放回侍者托着的托盘上，对呆立的周梦珂轻道一声："很抱歉，失陪一下。"

未等周梦珂回过神，她已经翩然离开。

洗手间内，暗黄的灯光下，江文溪盯着镜子看了半晌，先是笑了一下，然后又撇了撇嘴，左右仔细地审视着自己的面庞上每一个部位，喃喃自语："哪里像了？哪个角度像了？一群没欣赏水准的家伙。"

她叹了口气，走出洗手间。嘈杂的宴会大厅让人很烦闷，她四下找寻乐天，却始终不见他的人影。

一位侍者托着托盘经过，她顺手从托盘上又取下一杯红酒，目光依旧盯着人群，试图找到乐天。

她端着红酒立在门处，一个转身却看到方子贺紧握着双拳，一脸怒气地从门外走进大厅。

比起周成婚礼上，在洗手间门口遇到发怒的方子贺，那这一次显然比上一次更严重，因为他从她的身边快步而过时不小心撞了一下，只是低垂着眼轻道了一声"抱歉"，便匆匆离开了。

身体向后稍稍挪了一步，转头望向方子贺刚才进来的方向，走廊尽头，灯光昏暗。

好奇心的驱使，她转身缓缓向走廊的另一端走去。

她讨厌这种感觉，她始终觉得自己不会遇上男友与前女友或是情人会面的情形，然而往往总是与事实相违。

就在要拐弯的地方，她顿住了脚步。

柔和的灯光下，正前方的玻璃上倒映出两个清晰的人影。

"十年前，我不愿去看你。你怪我吗？"忍了很久，周梦珂终于问出了一直想要问的问题，低垂的双眸中早已溢满了泪水。

乐天别开脸，沉默不语。

得不到回复，周梦珂缓缓抬起头，颤着声又问："你是不是很恨我？在你最需要人关怀的时候，我却不肯去看你，你是不是很恨我？"

乐天不知道要如何回答，他真的很不想再提十年前的事。他恨，当然恨，那时的他怎么能不恨？但现在一切都不重要了，那一切都过去了，他只想过现在的生活，只想活现在的乐天，而不是还沉寂在十年前的阴影之中。

他摸出一支烟，点燃，默默地吸了几口，然后淡淡地道一句："十年前的事早已经过去了，何必再提。"

"对我来说，没有。阿天，你知道吗？对你，我是多么的内疚……"周梦珂顿了顿，眼睫低垂，眼泪抑制不住地流了出来，"阿天，我相信你，我相信你是清白的……"

乐天夹着烟的手僵滞，抬眸怔怔地凝望着她，冷道："现在说这些，有什么意义呢？"

刹那间，周梦珂突然变得激动起来，紧紧地抓住他的衣袖，哭着说："阿天，我要说。你知道吗？后来大学里我读的是法律专业，我不是为了方子贺才选择这个专业的。那个时候，我自己都不知道潜意识里我是相信你的，我想为你翻案。后来爸爸知道我有这个念头，强逼着我出国……如果我早点发现我自己的心，如果当初我相信你，如果我下定决心坚持等到你出狱，也许事情不会走到这一步。"

"你别这样，十年前我没怎么样，现在更不会怎么样。我活得好好的。"乐天深蹙起了眉头。

"我知道你是清白的！我知道你是清白的！当初只怪我软弱，怪我不信任，怪我意志不坚。阿天，原谅我吧，对不起，对不起，对不起，真的对不起……"周梦珂拉着乐天的衣袖，不停地说着对不起，泪雨直下。

乐天有些恼火地熄了手中的烟，别开脸，不看周梦珂，可偏偏她的眼泪就像流不尽似的。

他忍不住吼了一句："你怎么还像以前一样，动不动就哭。"

威吓的效果没起到，反倒让周梦珂眼泪越流越多。他烦闷地叹了一口气，摸出手帕，刚要将手帕递给周梦珂，孰料，她突然扑进自己的怀里抑制不住地痛哭起来。

他举在半空中的手，迟疑了许久，终是抚在她的肩头，想要将痛哭中有些失态的她拉离。

江文溪不知道自己是怎么样走出宴会大厅，走到音乐喷泉边上的。

外面的空气令人舒服百倍，无论她怎样努力地深呼吸，却难掩失落，胸口不断地紧缩，紧到几乎快窒息的地步。

她缓缓坐在木椅上，望着对面喷泉升起落下，那点点光晕中，呈现出的是周梦珂哭泣的身影。

她终于明白了她究竟是哪点像她。

原来是眼泪……

那玻璃中的映影，那样的神情，那样的姿态……

原来是眼泪……

她苦涩一笑，一口仰尽杯中的红酒，捏着酒杯的力道越来越大，恨不得将它捏碎。蓦地，对着那升起的喷泉，她用力地将酒杯掷了出去，只听"啪"的一声，玻璃碎裂的声音混杂着水声骤然响起。

"乱扔东西可是不道德的，尤其是这样一个夜晚，这碎了一地的玻璃碴要是扎着美女可就不好了。"一个轻佻的中低男音刺入耳中。

江文溪烦燥地抬首，借着隐隐灯光，望见喷泉对面的小径里走出来一个人影。

她看不清来人长相，但凭声音，她确认自己在哪儿听过，这声音十分令人讨厌。直到这个男人立在眼前，她方看清原来是一进这里，便听见他开口讽刺乐天的那个怎么看都很猥琐的王浩磊。

目光刚收回，她的余光瞥见方才的小径里又匆匆蹿出一个人影，衣裙飘然，快步往喷泉另一边走去。蓦地，听见那身影传来一声惊叫，似乎脚下踩着什么了。

小径两侧的树枝茂密，灯光似乎透不进那层层枝叶，如此隐蔽，适合为非作歹，更适合偷情。

她的目光落在面前男人的皮鞋上，心中冷哼，不愧是同学。美其名曰，同学聚会，实则是方便大家来偷情的。

王浩磊以自认为很性感的声音问："江小姐，我可以坐下吗？"

江文溪高抬目光，盯着喷泉，很明显地表露出"没事别惹我"，"有多远滚多远"的姿态。

王浩磊似乎不懂看人脸色，也不管她是否应声，径自在她的身旁坐下，还故意坐在很贴近的位置。

她皱了皱眉，往一旁挪了一挪，谁知王浩磊又往她的身边贴近。这样反复两次，她无法忍受这个不请自来又十分恶心的男人，倏然站起身打算离开。

孰知，王浩磊一把拉住她的纤手。

她回首恶瞪一眼，猛地甩开，怒道："请你自重，如果惹出不必要的麻烦，后果自负。"

"江小姐何必这么生气呢？其实，我不过是想与江小姐聊一聊。难道江小姐不认为能在这样一个美丽的夜晚，偶然相遇，是冥冥中注定的缘分吗？"王浩磊眼中透露出太多的暗示。

缘分？

她冷笑一声，她可没觉得这是一种缘分，遂淡淡地回道："不好意思，失陪。"

刚欲迈开步子，她便听到身后的人嬉笑一声："能让我们美丽的江小姐怒将酒杯砸碎的人，一定是做了什么令江小姐不开心的事吧。让我来猜猜这个人是谁呢？唔，一定是带江小姐来这里的人。他究竟做了什么让江小姐这样不开心呢？让我斗胆再来猜一猜。他是不是做了什么对不起江小姐的事？比如……像我刚才那样。"

江文溪没见过可以无耻成这样的人，偷情都可以引以为傲。心事被人揭穿，她不怒反笑，回首笑看了王浩磊一眼，便在他的身旁重新坐下，抬了抬嘴角："是王先生吧，想聊什么？"

如果她就这样走掉，她觉得太对不起自己。为何那个该死的男人可以理直气壮地幽会老情人，而她就要一个人在这里摔杯子撒闷气？见着男人有意搭讪，她做什么要脑子自觉应该避而远之？为谁守节呢？笑话！

王浩磊见她身姿轻盈地坐下，两只眼睛顿时一亮，仿佛像是审视一件不可多得的宝物一般，从上到下仔细地将她欣赏个遍，目光最后贪婪地锁定在她饱满的胸前。

真是一个让人心痒痒的尤物！

"叫王先生多生疏，我不介意叫我一声浩磊。"王浩磊借机又往她的身侧挪了挪。

浩磊？她真的想吐。如果不是因为想借着聊一聊的机会知道一些自己想知道的事情，她相信自己绝对不会容忍这个男人的目光在自己身上多停留一秒，她一定会抠了他的眼珠。

整个人向后倚去，相较而言，算是拉离了一些距离。

王浩磊顺势也向后靠去，将手臂横卧在椅背上，这样看起来像是搂着江文溪一般。

她捏紧拳头，告诉自己要忍。

王浩磊不禁惋惜："我只是很好奇，以江小姐这么好的条件，怎么会愿意屈就于他？"王浩磊双腿交叠，笑得很招摇。

"屈就？"江文溪微眯了眯眼，怀疑他是不是用错了词，"我倒是觉得高攀。"

"哈哈哈，高攀？真是太可笑了。"王浩磊的口中满是讽刺，"今日在场的任何一位女性，以'高攀'二字都觉得是抬举他了。"

江文溪怒火中烧："你这样在我面前损贬我未婚夫，不觉得很失礼吗？"

王浩磊笑得更大声："江小姐，你会躲到此地，难道不是撞见他与旧情人幽会？难道不是因为生他的气？这种事是在场所有人不用脑袋想，都可以预料的。他们两人当初的事，你又能比我这个从小和他们一起玩到大的人知道多少，了解多少？何须我损贬他，就算他今时今日有了这样的风光又能怎样？那也永远抹不了他十年前坐过牢的事实。"

王浩磊的话无疑像一枚炸弹，"轰"地一下在江文溪的心中爆炸开来。

从刚才到现在，她的脑子里一直想着那几个八卦女人口中所谓十年前的事，究竟是什么事要法庭审判？现在自王浩磊口中听到乐天曾经坐过牢，她的心猛然间收缩了一下，她无法相信那样卓越的男人身上，背负的所谓十年前不可告人的秘密，竟然是入过狱。难怪初进这里时，所有人的眼光中都带着难以遮掩的鄙夷。

十年前，乐天他应该在上大学吧。

究竟是发生了什么事？

她转眸，竟然期待地望向王浩磊。

"看你的脸色这样难看，我就知道，他不会告诉你这件事。啧啧啧，未婚妻，都快要嫁给他了，却不知道当年他那段风流往事，我真是为你感到不值。"王浩磊的手就这样覆在了她的手背上。

她恼怒地抽回，刚要发怒，只见王浩磊身体前倾，贴近她轻道："你难道就不好奇他为什么会坐牢？不好奇当年那样痴缠他的周梦珂为什么就这样与他分了手？不好奇他的好兄弟方子贺为什么会与他那么生分？不好奇今晚在场的人看待你的眼光为何异样？不好奇吗？这些你都不好奇吗？"

王浩磊的话声声诱惑着江文溪，她的呼吸开始有些急促，强抑着心头的怒气。

"是强奸罪。你亲爱的未婚夫犯的是强奸罪。"王浩磊的唇贴近了她的耳际。

她的身体猛然一僵，推开王浩磊，怒喝一声："不可能！"

"不可能？我就知道你一定是这样的反应。哼，不信？你可以去问问今天在场的所有人，或者亲自去问他本人，问我说的是不是真的。啧，他怎么可能会告诉你这件事？你见过有人主动揭自己的丑事的吗？"

"不可能，不可能，不可能……"她不停地喃喃念着。

与乐天交往这么久，以她对他的了解，他绝不是那种人。前天晚上她与他那样情不自禁，她拒绝了，他也没有下一步的动作，甚至还会向她道歉。昨天晚上更是，同睡一张床上，他没有任何逾矩的动作，昨晚，也是她近十年来睡得最安稳的一晚。

一定是弄错了。

要不然就是这个叫王浩磊的男人在撒谎。她从他的眼光中看到了他对乐天的嫉妒，从一开始他就在抹黑乐天，这个男人一定是在撒谎。

她转眸看向王浩磊，咬着牙问："十年前究竟是怎么一回事？"

"呵呵，想知道？"王浩磊故意卖了个关子，"那就坐近点好好听我说。"他往她的身边挤去，大腿紧贴着她的腿，故意磨蹭着。

她隐忍着，在心中发誓，只要这个色胆包天的男人说完这件事，她若不将他丢进喷泉里好好"洗礼"一番，她江文溪三个字倒过来写。

"十年前，你亲爱的未婚夫考上了 N 市有名的 H 大，成了 H 大有名的高材生。人人都说他有多优秀，若不是升大二那年暑假的野外郊游，没人知道他是一个人面兽心的家伙。那个乡下女孩才刚满十八岁，正值青春年少，还有大好的年华等着她，可偏偏就这么被他毁了。"王浩磊的目光贪婪地在江文溪身上游走，声音越说越有一种说不出的激动与亢奋，"知道吗？被人捉奸在床！当初那个老父亲推开房门见到自己的女儿赤着身体缩在床角不停地抽泣，而你亲爱的未婚夫同样赤身裸体，坐在人家床上，却恐吓人家不许哭。我们一行人，我、周梦珂、方子贺、周绍宇、童建成，还有他好几个同去郊游的同学亲眼目睹了这一出人间悲剧。最让人不耻的是，警察来的时候，他说他是被冤枉的，不但当着警察的面再次恐吓那个小姑娘和那位老父亲，想堵住所有人的嘴，甚至还袭警。人证物证俱在，证据确凿，他还对着所有人怒吼他是被冤枉的。呵呵，若不是我们拦着那位老父亲，他恨不能一铁锹砸上去。"

江文溪越听，眉头皱得越紧。

她不相信王浩磊所说的，虽然她不了解十年前的乐天是怎样的人，但一个人的本性不会变，若是十年前他是那种人，那么十年后的他，在经历了这么多事之后，只会变本加厉。

她紧攥着拳头，死命地咬着唇，不禁想起年前与乐天的争执，他对警察的仇视。

"那些顶着'人民公仆'头衔的伪君子，明明抓错了人，却不敢承认自己无能……"

她终于明白他为什么那样的讨厌警察。当时他的话，已经明明白白地告诉了她。如果是因为这件事，让他那样憎恨警察，那么唯一的解释就是，他是被冤枉的。如果一个人是被冤枉的，所以不论是十年，甚至几十年，直到死去，他始终会坚持自己是被冤枉的。但为什么，过了这么多年，他不为自己翻案，以他如今的能耐，为什么不为自己翻案？

她觉得自己的脑子越来越乱，倏然站起身，急于往宴会大厅的方向迈去。

王浩磊跟着站起身，跟上前："你还是不相信吗？如果他真是被冤枉的，为什么周梦珂不信他不帮他，而是选择分手？为什么他最好的兄弟方子贺也离开他？以他如今的身份地位，他为什么不翻案？"

王浩磊的话，一字一句地猛烈敲进她的心底，一锤一锤，砸得她的心很痛很痛。

王浩磊见她不说话，贴近她又假惺惺地道："我王浩磊就是看不惯这种欺诈的行为，我为你感到不值，以你的条件，可以找到比他更好的男人，他能给你的，我一样可以给你——"

"更好的男人？那你能给我多少？"江文溪回首扬着唇角媚笑。

王浩磊惊喜，手忍不住抚上她裸露的肩头，贪婪地摩挲了起来："我绝不会亏待你——"

只听"嘶"的一声，王浩磊的脸色突变，因为在他的手抚上江文溪肩头的时候，江文溪撕开裙摆猛然一个转身，以迅雷不及掩耳之速，双手扣住他的双肩，屈起腿，抬起膝盖狠狠地向他的胯下攻去。

王浩磊的胯下受到如此重击，整张脸在一瞬间揪在了一起，痛得他弯下身，双手护住下身不停地哀号。

紧接着，她便抡起右拳，狠狠地打在他的左脸上。仅是一拳，便将他打得向后跌去，摔倒在地，整个身体缩成一团。

她大步走上前，俯首看着他，冷笑："S 市房产管理局前任副局的儿子？很了不起，高干子弟，比起我孤儿院长大的未婚夫是要强上百倍。劳你舍弃了与你情人幽会的时间，跑来和我说这么一大通，我真是过意不去。"她双手抱拳，指关节捏得"咔嚓"作响。

王浩磊痛得额上冷汗直冒，一手捂着下身，一手撑着地，话都说不周全："你……这个……死三八……"

"死三八？刚才是谁一副正义凛然想要拯救我于水深火热之中的神圣样子？为我感到不值？我和你今天不过是第一次见面，你就能知道我值得跟什么样的男人？我若不好好报答你，真是对不住我自己。"江文溪抬起脚用力地踩在王浩磊的腿上，"我有没有告诉过你，别人从我这儿占了一分便宜，我会十倍还给那个人。你这只贱猪头，刚才大腿蹭得很过瘾吧？手摸得爽吧？现在我让你更过瘾十倍。"

高跟鞋尖细的鞋跟踩得王浩磊痛号起来："你这个变态！你这个神经病！来人啊！快来人啊！这里有人谋杀！"

"变态？我就是变态怎么样？乐天没告诉你，我是精神分裂患者，生人勿扰吗？一开始就警告过你，请你自重，如果惹出不必要的麻烦，后果自负。你不信，怪得了谁？你这头该死的色猪，我让你摸让你蹭！"江文溪的声音尖锐而富有穿透力，说着，脚下又使了力。

喷泉落下的瞬间，王浩磊凄惨的杀猪叫划破了寂静的天际。

乐天推开周梦珂后，淡淡地对她说了四个字"我原谅你"便离开了。

回到宴会厅，他四处找寻江文溪，却始终不见她的踪影，眉目深锁之间，却见方子贺神色匆匆地来找自己："阿天，王浩磊被你未婚妻打了，快跟我来。"

刹那间，他的脑袋完全抽空了，整颗心顿时慌了起来。

到底发生了什么事？她又听到了什么声音？之前她一直在他的视线范围内，只不过走开一会儿，那个该死的王浩磊就找上她。

他握紧着拳头，跟着方子贺、周绍宇、童建成等人匆忙往大厅外走去。

周梦珂见他的整个心都系着江文溪，连苦笑的力气都没了，深深吸了一口气，便跟着一起过去。

乐天赶到的时候，远远地便看见江文溪双手揪着王浩磊西装的领襟，对着一旁的两名侍者凶神恶煞地怒吼："你们要是敢过来，我就一起打。"

两名侍者吓得连连退后几步。

"你不是要叫警察抓我吗？你不是要告我殴打吗？怎么现在不叫了？不告了？我很想看看警察抓一个精神分裂患者会怎么处理。闹到警察局去，我看你爸和你的脸往哪儿搁？房产管理局副局的儿子就你这副德性？如果没有你老子，你算是个什么东西？他起码比你光明磊落，不会在背后说人是非，不会占同学未婚妻的便宜，对她上下其手。他今天有的一切是他自己努力得来的。就算他十年前坐过牢又怎样，除非他亲口对我说，他十年前的确做过那样的错事，否则我不会相信。我不是周梦珂，我不是方子贺，更不是你这种狂妄自大自以为是的白痴二世主！"

江文溪的话让乐天顿住了脚步，没有再前行。不仅是他，还有方子贺、周梦珂、周绍宇、童建成……全部停下，一行人似乎忘记了来的目的。

周梦珂脸部表情异常难看，身体禁不住晃了两下。原来她输得这样彻底，

她终于明白为何乐天会毫不犹豫地推开她。隔了十年，她才敢对他说她信他，可是这个女孩却可以毫无保留地对着任何人宣誓她对爱情的信任。

周梦珂终是忍不住睨望了一眼身侧的乐天，他紧抿着双唇，一言不发，但一双直视着江文溪的幽眸中却闪烁着难以言语的喜悦。

"姑奶奶，我现在知道你精神分裂了，我错了，有眼不识泰山，请你饶了我，别再打了。"王浩磊不停地咳嗽，再咳下去只怕肺都要咳出来了，他后悔了，这看似温柔的女人竟可以在瞬间凶悍得像只母夜叉，现在，他悔得肠子都快青了。

"现在才知道对着上帝忏悔不觉得太晚了吗？"江文溪硬拖着王浩磊往喷泉池边上去，她今天不把他丢进喷泉池里好好洗礼一番，怎么能对得起将自己这精神分裂的举动。

方子贺是第一个看不下去的，作为今天宴会的发起人，如果有同学受伤，他这个发起人难辞其咎。

就在江文溪拖拽着王浩磊，要将他扔进喷泉池里时，方子贺大步上前，伸手拦住了她："够了，江小姐，就算王浩磊在言语或者行为上冒犯了你，但他被你打成这样，根据我国《刑法》第二百三十四条故意伤害罪——"

方子贺的话没说完，江文溪抬眸看向他，冷冷地打断了他的话："方大律师，别在一个精神分裂患者不能辨认或者不能控制自己行为的时候念《刑法》，她听不懂。"

方子贺怔然，完全不知道该说什么。

周绍宇上前，走近江文溪，目不转睛地盯着她，语气婉转："江小姐，如果王浩磊有什么地方得罪你，我代他向你道歉，请得饶人处且饶人。事情闹大了，对大家都没什么好处。放开他吧。"

江文溪望着被自己掐住后颈的王浩磊，只需再施力，他的整张脸便会淹在池水中。

"文溪，气出够了，就收手吧。"

一句话犹如魔咒一般，她怔怔然，手中的力道没有继续。回首，她看见乐天正立在她的身后凝望着她，漆黑幽亮的眼眸透着他惯有的沉着稳定，嘴角之处似乎还溢着一丝若有若无的笑意。

余光瞥见他的身旁，那一抹纤弱的身影就像一根针猛烈地扎进她的心口。

她之所以会难以控制情绪，是因为她为他打抱不平，她容不得任何人那样损低他，可是在她维护他的时候，在她难以控制的时候，他却是与他的旧情人幽会。一想到周梦珂扑在他怀中哭泣，他的手抚上她的肩头，她的心仿佛撕裂了般疼痛。

乐天，他是天底下最傻最笨的白痴，明知道这里有这样多的人等着看他的笑话，他却依然还选择要来。是为了那个女人吗？为何那样一个对爱情不坚定的女人，十年后，还会让他心疼得不舍看到她的眼泪。

她的眼泪从刚才一直就在心底流淌，他可曾看见？她在愤怒的时候，他在哪儿？她在无措的时候，他在哪儿？她需要依赖的时候，他在哪儿？为什么一定要逼她自我保护，成为一个让人看笑话的小丑？

突然之间，她觉得其实傻的是自己，傻得彻头彻尾。他叫她白米饭，她曾问过妍妍什么叫白米饭，原来就是食之无味，可不吃又不行，如果这世界上还有第二种选择，也许就不会选择白米饭。

倏然，她收了手，浑身的力气仿佛被抽走了一般。

她转过身，直视他，死命地咬着牙，努力地克制向他挥拳头的欲望。攥紧的拳头过了许久终于松开了，她收回目光，面无表情地从他身边越过，向通往酒店出口之处步去。

乐天转身，目光瞥见她的裙摆由下自上一直撕到了大腿部位，顿时火气上涌，寒着脸回过头，将刚刚站立好正在大喘着气的王浩磊，一脚直接踹下了喷泉池。

众人惊愕之下，他已经愤然转身，追随着江文溪一同离开。

"对不起，刚才临时走开了，没想到你会遇上他。"乐天追上江文溪，轻轻地牵起她的手。

江文溪狠瞪了他一眼，毫不留情地甩开他的手，径直向酒店外走去。

乐天知道此时此刻是她的另一面，他曾与心理医生穆挞霖聊天时聊过她的事，穆挞霖的解释是，当初她受到未知的惊吓，加上双亲的过世给她带来的强烈精神打击，为了发泄心中的不满，而做出过激的事情无可厚非。正因为时常要找寻发泄点，而导致她经常处于矛盾或冲突之中，一方面为避免处罚而压抑真正的情感，另一方面被压抑的情感并未消失，而是千方百计跳出来发泄一番，才造就她现今的状态。穆挞霖还告诉他，温柔如水的她，凶悍易怒的她，极大的可能都是她一直处在过度压抑下的伪装。归根结底，其实她缺乏的是一种安全感。他唯一可以做的，就是给她安全感。

他取了车子，一直开着车，很快便追上了她的步伐。

他探出头："上车。"

她根本连看都不看他一眼，踩着高跟鞋径直往前走。她就算是把脚走破了，腿走断了，也会走回 N 市，就是不要再上他的车。从今以后，她都不想再看到他。

得不到回音，他抿紧了唇角，只好默默地开着车，跟在她的身后。

夜晚的林荫道下，除了尖细的高跟鞋敲击着地面的声音，便是汽车的引擎声。

乐天跟着江文溪身后，不过三分钟，就受不了她走在前面的委屈模样，加了油门越过她，一个急刹车，车子横在她的面前停下，也阻止了她向前的脚步。

他打开车门，拉住她的手，想将她塞进车内，孰料她依然是毫不留情地甩开，错开脚步向前迈动，但高大的身影很快地便拦在了她的面前。

乐天沙哑着嗓音道歉："我知道你在生我的气，气我不该丢下你一人不管，让你碰上王浩磊那种人。"

"你究竟喜欢我什么？"江文溪终于抬眸正视乐天，一双清亮的眸子直视他的眼底，问出一直想要弄明白的事情。

乐天皱起眉头："怎么会问这种问题？喜欢就是喜欢，为什么一定需要理由？"

"为什么不需要理由？"她的声音陡然高了起来，"以你的身份地位相貌，为什么会喜欢上我？为什么会选择一个没相貌没气质没家世没学识，什么都没有，整天只会给人带来麻烦很无能的我？这样的我究竟是哪一点吸引了你？你告诉我，为什么会选择这样的我？"

乐天凝望着她，紧抿着嘴唇沉默了。

一阵短暂的沉默后，他皱着眉头低沉着声音，道："你……其实是在介怀十年前我曾坐过牢的那件事吧。"

这一句话，仿佛点燃了江文溪积蓄了已久的怒火，所有的委屈一下子涌上了心头，不断地冲击着她大脑的神经。

刚才为了他将王浩磊痛打了一顿只不过是她自作多情，原来在所有人的眼里，包括他，她江文溪是冲着他的钱他的身份他的地位去的，一旦得知王子不是王子，她就该摆出该有的鄙夷的姿态，然后一刀两断。原来他是这样看待她的？连她究竟在意的是什么都不知道？真的好可笑。

心痛得快要无法呼吸，她颤抖着双肩，不禁笑了起来，下一秒，她拼尽了所有力气，冲他吼了起来："我不是周梦珂！我是江文溪！"

吼完，她绝然转身。

带着寒气的清冽夜风迎面袭来，身上单薄的晚装根本抵挡不住这寒意，她抱着双臂，拖着沉重的步子向前一步步走去。

一切都结束了。

灰姑娘的梦，从来就不是她可以做的。她要回家，她要折纸蝶，她要去看爸妈，看大舅。

"江文溪，你给我站住！"乐天大步上前，大力拉住她的手腕，将她拉回，强迫她面对自己，"你究竟是什么意思？我从来就没有把你当成过是她。如果你气我丢下你，害你被王浩磊欺负，我道歉；如果你在气我隐瞒十年前我坐过牢的事，你想知道，我现在就告诉你。但你这样不是问我喜欢你什么，就是拿自己和周梦珂比，然后甩下一句话就一走了之，这算什么？你心中有什么想法，有什么不快，你说出来，说清楚！我不准你将所有心事藏在心底不说！"

他紧紧地抓住她的手腕，不容她挣脱。

"不准？"她抬眸冷冷地看着他，"十年前你也会这样对周梦珂说吗？也不准她这样不准她那样？你真的只是走开一下吗？而不是和她在走廊的尽头互诉衷肠？既然她回头了，你为什么还要追着我，你为什么不去找她，为什么不将她从方子贺身边抢回来？朋友妻，不可戏！你难道真的不后悔？如果不后悔，为什么在周成的婚礼上，你要抱着无辜的我，强吻我？她窝在你怀中哭泣的时候，你可曾想到我会遭受骚扰？还是你觉得我拳脚无敌，不需要人呵护？我的眼泪你可曾看到过，你有没有想过我的感受？我是个人，我是有感情的，不是附属品，更不是替代品！"

乐天哑然了，他不曾想到，她会这样生气是因为误会他和周梦珂有什么。

"你在吃醋吗？"

江文溪沉寂了两秒，双眸燃着熊熊的两簇火焰，她奋力地挣开他死缠的大掌，铆足了劲，猛地推开他，三个字像是从齿缝里蹦出来："你去死！"

乐天猝不及防，猛然向后退了两步，刚站定，就瞧见一个金闪闪的物体向他砸来。他伸手接住砸来的物体，定睛一看，居然是她脚下的一只高跟鞋。

"姓乐的，我再不要看见你，你这个王八蛋！浑蛋！臭鸡蛋！"江文溪一边怒吼着，一边又脱下另一只鞋向他猛地砸过去，"还给你！全都还给你！"她伸手拽下头发上的饰品，耳环，还有她最爱的水晶蝴蝶手链，一一砸向他，如果不是因为身上穿着晚装没法一并还他，她一定也会脱了砸向他，"去找你的曾紫乔！去找你的周梦珂！去找你的ＥＶＡ，ＡＢＣＤＥ！我恨死你了，我以后都不要再看到你！"

什么ＥＶＡ？什么ＡＢＣＤＥ？这都是些什么东西？

乐天的薄唇紧抿成了一条线，不停地接着她砸来的东西，直到看见她将她手上的水晶蝴蝶手链砸过来，并且说恨他，他再也控制不住，寒着俊脸大步走向前，抓起她的手腕吼了起来："江文溪，你不要学别的女人一样，一吵架就把一些子虚乌有的人全搬出来好不好？曾紫乔我当她是妹妹，人家有老公的，周梦珂是我十年前的女友，现在也是别人的老婆，ＥＶＡ也是过去式，什么ABCDE？"

江文溪甩开他的手，怒指着他，吼道："你住口！别人的老婆？别人的老婆为什么要抱着你哭，为什么不抱着她的老公哭？你们两人抱在一起的时候有没有想过我和方子贺看到了，会是什么样的感受？如果你真把她当别人的老婆看，就该知道要避嫌，而不是让所有人都知道，这次同学聚会你是来见她的，她是来见你的。"

"你看见周梦珂扑在我怀里哭，那你有没有看见我拉开她？"乐天突然觉得这一次同学聚会，他不该来。

江文溪深吸了一口气："有没有已经不重要了，以后你跟谁在一起都不关我的事。"

"你这话是什么意思？你把话说清楚！"乐天气极。

"我和你根本就是两个世界的人。你从来都不知道我想要的是什么，就像你回答不出你喜欢我什么一样。从一开始，我就像一个小丑一样出现在你面前，任你搓圆捏扁，绝不会有任何异议。我知道，你之所以会留下我，是想要折磨我报复我，因为在酒吧里，我害你在那么多人面前丢脸，在周成的婚礼上我甩了你一记耳光，还有我砸散了你急要的样本……如你所愿，每天我就像阿猫阿狗一样在你的凌虐下而战战兢兢，我也明白自己存在的意义，就是为你提供娱乐消遣，谁要我得罪你了呢？你欺凌我，看我出丑也就算了，反正时间久了，我习惯了适应了，只要能保住工作就好，不会有什么他想。可你为什么一定要硬闯进我的生活，扰乱我的一切？为什么一定要每天接送我上下班？为什么要我烧早饭给你吃？为什么要在看尽丑态百出的我之后，还要我做你的女朋友？凌虐完了之后，不是该将我从江航扫地出门吗？还是你嫌折磨我折磨得不够，一定要看到我活得更凄惨，你才准备放过我吗？"

江文溪的话，让乐天更加沉默了，因为她说的的确是他的初衷，事实上，折磨压榨她的同时，是在凌虐他自己，随着日积月累，他发现自己无可救药地爱上了这个让他咬牙切齿的女人。

"你知不知道？和你在一起，我的心很累，很累……无论是上班，下班，吃饭，逛街，甚至我身上这件晚装，从头到脚，这些不属于我的装饰，你从来不会问我的意见，不会问我喜欢或是不喜欢，需要或是不需要。所有一切，全在你的掌控之下，就连要不要成为你的女友，我都没有说ＮＯ的资格。呼之则来，挥之则去。也许你就是要我像这样，做一个连反击之力都没有可怜虫。可笑的是，犯贱是普遍真理，而我也难以免俗。好吧，我犯贱，我就是喜欢被你骂，喜欢被你虐。明知道你就像是罂粟花，却控制不住自己贪婪的心。在公司里，仅仅是一墙之隔，曾经以为，我只是以欣赏帅哥为由而像其他部门的女同事一样常常偷看你。当你在万众之中挑中了我，渐渐地，心底那种别样的心思暴露了出来，我无可自拔地迷恋上了你。也许是第一次在那个电梯外，我见到你之后，就已经像别人一样迷恋上了你。"泪水一直在她的眼眶里打着旋，倔强得迟迟不肯落下，可当抬眸再看见他清俊的面容，再也抑制不住地滑了下来，"现在，我不想再这样下去了，算了吧，就这样算了吧……"

她的心早已在不知不觉中丢在了他的身上，如果她没有爱上他，她就不会因为得到了而害怕失去。她害怕习惯了拥有他之后，如果某一天，发现他只是因为生活太无趣逗弄她而已，她会受不了的。

她的人生本来就是这样黑暗不完美，她总是被上帝的眷顾排除在外的那一个。

长痛不如短痛，她不要再痛苦下去。

乐天阴沉着脸："什么叫算了？"

"算了吧，你就当行行好，放过我吧。你爱找谁找谁，你想怎么样对别人都可以，我只求你放过我，别让我再像个白痴一样。"

他猛地将她拉入怀中，可是她将双臂隔在两人之间，不停地啜泣。好不容易听到她的心动了，她却又丢下一句要他放开她。

"放过你什么？你以为我是会随便叫一只阿猫阿狗来当女朋友的人？江文溪，你给我听好了，我允许你走进我的世界，但绝不允许你在我的世界里走来走去。"

她一直流着眼泪，听到这一句话又无法控制了，声嘶力竭地说："你难道还不明白吗？你的外表，你的身份，你的地位，你的一切，犹如一团高高在上的光环压得我透不过气来。很多时候，我都在问自己，你究竟是我的上司，还是我的男友？我讨厌自己总是那样卑微地仰望着你。"

"我没有要你仰望我，我也没有高高在上，你别忘了，我十年前坐过牢，被判强奸罪入狱。莫非你很介意这个，才要我放过你？"

她抡起拳起狠狠打向他的胸膛："你这个白痴！你这个浑蛋！我说了我不是周梦珂，我不是方子贺，我不是他们！"

"你说了除非我亲口告诉你，我做过，否则你不信，那我现在告诉你，我是被冤枉的，你信不信？你信不信！"

她停止了捶打，双手紧揪着他的西装领，低垂着头哽咽着。

乐天见她不说话，不确定地又说了一次："我是被冤枉的，你信不信？"

倏然，江文溪抬首，含着泪冲着他狂吼："信！可你是白痴吗？那个女人

有什么好？我哪里像她了？长得不像，气质不像，人品更不像。你瞎了眼吗？十年前伤一次还不够，十年后的今天，还要和那个已婚女人纠缠不清？你这只猪！"

这个女人怎么答非所问？乐天完全忽略了她第一个字就说的"信"。

"我没有和她纠缠不清，我已经说了，你看到她抱着我哭，那你有没有看见我拉开她？我不是一个会在原地等别人回头忏悔的人，断了就是断了。十年前，没有回头，十年后更不会回头。"他顿了顿，"我承认，最初我是想整死你，可你偏偏就是一只任人怎么蹂躏都不死的万年小强。还有，从一开始，硬闯进我生活扰乱我生活的，是你！那个时候，我真的很烦你，又蠢又呆，整天只会出乱子，我真不知道我是不是天生受虐狂，每天不被你整吐血，就吃不下睡不着。是啊，我是瞎了眼，瞎了眼才会每天不在家吃早饭，舍近求远，绕上半个 N 市，跑去陪一头猪吃早餐；看不得那只猪为了几百块罚款而难过，公私不分，替她去参加比赛；大年夜，和家人团圆的日子，守了这头猪三个多小时，就为了带她去看场烟花；最傻的是，为了一块烂水晶，跟人家竞标，然后跑去求人家设计师，坐在人家设计室里待了几个小时，就为了将那块水晶穿成一条手链，结果呢？"

江文溪怔然，抬首看向眼前那双真诚而清澈的星眸，下一秒，她颤着双肩，眼泪再次抑制不住地狂涌而出："那条手链真的是你亲手做的吗？还是你听到我和周梦珂的对话，现在来哄我？"

乐天真的快被这个女人逼疯了，咬牙切齿地直视着她，他觉得再和她多说一句，都会吐血而亡，他索性将她拉入怀中，捧起她的脸，狠狠地吻下去。

她毫不示弱，回应他的是恶狠狠的一咬，对着他拳打脚踢。

他在尝到嘴里一股子血腥味时，不怒反笑。今晚的她，像一只发了狂的小母狮子，这才是她的真性情，不会像以前那样，面对他时，总是如同一只受了惊的小兔子。

他的目光凝视着她，那一头原本梳得整齐的秀发，被夜风吹得已凌乱不堪，那一身精致的晚装，从裙摆一直撕裂到大腿根部，风一吹，她光洁修长的双腿便暴露出来，赤着双脚站在冰冷的地面上，若不是又哭又闹，怎经得起这寒凉的天气。

不顾她的尖叫撕打，他硬是将她抱起塞进车里，跟着自己也一同挤了进去，双手扣住她的双手腕高高举起，将她整个人按在后座椅上，挑了挑眉，愠道："江文溪，你是猪啊？我刚才说了这么多，你怎么就是不明白？！"

她抽泣着不看他，她不要被冷藏掉，那种灵魂像在瞬间被抽走，只剩下一具冰冷体魄的孤独，她一定会承受不住的。她无法自拔地爱上他，爱到连心在都痛。

他深叹一口气，松了束缚着她的双手，轻轻为她拭去眼泪。

她缓缓抬眸，与他直视。

倏然，她伸出双手捧住他的脸，将自己的嘴唇狠狠地压向他。

他微微一怔，先是尝到了口中咸涩的味道，但很快地便热烈地回应她，伴随着嘴唇传来一阵刺痛，才反应过来她在咬他，他被迫退出。两人面对面，仅隔了寸许的距离，他看清了她噙着泪的双眸却是饱含了挑衅的意味。

投我以木桃，报之以琼瑶。

他一手紧扣住她的后脑勺，另一只手臂继而收紧，紧紧地箍住她，带着恼羞迅速堵住她的唇，在她来不及反抗之前，唇舌已灵活地侵入她口中，近乎蛮横地与她纠缠，不给她喘息的机会。

此时此刻，她再不是那个乖乖听话不懂得反抗的笨蛋，双手从两人紧贴的胸部之间挤出，插入他的发间，疯狂地揉拽着。

他又好气又好笑，避让的同时怕压着她，只好半抱着她，两人换了个方向，他倚着后座，将她抱坐在自己的腿上。

"气消了吗？"他抬眼直视她清亮的双眸，温柔地轻语。

她的双手撑在他的胸前，咬着唇，吸了吸鼻子，低喃："为什么那天吵完了架，你还要来找我？如果你就那样离开了不再来找我，也许我就不会像现在这样难过，如果你不带我去看那一场烟花，我也一定不会爱上你，一定不会……"

在听到她说她爱他的那一瞬间，他激动地把想要说的话全部梗在喉间，抬起手轻轻地为她拭泪，继而温柔地笑着说："江文溪，这世上再也找不到比你更笨的猪了，从始至终，我想要在一起的人只有你！只有你！"

有人说，世人最浪漫的语言不是"我爱你"，而是"在一起"，这是对爱人一生一世的承诺。

她的眼泪再次夺眶而出，眼泪仿佛止不住一样，一滴一滴落在他胸前的衣襟上。

"世上最笨的那头猪是你……"倾身向前，她的双手再度捧起他的脸庞，亲柔地吻上他的长睫，沿着他的眼眉、鼻梁，一路向下，含住他的双唇。

他抵抗不住她的热情，深情地回吻着她，长指插入她柔软的发间，定在她的后脑勺，将她压向自己。

意乱情迷，她的双手不自主地来到了他胸前的衣扣处，右手捏着那粒小小的前扣不停地揉捏，努力地想要喘息。她的手劲过大，那颗扣子就这样毫无预

示地落入她的手中。早已被他吻得晕头转向，脑袋里一片浆糊，她完全不知道自己的双手在做什么，只是不停地找寻那一粒粒圆圆的扣子，揉捏，转动，扯下，丢弃。

不知不觉，她的手向内探入，在触摸到那片滚烫的肌肤下一个圆圆的微挺，她又忍不住开始揉捏。

他刚以牙咬开了她颈间晚装的脖扣，不由得倒抽了一口气，唇抵在她的颈间惩罚性地吮吸了一口，道："那不是扣子……"

她没有收回手，咬着红肿的嘴唇，不好意思抬眸，目光落在自己身上，系于脖子间的扣子方才被他用牙咬开，晚装向下滑落，胸前雪白的肌肤大半暴露出来。早前为了痛揍王浩磊愤怒地撕开了紧裹着双腿的裙摆，现在就像是改良的旗袍一般，一直开衩至大腿的根部，而他的手掌，此时此刻，正搁在她裸露的大腿根部肌肤上。

她感受到身下他的异样，讶异地抬起迷蒙的双眸，便撞进他的眼底，那里早已成了一片深暗的海，充满了危险，仿佛下一刻狂风浪起，便会将她吞没。他胸前的衬衫钮扣已全数被她扯掉，露出一大片结实的胸膛，散发着致命的诱惑力。

胸腔之内，那颗不安分的心在激烈地跳动着，她从未见过他如此魅惑的一面，这一刻，唯一一个念头侵占了她全部的思想，就是她要占有他，要占有他的人，他的心，他的一切，让他完全全属于自己。

她要霸王硬上弓！

看着看着，她便将所有念头付诸于行动，索性整个人跨坐在他的腿上，伸手便将他碍眼的衬衫剥了下来，接着又将手伸向他腰间的皮带扣。

别问她这个纯洁到连三级片都没看过的人，怎么会在一瞬间爆发得好像常在花丛行的高手，这要"感谢"来S市的前一晚，无论她有多抗议，李妍依然坚持用她的电脑欣赏了一晚自备的"全黄"。躺在床上翻来覆去睡不着，禁不住诱惑，她偷偷地瞄了两眼，便被那些画面煞到了。

她扯了半天，却解不开扣，有些恼怒，低吼："该死的，再不开，我直接用撕的。"话音刚落，伴随着金属声的响动，皮带终于被她成功地抽了出来。

面对她疯狂的举动，他目瞪口呆，哑着嗓音询问："你知道你在做什么吗？"

"霸王硬上弓！"她将手中的皮带扯得叭叭作响，"别乱动，把双手举向头顶。"

很快，他的双手被缚于头顶，一滴冷汗从他的心间滑过。她要不要口味这么重？在车里玩ＳＭ？

"你确定这样……可以？"强抑着身体受到压迫的痛苦，他小心翼翼地询问。

"……嗯。"她的面色一片绯红，脑中浮现起那晚的片段，那个女人就是这样做的。她缓缓俯下身，唇沿着他的喉结一路向下亲吻，青涩的动作引起乐天浑身发颤。

强烈而无法控制的欲望，快要将他逼疯了。再抑制不住，他的双手挣开皮带的束缚，猛地拉起她，惩罚性噬咬着她的红唇，双手迅速扯下她身上那件碍事的晚装。在她的惊喘下，他已低首撷取她胸前的柔软。

熟悉又陌生的感觉让她想起了那晚未曾继续的画面，他的唇滚烫，无限的热力带着酥麻的感觉源源不断地扩散至全身，全身上下，血液在沸腾。

燥热，眩晕，难耐，空虚……太多不曾经历的陌生感觉一阵阵袭上来，冲击着她全身上下的神经，不知所措，她只能喃喃地唤着他的名字："阿天……阿天……天……"

"嗯……在……"他知道只需一个动作，她就没有退路了。看到她一脸的迷茫与无措，他怜爱地亲吻她的嘴角，希望能分散她的注意力。

迷蒙之间，她看见他对她露出最迷人的微笑，在两唇相贴的那一刹，身体被异物填满的刺痛感让她难受得蹙起眉，错开脸，一口咬在他的肩部。

他停下了动作，以手抬起她的脸，不停地亲吻与抚摸，以缓解和放松她的身体，直到她扬起渗着汗水的笑脸轻道一声"没事"，他才有了下一步的动作。

渐渐地，狭小的空间内，只剩下彼此急促的喘息声。

第十章

无法挣脱的命运

上帝为他关上一扇门的时候，
连窗户也一并关上了。
他就像是被命运扼住喉咙一样，
在黑暗里奋力挣扎，
却无法逃脱。

With love
For you

明媚的阳光透过薄纱质地的窗帘照在室内，床上的人翻了个身，挣扎了几次，终于睁开了迷蒙的双眼。

"醒了？"耳边传来熟悉的性感声音。

江文溪努力地睁大了双眸，看清身旁侧卧着的对她露着迷人微笑的乐天。

"身体……还觉得有哪里不太舒服？"乐天清了清嗓音。

不舒服？好像确实有点，腰酸背痛腿抽筋。

目光落在乐天泛红的耳根处，江文溪倏然睁大了双眸，想起了昨夜的事。

ＯＭＧ！她居然学人家做起了疯狂的车床族，做车床族也就算了，最要命的是她霸王硬上弓，霸王硬上弓也算了，所谓一夜十次郎要改称为一夜十次娘，因为她缠着他从车上到宾馆，直到筋疲力尽，她才罢休。

只要想到那些少儿不宜的画面，她就好想去撞墙。不知道他会怎么看她，会觉得她太攻于心计，之前都是在欲擒故纵，还是会觉得她太过于放荡……

乐天见她的脸由红到白，再从白到红，便道："你还在担心昨晚的事被人看到吗？这个问题虽然你问过我不下十次，但我还是要回答你，我保证，外面的人绝对看不到我们在里面做什么。"

她昨夜有问过那么多次？造孽啊！她可不可以装傻，就当昨夜的事没发生过？！

"不是担心这个？那是……"他顿了顿，尔后浅浅一笑，拨开她贴在唇上的发丝，"如果有了，我们就结婚；如果没有，那就先订婚，等你想结的时候，我们再结。"

结婚？！

她难以置信地瞪圆了双眼，呆呆地望着他许久说不出话。

他皱了皱眉，突然意识到一件可怕的事，他紧握住她的双肩，激动地喊了起来："江文溪，你别告诉我，你吃干抹净，一觉醒来就什么事都给我忘了。就算你真的是人格分裂，也不带这样的。"

很怪，以前她难以自制的时候，常常会忘了自己发作期间所做的事情，事后，要非常努力，然后很久才会想起，为什么昨晚的事她可以记得这样清晰？

果然，食色性也。

她眨了眨眼，对哦，她可以装傻装失忆，这样就不用那么丢脸了。

"昨晚什么事？"

乐天微眯了眯眼，似乎想从她绯色的脸颊上找出她在装傻的痕迹。

"真的忘了？"他冷哼一声，"好，忘了没关系，我有证据。"说完，他伸手解开自己衬衫第一第二颗扣子，露出性感的锁骨。

"不要脱。"她伸手拦住。这该死的家伙是故意的，昨晚就是她见了他结实的胸膛，才会一时把持不住，兽性大发，如狼似虎地扑向他。现在，一大早的，他又来诱惑她犯罪，好讨厌。

可是，她的手就是那么贱，刚刚触及他的衬衫扣，不是合上，而是有要剥了他的衣服架势。

"昨晚你已经毁了我一件衬衫，要是这件再毁了，你过会儿就穿这件去店里给我买。"

江文溪连忙缩回手，可是他仍不知耻地脱下了身上的衬衫，让她看了个清楚。

果然证据确凿，且惨不忍睹。

他的胸前满是用力吸吮过的痕迹，看到这些痕印，她便想到昨晚她邪恶地模仿小言中的男主在女主身上种草莓的情形，再看他的背后，一道道惨烈的抓痕，可想而知昨夜她有多狂野。作孽哦，那可是她的初夜，记忆中还有那么一抹红。

"江文溪，你还要装吗？脸红得跟猴屁股似的。"他就知道她在装，"太阳都晒屁股了，还要睡？已经下午两点了。"

下午两点了，有没有搞错？

"要你管，我要睡觉。"她羞愤地拉起被，将脸蒙上，太丢人了。

孰知，被子里伸进一双魔掌，沿着她赤裸的身体到处游走，引得她声声尖叫。

他浅笑着温柔地亲吻了她的嘴角："身体还有不舒服吗？"

她羞红了脸，摇了摇头。

"起床，我带你去一个地方。"

江文溪起床后，两人一起去吃了 S 市有名的小吃。可是她还是喜欢 N 市的小吃，S 市的食物过于甜腻。

两人用完了餐，乐天驱车，未久在一所孤儿院门前停下。

"快乐天使儿童福利院"几个大字赫然映入眼帘，江文溪心中已明了，这里一定是乐天从小长大的地方。

乐天冲着她浅浅一笑，牵过她的手，迈进了孤儿院。

乐天一出现，一群正在玩耍的孩子们全围了上来。

"乐天哥哥！"一个眼睛圆圆，约莫五六岁的小女孩扑过来开心地叫着，"你好久没来了，至少三个月。"

另一个比她大一两岁的小男生敲了她的头说："珠珠，你应该叫乐叔叔才对。"

"要你管。"珠珠冲小男生做了个鬼脸。

乐天蹲下身，抱起珠珠："小飞说得没错，你得叫我叔叔。"

"不要。"珠珠摇了摇头。

江文溪斜睨了一眼他，这家伙果真是上至八十老妪下至八岁幼童都通杀。

"乐叔叔，这位漂亮的阿姨是谁啊？不为我们介绍吗？"小飞率先叫了起来。

紧接着，一群小鬼便七嘴八舌问"是叔叔的女朋友吗？""什么是女朋友？""阿姨叫什么名字？""阿姨真好看。"

面对他们的叽叽喳喳，乐天耐心回答，然后从后备箱里取出礼物，送给大家。

江文溪看着整整两大箱的礼物，吃的穿的用的玩的，应有尽有，不一会儿，全部送出。原来早在来 S 市前，乐天就准备好了，真是个心思细腻的家伙。

"是阿天回来了吗？"一位上了年纪的阿姨，从不远处的大楼里走了出来。

乐天迎上前："院长妈妈，是我，回来看看大家。"

"前阵子紫乔也回来过。哦，还有，子贺也回来了。都结了婚了，就剩下你这个最不听话的。"院长盯着江文溪看，眼睛快笑眯成了月牙儿，"不介绍吗？"

乐天揽过江文溪，笑着回答："如你所愿，很快就有喜酒喝了，就是她，江文溪。长江的江，文静的文，溪水的溪。"

"你好，院长妈妈。"江文溪伸出手。

"真是个标致的好姑娘。"院长握住她的手，宠爱地拍了又拍。

"乐叔叔，我们来踢场球赛吧。"不远处，几位大孩子抱着足球过来。

乐天欣然应首。

江文溪跟随着院长四处欣赏，听院长说了很多乐天小时候调皮的趣事。最让人意外的是"乐天"这个名字的由来。

"你知道吗？我捡到这小子的时候，他只有三岁，问他叫什么名字，他都不答，后来到了这里，他看到了门牌，才开口说自己叫乐天。"院长回忆起多年前的事，脸上的笑意不断。

江文溪想了想，道："三岁……他该不是刚好只认识'快乐天使'中的'乐天'二字吧，然后顺口掰了一个名字。"这个很像他的作风。

"哈哈哈，起初我也是这样想的，可是他确实是叫这么个名字。"院长笑着摇了摇头。

江文溪心念，也许这就是缘分吧。

走了没几步，院长被其他老师叫走了，江文溪便坐在足球场边上看着乐天与几个孩子踢球。

望着场上身姿卓越的身影，那飞扬的笑脸，她失神了。这个妖孽一样的男人怎么可以有这样清纯活力的一面。不知不觉，他的头发好像几乎恢复了年轻人该有的黑色。她无聊地思忖，究竟是他银白色头发的时候帅，还是现在黑头发的样子帅？

"在想什么？"乐天在她的身边坐下。

她仰头："我以前以为你头发本身就是银白色的，可现在看到你头发居然可以变黑，所以就很奇怪你为什么一直不染发？"

"染发？那是件浪费时间浪费金钱的事，瞧，现在自己变回来，省钱省事。"乐天一副理所当然的样子。

她无力地翻了翻白眼，然后盯着他的头发看了又看，终于忍不住问："头发是在那里面变白的吗？"

乐天望向远处的球场，神情似在专注地观看着孩子们踢球。隔了许久，他才幽幽地说："嗯，入狱的那一天，一夜之间，头发全白了。"

她嚅了嚅嘴唇，没有说话。

只听他接着又道："我和周梦珂就是在这里认识的。那个时候，她七岁，我九岁，当时有很多家庭来院里参予扶助活动，一个家庭资助一名孤儿。那一天，周绍宇、周梦珂兄妹俩跟随着父母来到院里，还有很多家长带着孩子，我就像他们现在那样踢着球，我用力过猛，一球踢在周梦珂的脸上，她当场就哭了出来。"他顿了顿，偏过头看向她，"我不得不承认，你和她有一点很像，就是很会哭。"

她咬着嘴唇，倔强地说："我对你和她的事不感兴趣。"

"言不由衷。"他捏了捏她的下颌，又道，"那当我求你听一夜白头的故事吧。"

收回目光，他望向远处，点了一支烟，不管她听或不听，他自顾开了口。

那一球过后，不知从什么时候开始，周梦珂就喜欢跟着他。在别人的资助下，他和方子贺顺利地进了 S 市最好的中学念书，从初中一直到高中，他、方子贺、周绍宇、王浩磊还有童建成都是同班同学。

周绍宇是市公安局局长的儿子，王浩磊是市房产管理局副局的儿子，童建成是市司法局律管处处长的儿子，三个高人一等的家庭，参加了这次资助活动。

有钱人心里作祟，这三人就是看不惯他和方子贺。

　　他经常和他们打架，一开始是为了曾紫乔，曾紫乔被曾家收养后，便是其他一些莫名其妙的事，最后矛盾的激化是为了有事没事就喜欢跟着他的周梦珂。他不是傻子，知道周梦珂像其他女同学一样，是喜欢他的。

　　周绍宇骂他，说他是癞蛤蟆想吃天鹅肉，他们周家是绝不会让他这种人进周家门的。

　　嗤！搞得这世上的人都要倒插门进他周家一样。

　　高二那年，是他与周绍宇他们斗得最凶的一次，双方都挂了彩。周梦珂见他额角不停地流血，抱着他不停地哭，无论周绍宇怎么拉她，她都不肯走。

　　感动？赌气？青春时期的冲动？总之，他不知道为了什么，他替她擦干了眼泪，跟她说："你喜欢我，对不对？那就当我女朋友吧。"

　　见到她破涕为笑的那一刻，他的心弦莫名地被轻轻触动。

　　这就样，他与仅是初三的周梦珂开始了交往。从高二到大一，历经三年，虽然周梦珂年纪不大，又是高干子女，但温柔体贴得让他在感情的漩涡里不知不觉深陷，他对这段早恋开始有所期待。

　　后来，他考上了 N 市 H 大的土木工程系，两人便以书信来往。大一升大二暑假那年，周梦珂借口去找同在 N 市 C 大念书的哥哥周绍宇玩，硬缠着留在 S 市念法律专业的方子贺，带她去 N 市找他。周梦珂嘴馋想吃龙虾，不知宿舍里谁提议，说吃龙虾一定要下乡，才能尝到肉鲜味美的龙虾。于是，连同几位舍友，一行人浩浩荡荡去了市郊。

　　很意外，在那里遇上了周绍宇、王浩磊、童建成三人。周绍宇开门见山，说是以防妹妹吃亏，所以一起来玩玩。

　　除了遇上这三人有些不快，其他都好，他们自己摘菜洗菜做饭，吃农家烧的龙虾，一直玩到很晚，索性就在当地一户人家住了下来。而周绍宇、王浩磊、童建成三人则住在了隔壁一户人家。

　　也就是这么一夜，他的人生发生了天翻地覆的变化。

　　那一晚，他们喝了不少酒，和方子贺笑闹着去方便的时候，便碰上了那件事的受害者。那个女孩，就是周绍宇他们三人所住的那户人家的女儿，和周梦珂一样大，长得白白净净。他看见王浩磊正缠着她，本不爱多管闲事的他，也许是受到酒精侵蚀的缘故，揍了王浩磊一顿，替那个女孩子解了围。之后，与子贺回到住处，洗了澡，便睡了。

　　这个女孩，他一共只见过她两次，这是第一次，第二次是第二天，也就是出事的那天清晨。

　　他醒来的时候，全身赤裸，躺在一个完全陌生房间的床上，而她披头散发，同样身无寸缕，就缩在床角不停地哭泣。

他很难相信眼前所发生的一切，他自认自己就算是喝多了，也不会乱闯人家房间而做出这种禽兽不如的事。究竟有没有做，他比任何人都清楚，他是被陷害的，被冤枉的。

　　那个女孩一直在哭，就在他惊慌无措地大喊着叫她闭嘴的时候，房门被打开了。

　　随着她父亲的嘶吼声，不一会儿，门外来了很多很多人。

　　周梦珂、方子贺、大学同学，周绍宇、王浩磊、童建成，村里的人……

　　说到这里，乐天顿了顿，脸部的表情有些僵硬。十年前，那场难以磨灭不堪负荷的记忆，犹如洪水猛兽一般漫无边际地向他潮涌而来，心底那已经结痂的伤口再一次被刮开，疼痛不已。十年了，他依然可以清晰地记得门外那些人的表情，震惊、愤怒、鄙夷、唾弃……

　　江文溪见他脸色黯沉，双拳紧握，青筋暴突，隐隐散发的怒气可以预见他的内心是怎样的波涛翻涌。

　　"别说了，不必为了向我解释而强逼着自己回忆这些不愉快的事。你只要明白，我信你就够了。"她挽着他的手臂，身体轻轻依偎着他。她不知要如何安慰他，如果说让他在痛苦中诉说这件事，她宁可不要听。

　　"不，就算痛，也要说。"他深吸了一口烟。

　　那个女孩，被她的母亲用被子包裹着离开那间屋子。周梦珂甩了他一记耳光，便哭着离开了。若不是方子贺拦着，那个女孩的父亲一定会打死他的。在众人鄙夷唾骂声中，他忍辱将衣服穿了回去。

　　半个小时后，警察来了。

　　他大喊着他没做过，他是被冤枉的，没有人相信他，都骂他是禽兽是畜生。

　　警察现场勘察结束后，他被带走了。

　　"别再说了。这一次算我求你，我不想听一夜白头的故事了。"江文溪伸手点住他的唇。

　　他的大掌紧握住她的手，贴在唇边："知道吗？那是一场有预谋的陷害，我虽然心中有怀疑的对象，可是苦于蹲在监狱中，无法去查找证据。我被学校勒令退学，四年后，我从监狱里出来，我没有放弃，即便是遇上深叔，有钱有地位，但仍是劳而无获。当年庭审后，移交的证据资料因为档案室电线老化导致的一场火灾而毁了，其中包括我的。那户人家自从发生那件事后，为了避嫌，全家搬去外省打工而无音讯。时间相隔太久了，当年经手这件案子的两个警察相继死了。法医鉴定书，原先所有一切证据，全是不利于我的。那段时间，我又像刚入狱时那样消沉。深叔不希望我活在过去的阴影里，愤怒地甩了

我一记耳光，也正是这一巴掌打醒了我，我也终于放弃了。有时候，人生就是一种无奈。"

江文溪抬起头，很认真地看着他，问："你现在开心吗？"

乐天浅浅一笑，熄了手中的烟，点了点头。

"既然开心快乐，那又何必追究过去？"她为他心痛。

乐天看着天边那一片晚霞，淡淡地笑着，默不作声。

回到 N 市，乐天厚颜得以吃早餐路程太远为由，索性直接挤进了江文溪的小窝，赖着不走。

过了一阵，晚上八点刚过，李妍激动地跑来敲江文溪的家门，门开了之后，看到一身白色浴袍的乐天，她便石化在了门口。

乐天不以为然，悠然自得地坐回沙发上看起了报纸。

这时，江文溪顶着一头湿发从浴室里走出来，迎接她的便是李妍媲美杀猪的嚎叫声。

江文溪万万没想到，本该在约会的李妍会在这个时候出现在她家门口。顾不得擦头发，连忙冲向李妍，死命地捂着她的嘴，将她拖进了卧室。

"靠！质的飞跃！你个死丫头，去之前不是誓死要守卫你那片薄薄的膜吗？"李妍挣开了江文溪的魔爪，一脸得意，只要她李妍一出马，万事 OK。这下，她的大红包铁定跑不了了。人为财死，鸟为食亡。朋友就是用来出卖的。

"还不都是你，居然把那个……偷偷塞我包里。"更可恶的是临走前一晚，用电脑放了一晚的 A 片，她不被荼毒就怪了。

"屁！老娘就知道你个闷骚的，觊觎人家白发帅哥已久，小样的，得逞了就别装蒜了。你啊，磕头谢恩啦。"李妍伸出食指不停地戳着她的脑袋。

江文溪脸一红，连忙转了话题："这么晚了，你跑来干吗？"

"哦，宋新晨和他女友决定结婚了，今晚找大家一起出来 HAPPY。我这不是怕你害羞，亲自上门来接你的吗？"

江文溪有些犹豫，李妍不管三七二十一，直接拖着她到客厅，对着乐天道："帅哥，借你女朋友用一晚，12 点前还你。"

乐天挑了挑眉，看了一眼誓在必行的李妍，目光落回江文溪的身上，道："早去早回。"

江文溪点了点头，回房换了身衣服便随李妍出了门。一路上就听见李妍不停地鄙视她是个没用的东西，还没嫁人，就被吃得死死的，没得救了。

两人到了酒吧，熊亦伟、顾廷和、宋新晨及其女友早已等着了。

江文溪见到顾廷和，恍如隔世，年初二清晨那一面至今还停留在脑海中。

他好像变得憔悴了，前段时间无意中听李妍说他像是不要命似的，整天就知道工作，今晚好容易才将他约出来。

"好久不见。最近还好吧？"她主动开口。

顾廷和淡淡地笑了笑："还是老样子，你呢？"

她点了点头："也是老样子。"

几句不痛不痒客套又生疏的对话，使得两人之间的气氛一下子凝结住了。

"在聊什么呢？聊得这么开心？"熊亦伟握着啤酒瓶，碰了碰顾廷和手中的酒瓶。

"没什么。"顾廷和依旧保持着笑容。

"来来来，我们要好好地庆祝宋新晨脱离单身贵族，迈入婚姻的坟墓。"熊亦伟的话一出口，立即受到宋新晨与其女友的炮轰，就差没抱头鼠窜。

大家都举起酒瓶，祝福宋新晨与其女友，哄哄闹闹，时间一下子直指十二点。

江文溪再三婉谢，可顾廷和坚持送她回去。

出租车开到楼下，顾廷和付了钱，下了车。

江文溪跟着下了车，立在顾廷和的面前，道："谢谢你送我回来。"

顾廷和凝视着她，唇角微启："我听妍妍说，前阵子你和他去了S市？"

她一怔，点了点头，道："年初二你暗示的就是那件事对吗？你早就知道他的事，所以才要我离他远一点，对不对？"

顾廷和垂下头，一言不发。

她又道："廷和，无论如何，我都谢谢你，但是我相信他。所以，我还想请你帮我一个忙。能帮我拿到关于十年前那件案子的具体档案吗？我想帮他翻案。"

顾廷和刚从口袋里摸出烟盒，便停下抽烟的动作，惊诧地看着她。

江文溪见他的反应，不禁咬了咬唇，苦笑："我知道你会为难。算了，我再想其他办法吧。"

"不是为难。十年了，都没有翻案，不觉得很有问题吗？"顾面廷忍不住说。

"你说的这个问题我也想过，但我还是相信他绝对没有做过。"江文溪的眼神异常的坚定。

顾廷和凝望着她，隔了许久，终于道："好，我帮你，但我有个要求，无论结果怎样，千万别让自己受到伤害。"

面对顾廷和深邃而幽幽无底的双眸，她无措地垂下眼眸，点了点头。

"你早点回去休息吧，晚安。"顾廷和转身离开。

她望着他消失的身影，深深地叹了一口气，向楼梯口走去。

回到家中，迎接江文溪的是一个深情的拥抱。

乐天紧紧地抱着她，贴在她耳边轻道："这个周末，我陪你去祭拜你父母，顺便和他们两位老人家说一说我们结婚的事。"

"啊？"这么快？她一时间没法适应。

"难道你想突然有一天大着肚子结婚？"他挑了挑眉，他不介意。

这个问题很现实，她一想到前两天报纸上刊登了一则关于用了避孕套还中招的报导，连忙点了点头，红着脸应了一声："……哦。"

"该睡了，居然玩这么晚回来。"他没好气地牵着她的手进了卧室。

这个霸道的家伙！占了她的家，霸了她的床，就连她晚归也要管。冤孽！

在床上躺下，她困得差不多要睡着的时候，突然耳际传来他的声音："以后，少和那个警察来往，半夜三更的，更不要让他送你回家。"

她无力掀了掀眼皮，表示抗议。

周末，乐天载着江文溪来到墓园。

两人坐在草坪葬区的草地上，慢慢地折起纸蝴蝶。

乐天见墓碑上江文溪父母的名字，不禁问："你随母姓？"

江文溪回答："嗯，我爸是入赘。"

乐天笑了笑，从口袋里摸出烟盒和打火机，正准备点燃，这时，看墓园的大叔巡逻至此，见两人有要烧纸钱的架势，立即走过来阻止："这个不能在这里烧，要去那边。"

江文溪连忙起身，向墓园的大叔解释。

乐天神泰自若地收起烟和打火机，转看墓铭，想了想，很郑重地对着江文溪长眠地下的父母承诺："请你们放心，我会守护文溪一生一世。"

那位看墓园的大叔终于走了，江文溪松了一口气，回转身便看见乐天对着父母的墓铭喃喃自语，道："在说什么？"

他勾了勾唇角："嗯，你爸妈同意把你嫁给我了。"

"切！厚颜。"她伸手拉起他，"过了我爸妈这关，还有我大舅呢，别得意得太早。"嘴上虽然这样说，其实心里就像是吃了蜜糖一样。

乐天不以为然，抱着白菊起身，轻轻揽过她，往英烈葬区步去。

江文溪正要接过白菊，却见乐天面色难看，紧抿着唇角，僵立在两三米开外一动不动。

"怎么了？"她有些困惑。

"他，就是你大舅？！"他转过头，声音僵硬，带着冰冷冷的疏离。

"对啊，我妈姓江，我大舅当然也姓江……"她突然说不下去了，他眼中的寒意渐渐地蔓延至她的全身，她心慌了起来，颤着声问，"究竟……有什么问题？"

乐天凝视着她，突然冷笑了起来，慢慢地，那笑意在他的脸上逐渐消失，他的双眸透着说不出的沉寂、冷淡。

她刚要伸出手的一刹，那一束白菊猛然落在脚下，乐天阴寒着脸，一脚踩在那盛开的白菊花朵上。顷刻之间，那些洁白无瑕的花朵顿时被碾得粉碎，花瓣四分五裂地散落开来。

她的脸色变得苍白，抬起眼眸，眼前的乐天就像是突然变了一个人，全身上下找不到一丝温情，冷若寒冰，就这样踏过这些花，一言不发，转身离开。

"你到底怎么了？刚才还好好的，为什么现在会这样？就算是和我一样，你要不要人格分裂得这么彻底？！"她抑制不住，双拳紧握，冲着他的背影吼了起来。

他的脚步的没有停下，身影很快消失在墓园中。

她想要喊住他的话语也硬生生地哽在喉间，她颤着身，转身看向大舅的墓碑，照片上，大舅一身警察制服，英挺威风。

十年前，法庭外，那个诅咒大舅，诅咒她全家的人是他吗？那个害她双耳暂时性失聪，被迫辍学的人是他吗？那个让她遭受这么多年精神折磨的人是他吗？

"不会的，不会的，不会的……"她拼命地摇着头，拒绝心中的猜测。

大舅不是抓他的警察，大舅不是。

她想起周绍宇见她时所说的话，脑中又浮现第一次与乐天争吵的情形，他会那样的恨警察，是因为受了四年的不白之冤，如果他真的是被冤枉的，那么，错的人就是大舅。她拼命地摇着头，她不信屡破奇案的大舅，会办错案。如果大舅是对的，那么就是十年前他真的做过那件事。她依然不信地拼命摇头，任何时候，人的眼睛不会撒谎。他的哀伤，他的坚持，他的愤怒，这一切都不是轻易装出来的。

为什么抓他偏偏是她最深爱的大舅？

身体禁不住，微晃了两下，可下一刻，全身的力气仿佛在一瞬间被抽走了一般，她跪坐残碎的花前，颤着手触摸着那些曾经生命顽强的花儿，眼泪禁不住流了下来。

乐天不知道自己是怎样走出墓园，车子刚发动，他便猛踩了油门，车子如离弦的箭一般冲了出去。

十年前那不堪负荷的回忆，就像潮水般无情地向他潮涌而来。

当他看到墓碑上"江永明之墓"几个字时，他以为他眼花了，强作镇定，告诉自己这世上同名同姓的人很多，同名同姓的警察也很多，可当看到那张照片的时候，他没法再说服自己了，他觉得整个世界都轰塌在自己面前。

车子开得极快，不知道开了有多远，猛然一个急刹，车轮与地面磨擦发出刺耳的声音，令人心惊胆颤。

他抬眸望着离车头还有十多公分距离的路障围栏，脑中一片混沌，眼前又浮现起墓碑上照片中的那张脸。

那张脸，无论十年，二十年，他永生都不会忘记。

警局里，江永明愤怒之中随手抓着文件档案袋用力拍他脑袋吼出声："快乐天使儿童福利院？ H 大的高材生？能干出这种事，你还考大学做什么？浪费时间！浪费人力！浪费资源！"

冷陌的眼神，鄙夷的语调，他忘不掉。

当年，迈进了江航的门，他才算是重新活过来，可是以往的一切要他轻易放下，他做不到，甚至利用一切关系去追查当年那起案子，能够拿到手的证据没有一个是对他有利的。这么多年过去了，当年经手那件案子的人，不是调任了就是人不在了。他去那个村子找那户人家，那户人家先是避嫌搬走了，之后那个村却因为扩路，土地全部征收，知道当年事情的人早已不知道搬去哪里。

他甚至还去找过江永明，想把那几年来受的冤屈全数讨回，结果，当年他的诅咒真的应验了，江永明死了，他的全家都不得好死。

那段时间是他出狱后最消沉的一段日子，甚至比在狱中的时候更消沉。他是被深叔的一巴掌打醒的，就算知道了真相又如何？就算是翻了案又如何？就算是还他一个清白又能怎样？那四年的时间又不可能从头来过，那四年的时间没有人能够还他，为什么还整日痛苦地活在过去？

这么多年，好容易挺过来了，如今，他终于找到一个信任他，可以共度一生的伴侣，可结局，他却是再一次被逼上了悬崖边。

为什么？为什么她会是江永明的外甥女？

上帝为他关上一扇门的时候，连窗户也一并关上了，他就像是被命运扼住喉咙一样，在黑暗里奋力挣扎，却无法逃脱。

他可以淡然地向她诉说十年前那段过往，他可以坦然地接受一辈子都无法翻案的现实，但他没法接受，自己半生的幸福却是要得到那个将冰冷手铐铐上他双手之人的祝福，他没法接受，以后漫长的岁月里，面对她的时候，时时刻刻都有一个声音提醒他，她是江永明的外甥女。

无法挣脱的命运之绳，索着他的咽喉，愈缠愈细，愈勒愈紧，已经到了无法呼吸的地步。他伏在方向盘上，不停地喘息着。

待到终于稍稍平复下来，可是，他能做的，只有从心底发出一阵阵苦笑。

晴明的天空突然暗沉了下来，五月的轻风夹杂着草木的气息扑面而来。

眼泪不知在何时早已干透，江文溪以手擦拭着微疼的眼眸，抱着那一束残败的白菊，站立在大舅的墓前，坚定地说："大舅，你们之间一定有误会，对不对？我不信你会抓错人，我也不信他会做出那样的事，所以，我要去查这个案子，我一定会找出真正的凶手，一定会！"

她将那一束白菊扔在了墓园的弃物箱里，转身离开。

回到家中，原本期待还可以看到乐天的身影，但希望落空了，心情顿时沉了下来。捏在手中的手机打开又合上，反复数次，她终于还是咬着唇拨出那串早已铭记于心的号码。

手机里传来"您拨打的电话已关机"，心中点点希望之苗，也在那冰冷机器音中无情地熄灭。未离开墓园的时候，她便拨了好几通电话给他，现在已是晚上，他不仅没有回到她的小窝，手机还是关着机。

他切断了与她的联系，他曾经说过，无论他在哪里，一定会让她找得到他，不会让她担心。

措手不及的局面，揪得她的心好痛好痛。

合上手机，她沮丧地跌坐在沙发上，垂眸看着手腕上那晶莹的水晶蝴蝶手链，泪珠一滴一滴滑落。

短短的几个小时之内，她从天堂跌入地狱。

K．O酒吧的吧台内，酒保阿KEN望着手中的威士忌，纠结着要不要递给趴在台前已经开始意识不清的老板。

酒吧经理端木刚解决完一位难缠的客人，便赶来吧台，冲着阿KEN横一眼："我不是叫你别再调酒给他的吗？！"

"经理，你刚转身，老板就逼着我调酒啊。我要是不调，结果你知道的啊，你教我该怎么做？"阿KEN是哑巴吃黄连有苦说不出。

话说回来，他也不想调啊，眼前的人是老板啊，要是他一个不爽，只要一句话，他阿KEN随时都会滚蛋。今天整个晚上，他没为一个客人服务过，老板命令他把酒吧里所有品种的酒都调一杯，现在是第几杯了，他都记不清了。老板从一开始默不作声地猛喝酒，到眼下，只知道喊"为什么是他"，如果手中的酒再灌下去，他想他今晚可以停止为老板调酒了。

端木咒骂了几句，目光盯着一旁的乐天，双手刚伸到他的肩头，便被他一巴掌挥开。在老板酗酒的时候，如果上前相劝，那便是老虎头顶上拔毛。之前

他就劝了一次，差点没被老板一脚踹出Ｋ．Ｏ．。

端木也犯难了。

"如果乔姐在就好了，一定能搞定老板，可是乔姐不声不响就这么走了。"一旁的服务生小李摸着下巴，突然双手一拍，道，"要不，我们干脆把老板灌得不省人事，然后抬他上楼不就得了？"

端木举起一个啤酒瓶，做了一个要砸下去的动作，板着脸冷哼："就你鬼点子多！这种鬼主意亏你想得出来！"明天等老板酒醒了，知道他们为了省心省事，灌醉他，到时连他这个酒吧经理也可以收拾包袱滚回家吃自己了。

蓦地，小李抬手指着大门的方向，激动地嚷了起来："有……有救了！沈……沈总和桑总！"

端木回首，果真看到皇廷的沈总与桑氏的桑总相携进门，不由地狠掐了一下大腿，这两人来得真是太及时了，简直是再生父母。他激动地立即起身，迎了上前。

"我没醉……我还要喝……放开我……为什么……为什么……你告诉我为什么会是他……"

桑渝双手抱臂看着面前醉熏熏的乐天，又看向沈先非，挑着眉质疑："你确定到时候要请他做伴郎？"

沈先非肯定地点了点头，动手剥了乐天身上已经脏掉的西装外套，轻轻放下他，让他平躺在床上。不一会儿，乐天呼喊的声音越来越小，整个人已醉得不省人事。

桑渝咬着牙："你不是说他酒量很好吗？怎么酒品这么差？"

沈先非接过服务生准备好的热毛巾，一边替乐天轻轻擦拭，一边回应桑渝："他酒量是很好，反正比我好。"

"酒量好？这样也叫酒量好？一个劲地抱着我问我为什么？我靠，我哪里知道他为什么喝这么多酒？哎，还有，我刚买的裙子，就被他吐成这样！要不是看在他有出力帮忙找戒指的份上，我真想在他脸上踹两脚作纪念。"桑渝拉扯着湿漉漉地裙子，"不行，我今晚回去就把发票找出来，明天派人送去他办公室。"

衣服的钱一定要让这个死小白买单。该死的，难得今晚有空出来娱乐一下，就被这家伙弄得扫兴，她要是不把衣服钱赚回来，太对不起她宝贵的时间。

"阿天一定是遇着什么不开心的事，不然不会喝成这样，前两天还看他春风满面的，说是打算向女朋友求婚。等他醒来再说吧。"沈先非好言安慰了几句正在气头上的桑渝，然后替乐天盖好了被子，嘱咐酒吧里的人好好照看他，便揽着桑渝出了门。

老板睡下了，酒吧里的人总算是松了一口气。

沈先非在众人的热情欢送下，陪着桑渝去买衣服。

翌日，江文溪起得很早，一如往常做了两人的早餐。她坐在餐桌前，怔怔地望着面前不曾动过的早餐，许久，期待着乐大会出现，最终还是失望。

过了八点，她便收拾起碗筷，出门上班。

原以为会在公司见到乐天，可是希望越多，失望越多，他一整天都没来公司。她几次欲问严姐有没有见过他，话到嘴边又咽了回去，后来严姐反倒问她有没有见过他，她更加担心了。

又隔了一天，他没有出现。

到了第三天，他还是没有出现。

她不停地拨打他的手机，依然是关机。帝都豪庭的公寓电话也无人接听，K.O.她也去过了，到处都不见他的踪影，他就像是人间蒸发了一般。

严姐从一开始追问她究竟怎么回事，到后来只会以一种说不清道不明的眼神看她，江董看她的眼神也越来越奇怪，K.O.里的人见了她眼神也总是闪烁，无论她问什么就只会摇头，只会说不知道。

心中不安的情绪越来越强，渐渐地涌起了一股悲凉而绝望的感觉，整个人仿佛掉进了万丈深渊。再次拨打他的手机，传来的却是"您拨打的电话是空号"。

就这样过了近一周，终于知道了他的去向，原来是接了外市的工程项目，出差了。她不禁苦笑，他是在躲她吗？如果他一天不愿见她，她就要这样无止境地等下去吗？等到他愿意出现在她的面前？还是说就这样结束了？

她的头好痛，办公桌上那一堆数据，完全没有办法融进她的脑袋。

她深深叹息，正打算去洗手间用冷水冲一下脸，让自己冷静一下，刚迈出办公室的门，便看见几个人迎面走来，为首的正是乐天。

她僵立在门口忘了移动，一行人很快已来到跟前。

乐天见到她，只是淡淡地扫了她一眼，一派公式化的冰冷口吻："江助理，麻烦你泡几杯茶，还有，请让一让。"

她错愕地望着眼前异常生疏的乐天，很快，便主动向右侧移了两步。

他没再看她，越过她，径直走进办公室。

江助理？即便是最初领着她进江航，他也未曾叫她一声"江助理"。

如此生分，她不禁怀疑究竟曾经是场梦，还是眼前是场梦。

她咬了咬嘴唇，转身去泡茶。

这些天，她自我安慰，强迫自己镇定，开始不断地回忆十年前的事。她清

楚地记得那件事后大舅一直不开心，不仅仅是牵连到她失聪休学。大舅好像有很长一段时间没有去警局，甚至三天两头不知所踪，舅母也是从那个时候开始和他争吵不断，甚至离了婚，带着表姐去了美国。也是那段时间，她记住了一句话，人的眼睛是永远不会撒谎的，因这这句话是大舅在那段时间里说的最多的一句话。

她思前想后，都觉得舅母的离开、大舅的反常与乐天的案子脱不了关系。

大舅送他进监狱是事实，这已成定局，以她对他的了解，就算她把眼泪哭干，眼睛哭瞎，事情终不会有个结果，唯一的办法，就是找到当年陷害他的凶手，还他一个清白，还大舅一个清白。

从未有过像现在这样期盼见到他，她有很多话要和他说。她要和他说清楚，说清楚大舅的为人，她相信这件事中一定有误会，她要为他翻案，还他清白，还大舅清白，将凶手绳之以法。

可即便是见着人了，情况也并不曾好转。她从来不知道他是这样的忙，大部的时间要么在度假村，要么在饭店，亦或是公司其他分部，若是出现在公司，每当她要敲门进去，他不是在与人通电话，便是抓起公文包要出门，彻彻底底地将她挡在了他的防线之外，连给她半分钟说话的时间都没有。

就这样，两人之间陷入了一个奇怪的僵局。

直到有一天，她在严素的办公桌上发现了一张他将长驻 Y 市的通知，才惊觉他们之间已不是冷战这样简单的事了。

好容易挨到下班，她顾不上他办公室里有没有人，便直接冲了进去。

乐天从一堆图纸中抬起头，看到立在门处的江文溪，嘴角微动，下一秒，冰冷的语调自薄唇中吐出："谁让你进来的？！"

江文溪顿时脸色苍白，深吸了一口气，道："乐总，我有事要和你说。"

"出去。"

无情的两个字，让她猝不及防，整颗心揪在了一起，难堪地咬着嘴唇，半响才道："对不起，我等会儿再进来。"她攥紧着双拳迅速转身离开。

空气里弥漫着一股浓浓的火药味，工程部的小韩小心翼翼地看向乐总。自江助理出去之后，乐总已经无心再谈图纸的事，隐藏在体内的怒气，似乎只要谁轻轻一触碰，便会倏然爆发。

这几日，公司上下都在谈论乐总有些不对劲，一个个都怀疑与那楚楚可怜的江助理有关，刚才那一幕，是明摆着的事了。还是赶紧找个机会开溜吧，总经理不爽，倒霉的就会是他们这些无辜的下属。

小韩咳了两声，道："乐总，我想起来我得给赵工打个电话，确认一个材料，我先去打电话，图纸先放您这儿。"

"嗯。"乐天淡淡地应了声。

小韩如获大赦，倏地一下，就蹿出了办公室。

小韩一出门，偌大的办公室里，就只剩下乐天一个人。

面对一桌子的文件图纸，他烦燥地点起一支烟。

他躲了她整整十天，他的心，就像波涛汹涌的海浪一样从没有停止翻滚。这些天，他试图说服自己，说服自己接受这一现实，但另一个他却在耳边不停地叫嚣："她是江永明的外甥女，把你送进监狱的那个江永明的外甥女。爱？就算再爱有什么用？那个是她大舅，她最尊敬的大舅。还记得第一次为了警察和她争吵的情形吗？逆来顺受的她，可以为了她大舅鼓足勇气和你争吵，是不是你打算这一辈子都要在这种争吵中过下去？还是你能忘掉当年的事？"

他忘不掉，他怎么能忘掉？除了躲着她，他不知道自己还能做什么，所以他选择将外市工程的项目提前。

狠狠地掐灭手中的烟蒂，他抓起一旁的公文包打算离开。

门刚拉开，一直立在门外的江文溪抬眸对视他，眉目之间满是痛楚："你究竟要躲到什么时候？"

他迟疑了一下，很快便错开目光，紧抿着唇角，越过她向门外走去。

待江文溪回过神，他已经出了办公室，进了电梯。

无论如何，今天一定要当面说清楚。

她快步追了出去，可还是晚了一步，电梯已经合上，只留下他异常冷漠的一张脸。两部电梯都向下行，她连忙转向安全通道，从楼梯快步跑下去。

一路追到了地下停车场，当看到那熟悉的黑色车子从停车位里缓缓驶出，再也顾不上，她冲了过去，伸开双臂，拦在了车前。

伴随着轮胎磨擦地面尖锐的声音响起，车子一个急刹车停下了。

他的手紧握着方向盘，心猛烈地跳动着，就差一点车子就要撞向她。

这个该死的女人，疯了不是？

"你疯了？知不知道自己在做什么？！"他怒不可遏地下了车。

她放下手臂，缓缓走向前，紧紧地盯着他，又问了一次："你究竟要躲到什么时候？"

"我没有躲你！"他拉开车门，重新坐回驾驶座。

她跟着拉开副驾座的车门，坐了进去。"没有躲？那为什么你的手机停机了，家里的电话一直是盲音，K.O.找不到你，严姐也不知道你在哪儿，就算是你回到公司也处处避着我，甚至还要去 Y 市长驻，这不是躲是什么？"

"手机丢了不行吗？家里电话坏了不可以吗？谁规定我一定要去Ｋ.Ｏ.？我去哪儿为什么要告诉严素？去Ｙ市是因为工作需要，是不是我这个总经理去哪儿要得到你江助理的审批？！"他握着方向盘的手越握越紧，手背上的青筋可以明显地看清，控制不住声音越说越大。

又是江助理。

难掩痛楚，她强抑着不让眼泪滑落，咬着唇哽咽："阿天，我们不要吵架好吗？我只想和你好好地谈谈。"

他不语，静默了一阵，只是抽出一支烟点燃，猛吸了一口。

她调了调气息，许久，艰难地开了口："有时候不得不信，冥冥之中自有天注定。不知道你还记不记得，十前年你被押出法庭的情形？你被两个庭警押着，口中一直叫着自己是冤枉的。那个时候，刚好有个小女孩，提着一盒精美的蛋糕等着她最敬重的大舅作完证供，一起回家庆祝生日。就在你经过她和她大舅面前的时候，你冲着他们俩嘶吼着'江永明，我没有强奸人！是你无能，你根本就不配当警察！你会遭报应的，江永明，我咒你全家不得好死'。那个小女孩被你的声音吓到了，丢了手中的蛋糕，于是你刚好踩着那个蛋糕，被庭警一路押下楼梯。从那天以后，那个小女孩耳朵失聪而不得不休学。"

一刹那间，他的动作僵住了，停止了吸烟，烟轻轻地捻在指间，那一点星红的火光很快黯了下去。

"是我，那个小女孩是我。也如你所愿，我大舅一家不得好死，我舅妈和我表姐在美国死于车祸，我的父母被埋在深山下尸首都找不到，最后我大舅也追随他们而去。而我，江家唯一一个活下来的人，一事无成，时好时坏，说不准某一天，就会被关进精神病院。当年，你的诅咒，全部应验了。十年了，这件事整整纠缠了我十年了，就像昨天才发生过一样。"

"那我该庆幸自己有一语成谶的本事，还是该说你们江家活该，应受这报应？"他冷哼一声，转头偏看向她。

她苦笑了一声："阿天，也许这是场误会，我相信你是被冤枉的，但我也相信我大舅他的为人，因为我记得你的事之后，他有很长一段时间不开心，甚至很久没去警局工作——"

"够了！"他捻灭了烟蒂，双眸中燃烧着火焰，"如果你要想和我说你大舅江永明有多么英勇，那么不必了。在狱中的四年时，我听得太多，看得太多。"

"阿天，我想帮你，我想帮你翻案，证明你是清白的，证明我大舅不是你说的那样的。"

"翻案？"他失笑，身体因笑声而颤动，一双漂亮的眼眸凝视着她，眼底却毫无笑意，"你帮我？我费了那么多劲，黑白两道全用上了，都没有结果。

你凭什么说要帮我翻案？就凭你家中那满书柜的侦探故事集，一句你帮我，就能查出十年前是谁干的？！江文溪，是你太天真，还是我太白痴？！"

她紧紧抓住他的衣袖，急道："不是这样的！阿天，你听我说，你出事之后，我大舅的反常是确有其事。你相信我，我觉得他一定是有在查你的案子，如果不是他后来因公殉职，你的案子一定早沉冤得雪——"

"够了！江文溪！"他受不了她一再提起江永明，如果他们两人之间的话题只有江永明可谈，他宁可结束谈话，"请你下车，我想一个人静一静！"

"我……"

"下车！"他几近低吼出声。

她垂着眼睫，泪水在眼眶里打着旋，咬着唇，手终是摸向门扣，下了车。

当车门一合上，车子犹如一阵风一般，快速驶离了停车场。

心中那难以言语的痛楚，让她再也抑制不住，眼泪如同断了线的珍珠一般坠落。

他为什么不肯相信她？大舅一定有为他做过什么，否则大舅不会莫名其妙地一失踪就是两三天，曾经与他感情一直很好的舅母，为什么偏偏会在那件案子后突然带着表妹离开去了美国……

她抱着身体蹲下，空荡荡的停车场内，只听到她一个人轻轻啜泣的声音。

"江小姐，您没事吧？"保安室的保安人员巡逻至此。

她连忙擦干眼泪，轻道一声："哦，我没事。"她缓缓站起身，腿早已麻木，差点就要站不住。

"江小姐，您确定您没事？"保安人员又问。

她摇了摇头："谢谢，我真的没事。"迈着沉重的步调，像一个僵硬的木偶一般，缓缓向电梯走去。

她伸手按了上行键，刚要进电梯，这时，熟悉的手机铃声响起，"顾廷和"三个字清楚地映入眼帘，她急忙接起电话："廷和，是不是你拿到档案了？"

"嗯。"电话里顾廷和的声音低沉，"今晚，你方便吗？"

"方便。要不你来我家吧，有什么话说起来也方便些。"她擦干眼角残余的眼泪，欣慰地笑了起来。拿到那份档案，她可以详细了解当年的案情。

"好，待会儿见。"

回到家，她进入许久不曾出入的次卧，那里，她一直保存着与父母、大舅相关的物件，因为怕看到这些东西，引起自己孤独悲伤的情绪，她索性将它们全锁在了次卧。

按她的推断，当年大舅若是真的另行去查那件案子，一定会留下什么重要的线索或是证据。可她翻看了大舅曾经的工作笔记，以及他留下的一些杂七杂八的东西，并没有特殊的发现。

正当她一筹莫展之时，门铃响了。

是顾廷和。

"吃过晚饭没有？"她为顾廷和倒了一杯茶。

顾廷和环顾了四周，原本以为会见到某个人，但见屋内只有她一人，不免有些欣慰，浅浅一笑："吃过了。"

接过顾廷和手中的档案袋，她急忙打开，受害人的陈述、被告人的供述和辩解、证人证言、现场勘验笔录、法医鉴定书等，所有她需要的文本影印件全部在内。

她激动地对他说道："真不知道该怎么谢谢你。"

顾廷和若有所思地看着她，问她："你真的打算替他翻案？"

"嗯。"她一张张地翻看，顿了顿，抬起头道："现在不单纯是一宗强奸案，也关系到我大舅的声誉。"

"江警长的声誉？"顾廷和惊愕。

"嗯。"她淡淡地笑了笑，将事情的始末说了出来。

顾廷和听完之后，沉默了许久，方道："那你现在和他分手了？"

"不知道算不算是，"她垂下眼睫，声音里满是苦涩，"但也差不多就是你想的那样，离分手不远了……"从今天的那番谈话看来，他根本就没法接受她是江永明外甥女的事实，他没提出来，也许是不想她难堪吧。

顾廷和很认真地看着她，道："文溪，他这样对你，你觉得这样做值得吗？"

她略略抬眸，目光落在茶几上的杯沿，幽幽地说道："有什么值得不值得，就算是真的分了手，这么做也无可厚非。"

"你爱他，对吗？所以即使到了无法挽回的地步，也甘愿为他做一切。"

顾廷和的话让她一怔，一阵短暂的沉默之后，她又点了点头。是的，谁叫她爱上他，无论做什么，一切都是值得的。

虽然心如刀割，顾廷和仍是说："如果你坚持，那么我想说的是，请让我帮你，直到抓到凶手，还他清白。"

她咬着唇，轻道一声："廷和，对不起……"他的心意，她怎能不明白，可是她的心全部给了那个只会让她流泪的男人，再没有多余的一席之地让别人进驻。

"别说对不起，你知道的，我需要的不是对不起。"顾廷和顿了顿，又道，"我们是朋友，不是吗？"

"朋友……"她喃喃重复着，一时间，不知道要说什么好。

顾廷和看得出她的尴尬，眈了一眼墙上的钟，站起身便道："很晚了，我先回去。你……先好好看看这份档案证据资料吧，过两天，我们再继续。"

"好，我送你下楼。"她也站起身。

"不用了，我的车就在下面。"

"让我送送吧。"

顾廷和没有再坚持。

两个人一前一后，踩着黑漆漆的楼道下了楼。

走到车前，顾廷和对她说："上去吧，很晚了。"

"嗯。"她轻轻应着，右手抚着左臂，垂着头望着地面，却没有行动。

顾廷和看着她，手缓缓向上抬了一半，却又垂下，抿紧了唇钻进车内，道了一声："晚安，再见。"

"晚安，再见。"她抬眸应声。

顾廷和发动了车子，很快离开了。

她抬眸望着车子消失的方向，不禁想起，很多个夜晚，他也是这样目送着乐天离开。很多时候，他会抱着她，直到吻到她快要不能呼吸才会放开她，开着车离开。如今，他只会叫她下车，冰冷无情地扬长而去，留下她一个人孤伶伶地哭泣。

她深吸了一口气，就在转身的时候，瞧见不远处路灯下，有一个熟悉的身影，她迟疑地顿住了脚步，再回首，路灯下并没有人。

一定是她想得太多了，眼花了，才会以为是他。

她苦笑着，很快地便进了楼道。

直到看见她进了楼道，乐天才从黑暗处走了出来。

在停车场丢下她，没过多久，他便后悔了。车子开了很远很远才停下，想了想，他又开回公司，她已离开。

思念的情绪一股脑地涌了出来，他想念她。

禁不住那份思念，他开着车又来到她的住处，怕被她看见，他将车远远地停在另一边，人立在拐角处就那样傻傻地望着她亮灯的窗户。

可令他想不到的，却是见到了那个警察。他不禁冷笑，原来她过得"很好"，比他好太多了，他真是个白痴。

他猛捶了一拳车顶盖，愤恨地拉开车门，发动了车子，迅速地离开。

江文溪做梦也没有想到自己会收到调她去饭店工作这样一份人事通知。

她捏着手中的通知，找到人事部主管。人事部主管早已算准了她会回来，只是耸了耸肩表示遗憾，是上面的决定，无能为力。

　　上面？哪个上面？

　　终于，他还是动手了。其实不用来找人事部主管，她也早已猜到。为什么不直接开掉她？为什么还要这样调她去饭店？

　　回到办会室，她站在办公桌前，望着对面那扇紧闭的门，咬了咬唇，下定决心，对着电脑一阵敲打。不一会儿，辞职信打好，她推开了那道隔着她与他的门。

　　他抬起头，看到脸色苍白的她，并不惊讶，继续埋头工作。

　　她缓缓走向他的办公桌，道："我知道你这些天一直在矛盾、挣扎，为了躲避我，才选择去 Y 市长驻的，对吧。"

　　"现在是上班时间，请不要讲一些和工作无关的事。"他头也不抬，冷冷地说道。

　　"你放心，说完我就会离开。"她深吸了一口气，将手中的辞职信递至他的面前。

　　终于，他没有再专注于那一堆公文，而是怔怔地抬眸凝望她。

　　她接着道："现在，你什么都不必做了，也不用费心调我去饭店那边。去饭店工作和离开江航，我选离职。这样，你就不用长驻 Y 市。"

　　他再也控制不住，猛地站起身，捏着那封辞职信一阵讽笑："很好，很好！另一面完全被激出来，不用找借口就可以反击了。"他将那封辞职信狠狠地甩在桌上，双手撑着桌面，冲着她怒吼道，"但别太自以为是，公司做任何人事调整，都是公司的需要。江航员工守则第二章第一条，就言明作为江航的员工，要无条件服从公司内部人事调动安排。你丢一份辞职信进来，什么意思？在向我示威？"

　　"我没有示威，只是不想再这样下去。如果见到我真的让你难受难堪，直接解聘我就好了，又何必还要将我调去饭店那么麻烦？既然你下不了决心，那么就我来决定好了。"她咬了咬唇。

　　"江文溪，你当真以为我不敢签字？！"低沉忍耐的语气，昭示着他压抑了许久的怒气。

　　"昨晚的人是你，对不对？"他一定是看到她送顾廷和下楼的情形，否则今天绝不会有这样一份通知。

　　他捏紧了拳头，垂下眼眸，不说话。

　　她又道："他会去我家，是为了你的案子。"

　　他抬眸，一脸阴鸷，表情阴沉得可怕："谁让你去找他的？！谁准你去的？！我的事关那个警察什么事？你以为你这样做就能弥补江永明的过错？翻了案又能怎样？还我清白？谁能还我那四年？江文溪，你听好了，就算这辈子翻不了案，也不要你和那个警察多事！"

"你别再自欺欺人了好吗？你知道吗？这么多天来，我还是像以前一样，每天做好了早餐等候着你，可是每天只能眼睁睁地看着粥一点一点地凉掉，我的心也跟着一点一点地凉掉。我知道你痛苦你难受，可我的痛苦并不你少。一个是我将要永远在一起的爱人，一个是从小将我养大的大舅。那件事，是我永远不希望会发生的，但是已成了事实，我能怎么办？这件事，是你的心结，如果一日找不到真凶，难道我们就要这样下去？现在请你告诉我，这么多天来，你不是在躲我，选择长驻 Y 市也不是因为不想再看见我？请你告诉我！我该怎么办？我要怎么办？"

他咬着牙，缓缓坐回椅子上，避开她质问的目光："我只是需要时间去静一静。"

"静一静？这么多天了？你沉静得还不够吗？不论你愿不愿意，我都会去做。我说过我信你，同样我也相信我大舅。我不要你以后每天挣扎地面对我，我也不要我以后痛苦地面对你。"找到那个凶手，是他与她之间唯一的出路。她吸了吸鼻子又道："如果你真的觉得难堪，要选择放弃，只要你一句话，我会永远消失在你面前。"

永远消失在他面前？这样的话，她竟然这样轻易地说出口？他已经说过，他真的只想静一静，她就这样迫不及待离开他？他是一道枷锁，束缚着她让她透不过气，好，好，他现在还她自由。

他眼里是难以言喻的冰寒，浑身更是弥漫着一触即发的怒气。他拿起笔，在那份辞函上迅速地签了名："随便你，如你所愿，现在请你出去。"一句话犹如从齿缝里迸出来。

有那么一瞬，她以为他会解释，会告诉她，调她去饭店不是不想见到她，他长驻 Y 市也不是为了躲避她，更不是想要和她就这样算了。孰知，等来的不过是一句请她离开。

剜肉刮骨似的剧痛终究让灰姑娘从梦中痛醒了，这才是现实，脆弱的感情经不起任何外力的攻击。当那束娇嫩的白菊飘落在她脚下的时候，她就应该知道终会是这样的结局，只不过早晚罢了。

她深深吸了口气，强扯了一抹笑意，看向他："好，乐总，谢谢你长期以来的关照。再见。"胸口不断地缩紧，她的呼吸变得沉重起来，在眼泪没有掉落前，她迅速转身离开。

在她离开之后，办公室如死一般的沉寂。

他猛然站起身，双手扣住办公桌，只听"轰"的一声，巨大厚重的办公桌被掀翻在地，桌上的文件资料、笔记本电脑等全部砸落在地。漂亮的咖啡杯里只剩下一点黑褐色的咖啡汁，洁白的羊毛地毯上黑糊一片。

这一切似乎都无法宣泄他的怒气，书柜、盆栽、落地座钟、墙上的壁画，全成了他宣泄的出口。

刚回到办公室的严素听到里面异样，快步走过去，推开门，眼前便飞来一件东西，幸好她躲避及时，没被砸中。回过神一看，原来是一个锡制品。再看办公室内，她惊愕地张大了嘴，她只不过离开半小时而已，满屋狼籍，实在难以相信办公室主人的破坏力与杀伤力。

"不管你是谁，立刻给我滚出去！"落地窗前，双手撑着栏杆的破坏者发出愤怒的嘶吼。

严素对他的话置若罔闻："我刚到公司，就听说你请文溪走人了。"

"是她自己要走的！还有，以后我不想再听到这个名字！请你出去！"

严素的火气也被他引了上来："你慢慢在这里发疯吧，懒得理你！还有，办公室自己收拾！"

"嘭"地，严素用力地带上门。

她气愤地坐回办公桌前，瞥了一眼右侧空空的位置，惋惜地叹了一声。当年的事，她也知道，深哥为了那个臭小子费了不少劲，可命运似乎总是喜欢捉弄这个孩子，当年涉及那件案子的人，不是死了就是失踪了。她不是个多事的人，再也没想到那丫头居然是江永明的外甥女。

这真是一段孽缘。

第十一章
善恶到头终有报

那种失而复得无法言语的
强烈感觉将她的心塞得满满的，
满到再也盛装不下，
终于化作一滴滴滚热的眼泪，
从紧闭的眼眶里溢了出来。

江文溪不知道自己究竟是在第几个晚上从睡梦中惊醒，她又开始做恶梦了。梦中，她见到大舅将冰冷的手铐铐在乐天的双手上，乐天被押出法庭，关进监狱，他在狱中不断地嘶喊他是冤枉的，但没有人应他，狱警及同区的犯人全部嘲笑他是白痴。她看见了他那一头好不容易变黑的发丝，在一瞬间变得雪白……

　　她颤抖着身体，下了床，倒了一杯水一仰而尽。

　　离开江航好多天了，每天除了研究那份档案证据资料，就是睡觉，似乎再也不会做别的事。

　　她抬眸看向墙上的钟，指针刚好指向六点。刚才趴在桌上睡着了，她以为睡了一个世纪那么久。

　　今天她约了顾廷和，他也应该快到了吧，她起身去厨房弄晚餐。汤刚烧好，门铃便响了。

　　"不好意思，只有一菜一汤，我睡过头了，忘记去买菜……"她刚准备去盛饭，却听顾廷和说："没关系，我在警局里吃过晚饭来的。"

　　"哦，这样啊。"她收起了多余的一副碗筷，"我现在还不饿，要不我们先谈谈那个案子吧？"

　　"睡觉睡过头，忘记买菜，你是不是已经离开江航了？"当警察的就是嗅觉敏锐。

　　她点了点头："嗯，前几天辞的职。"她看着他深皱的眉头，笑了笑，"没事的，我不会饿死啦，过些天，我打算去找一些时间相对自由一些工作。"

　　即便是没有工作，短期内，她的生活根本不成问题。和乐天在一起的日子，他每个月都会往她的账户里存一笔钱，就连水电费都帮她转到了固定的账户缴费，她不用为这些付一分钱。

　　"有困难，跟我说。"顾廷和看着她突然有些不自然的脸，又接着道，"别忘了，我们是朋友。"

　　她淡淡地笑了笑，垂下眼睫，微抿了抿嘴角，没有接话。

　　她为他倒了一杯茶，两人坐在沙发上，将那份档案证据资料摊开在茶几上。

　　"这份档案证据资料我仔细看过，并没有什么问题。如果事实真如他所说，那么，你有没有想过我们这么做的后果？"顾廷和一脸认真地看着她。

　　顾廷和的意思，江文溪当然明白，他是指这背后隐藏的不可告诉人的秘密，会牵扯出什么样的人物，这样做的后果，他们能否承受得住。

　　"嗯，我想过。如果阿天说的全部是真的，那么唯一的可能是他被人找来做了替死鬼。"这是一场预谋，他们可以做到这样的让人无迹可寻，背后势力也一定不简单，否则不至于动用了黑白两道势力都查不出所以然来。

"没错。就这份档案证据资料来讲，他的确有罪，假设他没有罪，我能想到的唯一可能，就是这份档案证据资料有问题。"

"你的意思是说有人做手脚？"她看着手中厚厚一叠的纸张，如果真的有人做了手脚，那要收买多少人才可以办得到？她抬起头，"能做到这样的地步，现场勘查、法医鉴定书、证人供词……这些所有，那么第一个有问题的便是我大舅。"这简直难以想象。

顾廷和双眉一蹙："你别这样想，江警长的为人你最清楚不过，会不会做出这样的事？"

她摇了摇头："大舅绝不会这么做的。我打算把他生前留下的东西好好看一看，尤其是他那一堆工作笔记再仔细研究一下，说不定有什么发现。"

"如果按你的猜测，江警长若是当年有重查这件案子，他应该会留下些什么线索才对。"

她叹了一口气："我前两天在他生前留下来的东西里找过，没有。要不你再来帮我看一看？"

"好。"

顾廷和随着她进了书房，两人蹲在偌大的房间内，对着一堆杂物一一翻看。不知过了多久，两人失望地相视而叹，一无所获。

顾廷和一边帮忙整理，一边说："文溪，你好好想想，当年你大舅有没有对你说过什么，或是给了一些暗示。"

她皱了皱眉，然后又摇了摇头，道："没有。就算有，时间隔得也太久了，实在是想不起来。"

"那下一步的打算，你想好了吗？"

"……有。"她想去找受害人，还有当年在场的那些证人，可却在一时间不知道要从何处开始。

顾廷和看着她："去年的年假我一直没有休，加上今年的，也有不少日子。明天，我们去郊县，前几天我已经找到原来那个村的村长，虽然因拆迁后来搬迁，还好他家搬离原来的村子不远。他给了我一份当年村里所有人的名单和现在的住址，虽然不是很完整，说不定会有什么意外的收获。"

"好。"她感激地看着他。

"拜托，别一副想要跪谢的样子。要是想谢我，等抓到凶手，你好好请我大吃一餐就好了。"他笑了笑，笑容中有多少苦涩只有他自己知道。

"好。"她笑着应了一声。

"时候也不早了，我得回去了。"他垂眸看了看手表，再抬头看向窗外，"好像下雨了。"

"是吗？"她下意识地转头看向窗外。

刚才进来时打开窗户通风，外面漆黑一片，噼里啪啦，清晰地听见雨滴打在窗户上的声音。

六月进入梅雨季节，雨说下就下。

她连忙走过去倾身向前关窗，雨势越来越大，雨水从还没来得及关上的窗户缝隙间打进来，打在她的脸上，她急忙错让，手轻轻一挥，碰到窗前桌子上的什么东西，将它打落在地。

他见她手忙脚乱的，不禁莞尔，上前捡起地板上的不倒翁，揶揄："刚才看你有条不紊，这会儿又手忙脚乱，幸好是不倒翁，不是什么花瓶。"

她转过身，脸色微窘。

他将不倒翁放在桌上，弹了一下，不倒翁发出响声，里面似乎有什么东西。他又笑着调侃："你该不会把不倒翁当储蓄罐放硬币了吧。"

不倒翁会响？这个不倒翁是大舅送她的玩具，记忆中不倒翁是不会响的。

刹那间，她的手僵在了半空中，一脸震惊，脑中划过几年前一幕，是大舅出事之前的前两天，不倒翁跌成两半，她心疼地和大舅哭诉。大舅拿走不倒翁，隔了一天便还给她一个粘好的不倒翁，很慎重地放在书柜上，并嘱咐她，不能再跌地上了，不然他就是再厉害，也不能再还原了，总之不管怎么样不能把它弄坏。那个时候她记得不倒翁里面是空的，不会发声。

思及，她拿起不倒翁摇了两下，什么东西撞击塑料发出声音，像硬币，但又不是。索性，她用力地将不倒翁掰成两半，只听"当"的一声，一个金属模样的东西掉落在地，是一把钥匙。

她弯下身，捡起那把还粘着透明胶带的特殊钥匙，对着灯光照了照。

顾廷和接过，仔细看了一眼。

突然，两人异口同声叫了起来："保险柜！"

"你说得没错，江警长当年有重查过这件案子。"顾廷和的语气有说不出的兴奋，"保险柜，全市有那么多家银行和金融机构，这把钥匙究竟会是哪一家的？"

她激动地颤声道："在城南有一家银行，那里曾经是大舅母工作的地方，一定会是那里！"

"我很期待明天这把钥匙将为我们揭开怎样的秘密。"他将钥匙还给她。

她将钥匙紧紧地握着，明天，大舅一定会告诉她答案。

他说道："我先回去了，明天一早我来接你。"

"好。"她送他到门外，然后想到外面下着大雨，又叫了一声，"等一下。"转身拿了一把雨伞递给他。

他微微怔然，从单元门到汽车的距离不过是几米远。他接过伞，浅浅笑着："谢谢。"

那笑容里饱含的深意，她看懂了，脸微微一红，道："路上小心。"

顾廷和走了，她坐在沙发上，静静地摸着手腕上那一串水晶蝴蝶手链。

第二天一早，江文溪便起了床，没多久，顾廷和开着车来接她。两人到了城南XX银行，江文溪将那把钥匙、大舅的死亡证明及律师遗嘱见证交给银行柜面人员，办理了手续。过了一会儿，一个厚实的档案袋呈现于眼前。

她拿着档案袋，颤着手打开，从里面取出一个黑色的日记本、一支录音笔和十几张从另一本日记本上撕下的日记。她翻开那个日记本，熟悉的字迹映入眼帘。

"是大舅的字，是那件案子。我没有猜错，他确实有查那件案子。"她激动地叫了起来。

"找个地方坐下来，慢慢看，细细研究。"顾廷和轻拍了拍她的肩。

"嗯。"

两个人很快在附近找了一家咖啡店，刚坐下来，江文溪便迫不及待地翻看日记。那十几张纸十分熟悉，她想起来了，是家里大舅另外一本日记里的，原来在这里。

> 1998 年 12 月 24 日　晴
>
> 今天是圣诞平安夜，他还是不肯见我。对于这个孩子，再多的道歉也无事于补。如果那时我没有因病入院，案子就不会交给别人，但这不能减轻我的过错，现场堪查、出庭作证……如果没有这一切，也许，他就不会被判入狱四年，溪溪也不会休学一年。都是我的错……
>
> 我现在唯一能做的，就是还他自由，尽快帮他走出那扇铁门。
>
> ……

看到这篇日记，江文溪才想起来十年前的夏天，大舅因阑尾炎发作高烧昏迷，然后住院接受手术治疗，出院后，在家休养了很长一段时间。原来这件案子曾转交给了别人，大舅并没有从头到尾经手。接下来的日记，是大舅四处找寻受害人和那个村子村民的一些记载。一篇一篇，从 1999 年到 2002 年，不仅几年来是一无所获，甚至工作一而再再而三地调动，说难听点就是降职。大舅母因受不了他的工资一月比一月低，整天不归家，终于忍不住提出离婚，带着

表姐离开。这其间，日记中断了好几个月，正是舅母与表姐两人在美国发生意外的时间。

父母的意外，她的病情，开始让大舅迷茫，字里行间，透露着他内心有多么的绝望。

她继续往下看，时间一下子跳至了2002年10月15日。

2002年10月15日　雨

今天是那个孩子出狱的日子，我想告诉他，他的案子有了转机，但需要他的配合，我现在就差他再亲自和我确认一下，证实一些事。

我去晚了一步，他刚刚离开。在监狱里转了一圈，听到犯人的哭泣声，想到他一夜白了头，胸前就像是压了块巨石，不知道这块巨石要什么时候才能放下？

离开监狱的时候，很意外，我见到那个孩子，他站在雨里，任由雨水冲洗自己，他那一头异常的头发在雨中显得那么刺眼。我怕他生病，将雨伞递给他，却被他一巴掌打翻在地。

他冲着我怒吼："江永明，你会不得好死，包括你全家！"他骂完，转身走了。

我撑着伞站在雨里，就这样看着他消失在雨里。他不知道，他的诅咒都应验了，小妹他们夫妻、玉霞、文慧全都走了，去了另一个世界。

下一个也许就是我。

只是文溪还小，人生才刚刚开始。

看至此，江文溪的整个心都揪在了一起，她能明白他为什么会站在雨里，他怎么那么傻？大舅找到他，就是想帮他，可他为什么要放弃这样的机会？

她接着往下看。

2002年11月29　阴

今天，是我这几年来最开心的一天，不枉我历尽千辛，终于让我有了意外的收获。之前的推测终于得到了证实，不是他做的。

我再一次去找当年那个村子的村民，居然让我遇到了村子里唯一一个"眼见"事情过程的阿庆伯。阿庆伯十几年前发生了意外，双目失明，他的听觉与嗅觉都比常人要更敏锐。

我录了音，但防止事有突变，我还是会以文字的方式记录。

"录音笔，录音笔，快。"她激动地对顾廷和叫道。

顾廷和失笑出声，按了开关，发现电池没电，不禁揶揄她："咳，这就是传说中的心急吃不了热豆腐。"

她脸色窘然，快速翻着日记本，在最后找到了一张单独的纸张，上面有阿庆伯的签名和手指印，她和顾廷和仔细看着每个字。

原来那天晚上，阿庆伯半夜小解，听到三个年轻男子的声音，这三个男子的声音是外村人，他没听过。他听到他们一直在说该怎么办，其中一个人说没事的，回市里一定有办法。他以为村里来了小偷，刚想出去，这时又出现第四个人。

于是，那三个人就逼着第四个人不知干什么，因为声音太小，他实在听不清，但他听得出那第四个人的声音，就是住隔壁阿牛家的其中一个小伙，叫方子贺。他会记得这个小伙的名字，是因为这个小伙和他的朋友两个人是好人，见他是个老瞎子，帮他提了满满一缸水。

他怕方子贺被人欺负了，于是走了出去，他听到方子贺对那三个人说没事，他双目失明，看不见东西。

那三个人走到他的面前，他不知道那三人有什么举动，但应该是确认他是不是真的瞎了。方子贺对他说，都是同学，太热了出来乘凉的。后来他们都走了，但方子贺的脚步比来的时候要沉重，经过他身边的时候，还有一种淡淡的栀子花的味道。

他也没有多在意，他明天还要起早，因为要带老伴去镇医院看病，前段时间梅雨季节，老伴的腿疼发作了。第二天他和老伴起了大早去镇上，两人回到村里，已是下午。这时候，他们才知道，原来昨天晚上，那个叫乐天的小伙子犯了事，被阿香的父亲抓个正着。

真是人不可貌相。

江文溪看至此，与顾廷和对望了一眼。

顾廷和看她，意有所指地问："发现什么？"

她不语，答案已在心中明了。

七月栀子头上戴。受害人陈素梅每日都会去镇上卖栀子花，阿庆伯虽然双目看不到，但可以闻到听到，方子贺的脚步比来时沉重，还有那股子栀子花味，方子贺不是背着她就是抱着她。

那三个人，很显然就是周绍宇、王浩磊、童建成。至于究竟是谁侵犯了陈素梅，只有后面的日记会给她答案。

2003 年 2 月 24 日　晴

我已经到了美国有两天了，昨天我去看了玉霞和文慧，和她们说了好一会儿话，本想将她们母女的骨灰迁回国内安葬，可想到玉霞离开时的决绝，她说过即便是死，也不会再回国，所以我放弃了。这次来美国的另一个目的，是要找到方子贺求证当年的事。

五年了，这件事终要有个结果。

……

2003 年 2 月 27 日　晴

……

方子贺答应我，他会考虑清楚，将整件事说出来。可我等了他整整一天，他始终没有出现。他始终执迷不悟。我不能在美国多待，我必须回国。

……

2003 年 3 月 3 日　阴

预料中的事情发生了，我被人监视了。我记录的那些证据，绝不能被他们找到。感谢玉霞，它们有了藏身的去处，保险柜的钥匙我放在了溪溪的不倒翁里。

我联系到了当年做鉴定的另一位同事张辉，他说当年他检验出陈素梅体内的精子，除了属于被告人乐天的还有另外两个人的，他也无意中知道了其中的利害，因为害怕，他带着那份提前做好的鉴定书离开，并去了国外。

张辉答应帮我，等那份真正的法医鉴定书出来，这一切就结束了。

还有一天，他们无论如何也不会找到的。

但，如果我不幸遇害，唯一能够帮到那个孩子的就只有我这么多年来的心血。

孩子，愿上帝保估你。

……

直到最后一页看完，江文溪的双手紧紧地攥着那个日记本，愤恨的情绪燃烧了。

顾廷和知道她有多愤恨，连忙以手压住了她紧握的拳头："这事得从长计议，千万不能冲动，否则……"否则就会与江警长一样。

他顿住，因为无法说下去。原来背后那股强大的阻力来自他们内部，一个是原 N 市公安局副局，现 S 市公安局正局的周局，一个是他们的刑侦大队伍队长。原来他最初猜的没错，那份法医鉴定书真的有问题。伍队长当年多亏了周局的提拔才有了今天，为了包庇自己的儿子，周局竟不惜买通伍队长和鉴定人员。当年做鉴定的另一位同事，因为发现了异常，而不得不装作什么都不知道，借机离职去了国外。

那些所谓的档案证据资料，所有涉及到周绍宇的可能，全部被抹煞了，还有那份法医鉴定书，他们也做了手脚。所有的一切，他们利用他们职位的便利，帮周绍宇脱罪。

最无法想象的是，事后，为了阻止江警长继续查案，他们甚至买凶杀人。江警长的死不是个意外……

"我不会放过他们的，我一定不会放过他们的。"江文溪紧握着双拳，指甲陷入掌心却感觉不到疼痛。再痛也没有自己的心痛，乐天的冤狱，大舅的枉死，都是这三个畜生造成的，她一定不会放过他们的，一定不会。

她渐渐平静下来。

顾廷和皱着眉，将那些撕下的日记纸张仔细地夹回日记本中，道："现在，要根据这上面的地址去找阿庆伯和当年做鉴定的另一位同事张辉，拿到他带走的真正的那份法医鉴定书，江警长当年就差一步就拿到那个鉴定书，还有，方子贺的证供……"方子贺是唯一能证明当晚发生什么事的证人，但他良心泯灭，为了自己的前途，陷害自己最好的兄弟。

"我去。待会儿我就买车票去一趟 S 市。"江文溪道。

"不行，你一个人去很危险，方子贺从背叛朋友那一刻开始，就和他们是一伙的，没人性的。"

"你不用担心，他们现在并不知道我手上有证据。我知道方子贺当年为什么会那么做，他有弱点的。"方子贺唯一的弱点就是周梦珂，他爱周梦珂，所以他嫉妒乐天。

"这样，待会儿我们先去找阿庆伯和那个张辉，看情况，如果顺利的话，过两天我再陪你一起去 S 市。有了有利的证据，方子贺一定赖不掉，总比现在什么都没有要好。"

江文溪将日记本紧紧地抱在怀中，双眸盯着眼前的咖啡杯，终究觉得这样的办法是最妥当的，便点了点头。

事情比想象中的要顺利，阿庆伯非常的配合，将当年的事又重述一次，而张辉当年发现这个秘密之后，心存害怕，便找机会出了国，巧的是上个月他刚好回到 N 市。张辉说他当年刚参加工作，就发生这种事情，这么多年来一直良心不安，几乎晚上都睡不着，这一次，他总算安心了。

顾廷和送江文溪到了楼下便回去了。

累了好几天的江文溪，好不容易爬上七楼。

门刚刚合上，她便觉得屋内的气息不对。防备地刚转身，一个她思念了许久夹杂着酒气的熟悉气息将她紧紧地包围着。

她以为他再也不会来找她。

下一秒她整个人被抵压在门上，唇被狠狠地堵住，那带着怒气带着惩罚的吻，似要将她胸腔里的空气全部吸走。

不能呼吸了，她双手抵着他的胸前挣扎着，手中的档案袋就这样滑落在地。

他抵着她的唇，愤恨地低吼："你告诉我，是不是一定要我将你的骨血全部喝下，我才可以不用这样受尽折磨？"

她刚想要说出她查到凶手的事，却被他下面的话打断："我只不过想要冷静一段时间，可你连给我喘息的时间都没有。我的心在痛在流血的时候，你在哪儿？在做什么？离开我，跟他在一起，你才觉得那是呼吸自由吗？"

她动了动唇，发现事情没有尘埃落定之前，她无论怎么解释都解释不清楚了。

她无措地看着他，以沉默回应。这一举动，却更加激起他的愤怒，他俯下脸狠狠地吻住她。

她任由他肆意地吸吮啃噬着自己的嘴唇、颈部，身体渐渐软了下来，颤着双手插进他浓密的发间。她没有抗拒的能力，内心的渴望同样的强烈。

他将她打横抱起，走进卧室，将她丢在床上，很快地，整个人欺了上来，阻隔两人之间的束缚也在瞬间扯落。

黑暗之中，她努力地想要借着窗外透进来的微弱的光亮看清他的表情，他却不给她这个机会，以手遮住她的眼睫，迫使她闭上眼，只是停顿了一下，便毫无预示地猛然挺身进入她的体内。

没有任何前戏，不适的刺痛感痛得她低呼出声，抚在他肩头的双手下意识地紧紧地攀住，指甲深陷。

很快，身体的颤动与残余的意念随着他越来越快的动作，而渐渐地模糊了。那种失而复得无法言语的强烈感觉将她的心塞得满满的，满到再也盛装不下，化作一滴滴滚热的眼泪，从紧闭的眼眶里溢了出来。

激情过后，两人之间静得只听到彼此的心跳声。

她睁着双眸，微弱的光线中，隐约可以辨识他脸部俊挺的轮廓，他紧闭着双眼，发出均匀的呼吸声。

她不能确定他是不是睡着了，甚至不能确定明天醒来他是否会懊悔这场欢爱。这不是一场单纯的欢爱，他的每一次深入，都带着浓浓的恨意和深深的绝望，想要将曾经得到的，全部还给她，这种以纵情欢爱做最后分离的感觉让她的心很痛很痛。

聆听着他平稳的呼吸，她望着他朦胧的脸部轮廓，许久，深深吸了一口气，喃喃轻道："关于那件事，我不知道从什么地方开始和你说，所有你要的答案，都在那个档案袋里，我大舅没有对不起你，他不是想象中的那种人，他为了你，甚至连命都丢掉了。无论你信也好，不信也好，明天我会去 S 市找最后的证据。"

说完想要说的话，黑暗里依旧静得只听得到她和他的呼吸声。

她伸出手，紧紧地环抱着他，汲取那久违的温暖。

翌日清晨，她很早便起了床，并做好了早餐。

床上的男人依旧还在沉睡中。她没有叫醒他，轻手轻脚地收拾完东西后，坐在床沿静静地看了他好一会儿，便出了门。

到了楼下，只等了一会儿，顾廷和开着车相约而至。

上了车未久，她疲惫地合上了眼。

阳光透过窗帘的缝隙洒在床上，照着床上之人的脸。

晕晕沉沉，乐天艰难地睁开眼，当屋顶那盏简洁的吸顶灯映入眼帘，他才意识到自己身在何处。

他撑坐起身体，薄薄的丝被从胸前滑落，裸露的肌肤再一次提醒了他昨晚做过的"好事"。自墓园之后，他已经很久没有睡得这么安稳了，抓起一旁叠得整齐的衣服迅速穿上。出了卧室，看不到那抹纤影，心中虽不免失落，但很快被愤恨的情绪取代。

他看见餐桌上摆放的早餐，已经很多天没有吃过她煮的东西了，吃别的东西都食而无味，他的嘴巴和胃都被她给养刁了。

他并没有碰桌上的食物，正打算出门，却看到门上贴着一张粉色的便签纸，娟秀熟悉的字迹写道："就算有再多的恨，请务必一定要将桌上档案袋里的东西看完了再走，如果不愿意，就当我求你。"

这句话成功地留住了他的脚步，转眸，桌上确有一份厚厚的档案袋。

昨晚奋力激情过后，他便沉沉睡去，隐约之中，那个傻女人是在和他说什么档案袋。

他拿起拆开，里面有很多撕下的日记纸，还有一本厚厚的日记本，陌生的笔迹让他不禁皱了皱眉。

她不会是无聊得要他看什么人写的日记吧，正要扔下，却瞥见其中一张日记纸上提到他出狱时的情形，他不禁疑惑。

随着时间一点一滴地流逝，越来越多的情绪写满了他的整张脸，错愕、震

惊、愤恨……每翻一页纸，他的心就像是被尖利的石块狠狠戳刺着。录音笔里的内容，更是让他有种想要杀人的冲动。

"方子贺、周绍宇、王浩磊、童建成……"他咬着牙念出这几个人的名字。

原来这就是真相！

居然是曾经最好最铁的哥们背叛他，出卖他。

他猛然合上那个日记本，在屋内来回走动，将当年的事前前后后拼凑了起来，难怪方子贺去狱中看他的时候，总是不敢正眼看他。究竟是为了什么他要这么做？究竟是为了什么？

他掏出手机，拨出一串熟悉的号码，未久回应他的却是"您拨打的号码不在服务区内"。

"该死的，上哪儿去了？"他低咒了一声，那个笨女人跑到哪里去了，他有话要问她，又拨了几遍电话，依旧还是冰冷的机器音回复。

他迅速地将所有东西全部装回档案袋内，夹着出了门，到了楼下，正好碰到对门的王大妈。

"大妈，请问今天早上你有没有看到文溪？"

"文溪啊，早上五点多的时候就坐着她朋友的车走了，不过去哪儿我就不知道了。"

"她朋友？男的女的？"五点多？现在已经是十点钟。

"男的，这几天天天来。"

是那个警察！他直觉皱眉。

王大妈见他的表情，立即说道："怎么？你们闹别扭了？哎呀，你这个孩子啊，有什么事，就让让她嘛，男人嘛要懂得低头。那个帅哥的条件各方面都不比你差哦，到时文溪被追走你就该哭吧。这年头男女比例严重失调，我恨不能自己多生几个闺女——"

他的嘴角微动，为了阻止王大妈的喋喋不休，掏出一张名片递给她，道："谢谢您，这是我的名片，上面有我的电话，如果文溪回来，麻烦您通知我一声。"

王大妈拿着那张做工精良的名片看了一眼，再抬头，他已经坐上自己的车子，离开了。

他强迫自己镇定，一连开着车，一边拨了一个电话给深叔，很快手机接通了，他急道："深叔，Y市那边我暂时去不了，我马上要去一趟S市。我已经知道当年是谁陷害我坐牢的，是周绍宇、王浩磊和童建成，还有当年我最好的兄弟方子贺。关于整件事电话里一时说不清，等我回来再慢慢告诉你。江永明留下他生前的日记，还有很多证据，我已经让人给你送过去了。"

电话那头先是一阵沉默，过了一会儿听到江怀深低沉的声音传来："你先冷静些，千万不能冲动，什么事该做什么事不该做，要有分寸。我马上派人跟你一起去 S 市。"

"不用了，我已经出了 N 市。我先挂了，等我回来再细说。"他挂了电话。

方子贺见到江文溪先是微微一怔，随即笑道："真让人意外。快请坐。"

江文溪在沙发上缓缓坐下。

方子贺倒了一杯茶放在她面前，笑问："你怎么会来我的事务所？阿天呢？没陪你一起来？"

"这次是我自己来找你。"江文溪面无表情，语气十分冷淡。

方子贺还是笑："这样……是不是有什么案子，想请我帮忙？"

"嗯，是关于两个从小玩到大的好朋友，两个人同时爱上一个女孩，其中一个为了名利和这个女孩子，不惜一切手段陷害好朋友入狱。"她直视他，不错过他脸上的任何一丝表情。

方子贺脸上淡淡的笑容终于隐了去，抬起眸与她对视，双眸之中隐隐泛着怒气："你究竟想说什么？"

她没有回答他的问题，接着说："五年前，江永明警长去了一趟美国，回来之后没多久，执行任务的时候，为了救一名小孩，却被一辆车撞倒，经抢救无效死亡，当时是 2003 年 3 月 5 日凌晨 1 点 20 分。"

方子贺的脸色变得煞白，再也控制不住，从座位上猛然站起身，迅速地将办公室的门紧紧关上，转身冲着江文溪怒道："你究竟是什么人？"话一出口，突然想到她也姓江，"你是江永明的女儿？"

她看着他脸上多变的表情，冷笑了一声："我不是他女儿，他女儿早在很多年前在美国出车祸去世了。"

方子贺没了好气，愠道："我不管你是谁，你今天来究竟想做什么？"

"方子贺，我在说什么，你不知道吗？十年前，你为了名利和周梦珂，不惜陷害自己的好朋友乐天，让他背负强奸罪而入狱，事后，又与周绍宇、王浩磊、童建成三人设计害死调查此案的警察江永明。"

方子贺听完，不禁冷笑："你知不知道？你这样乱说话，我可以告你诽谤。不过，看在阿天面子上，我不和你计较，如果没什么特别的事，请你尽快离开我的事务所。"

阿天？亏他还好意思叫得出口。她知道她是律师，与律师争辩，纯属浪费时间浪费生命。

她淡淡地扫了他一眼，从包里取出好容易弄到手的法医鉴定书复印件和一个录音笔。她将那份复印件，往方子贺的面前推了推，然后又轻轻按了几下按钮。

录音笔里传出阿庆伯和另一位当年做鉴定的张辉的声音，两人将当年自己所知道的事详详细细地说了出来。

不一会儿，方子贺整个脸色大变，指着那份复印件说："这是假的。"然后，撕了那份复印件，又抓起那个录音笔猛地摔在地上，用脚狠狠地踩了几下，直到那个录音笔在他的脚下碎裂一片，他才停下动作。

江文溪嗤笑出声："假的？如果是假的你有必要这么激动吗？我既有备而来，你该不会以为我只录了这一个？不知道这些东西，周梦珂看到听到，会有什么样的反应？"

方子贺缓缓向后退去，软软地跌坐在自己的办公椅内。他伸手松了松领带，嘴唇禁不住地颤抖着。

"方子贺，我不知道这十年来，你每天晚上是否能睡得着？你和周梦珂在一起是不是比你当年想象中的要幸福？还有，这十年来，你快乐吗？比起十年前，你更快乐吗？"她看着他不语，一脸颓丧，脸上的神情变了又变，她又道，"爱情不是勉强，更不是独占，难道你的心就没有累过，没有想要休息的一刻吗？"

方子贺失神地望着那地碎片，不禁想起十年前罪恶的那一晚。

阿天多喝了两杯，嚷着要先睡，他不过是洗完澡睡不着，四下走一走。就是这样，让他跌入万劫不复的深渊。

那个女孩才刚刚十八岁，和周梦珂的年纪一样，是那样的美好。若不是他刚好经过，也许她还要再经受一次童建成的摧残。

也正是他的出现，惊醒了他们。他们知道自己闯下弥天大祸，先是恳求他，说乡下人，只要给他们一点钱就好了，只要他不说出去，就没有人会知道。

想起来那是多么的可笑，他一开始那样的振振有词，那样的义愤填膺，可是当周绍宇掐着他的脖子，抽了他几记耳光，他又退缩了，他就是那么的没种。

"方子贺，我现在不是在求你，而是命令你。你以为你是谁？就算你把今天晚上的事说出去，谁会相信你。我爸是公安局局长，他爸是房产局副局，他爸是司法局处长。你以为你进了大学，才刚刚学一年法律，就很了不起了？别忘了，你的学费还是我们这些人家里出的。我现在就可以告诉你，我们能让你有学上，也可以让你没学上。你这个孬种，有种喜欢我妹，没种告诉她，整天看着她和那个姓乐的在一起你侬我侬，我要是你，我早就撞墙死了算了。"

周绍宇的话，完全践踏了他的尊严，他从小没父没母，依靠社会捐助是事实，他喜欢梦珂，从见到她的第一眼就喜欢上她，可是她的视线永远只会落在他的好哥们乐天的身上。那样美好的人，永远都不会属于他。

周绍宇又撂下几句话，他完全迷失了。

"现在给你两条路选择，一，你去告发我们，结果是什么，我已经说了；二，就是帮我们。如果你帮我们，我周绍宇可以向你保证，你将会是我周绍宇的妹夫，我会让你随我妹一起去美国念书。"

接着，王浩磊、童建成两人也附和着说，以后他接触的将全是上流社会的人，永远不会再被人瞧不起，永远可以和自己心爱的人在一起。

他沉默了，完全没有思考的能力，内心不断地挣扎，就连呼吸都觉得那样的力不从心。

这时候，阿庆伯出了声，他看见周绍宇他们目露凶光，连忙出声阻止。阿庆伯不过是个瞎子，什么都看不见的。

就这样，他将昏迷中的陈素梅抱起，终于踏上了一条泯灭人性的不归路。

一边是他的好兄弟，一边是名利与梦珂，最终挤入上流社会和梦珂永远在一起的欲望征服了他。

童建成是学医的，他眼睁睁地看着童建成将随车带的麻醉剂注射进阿天的体内。他看着他们将阿天弄进远在后院的陈素梅的房里。在他们再一次的威逼利诱下，他脱了阿天的衣服和裤子。

他以为就这样就可以了，谁知道童建成将阿天的精液弄在了陈素梅的体内和身上，他傻了，就那样傻站在那儿，就连最后怎么离开那间屋子的，他都不知道。

他沦丧了，他真的做出了背叛兄弟的事了，做了这一生最罪恶最龌龊最卑鄙最无法原谅自己的事，他成了那件事的帮凶……

第二天一早，他依然被他们逼着假装到处找阿天，最后所有人都在找阿天。陈父冲进陈素梅的屋里，看到那一幕，气得操起屋外的棍子就往阿天身上打。

那一刻全乱了。

后来，警察来了，一切都无法挽回了……

"我只不过刚好路过，不幸地看到整个过程而已。一开始，我只是以为周绍宇他们要消灭证据而已，我根本没有想到他们会陷害阿天。"他喃喃自语，像是说给方文溪听，又像是在说给自己听。

"但你是帮凶，你不仅害了你最好的兄弟乐天，你还害死了我的大舅江永明警长。"江文溪毫不客气地回他。

这时，办公室的门被推开了。

江文溪回首，看见一脸苍白的周梦珂立在门处。

方子贺一见是她，惊慌地立即起身，快步走向她，将她拉进办公室内。

周梦珂近乎绝望地看着他，质问："你终于肯承认你有份参与那件事了？这么多年来，你终于肯承认了？江警长也是你和他们害死的？你究竟还做了多

少伤天害理的事是我不知道的？"

方子贺慌了，原来梦珂早就知道了那件事。

他放柔了声音，不停地说："不是的，梦珂，你听我说，我没有害死江警长，我没有。他死的消息我是一个月之后才知道的。你一定要相信我，我那天是想要去见江警长的，可是你发着高烧，我不能不送你去医院，我事后有联系他，可是他已经离开美国了。一个月之后，我再次联系他，是你哥哥告诉我他死了，那个时候，我才知道他有多疯狂，如果我说出去，我的下场会和江永明一样，你明不明白？"

"啪"的一声，周梦珂狠狠地甩了他一记耳光，哭着说："你这个懦夫，如果我知道五年前，因为那场病而害死了江警长，我宁可死，也不要你送我去医院。"

对于这一巴掌，方子贺只是笑了笑："梦珂，这么多年来，我每天晚上都在做噩梦，半夜醒过多少次，有多少次是从床上惊坐起的，你是知道的。那件事，纠缠了我十年了，就像一道冰冷的枷锁永远卡在我的脖子上，我连呼吸都觉得困难。我是懦夫，我是畜生，我知道我对不起他，我知道……可是我为了什么？因为我爱你，每日看到你和他在一起，两人情意绵绵，你知道我的心有多痛吗？我可以不要什么名利地位，什么都不要，我只想和你在一起，你明白吗？对于我来说，你就是我的一切，没有什么事情比你更重要。我可以不计较你还爱着他，也不计较你会爱他一辈子，但我只要求你在我身边就好。你明白吗？梦珂，我真的爱你，爱到最基本的人性都丧失，连做畜生的资格都没有……只因为我爱你……"

方子贺说得那样卑微，眼泪控制不住地流了出来。

周梦珂跌坐在沙发上，痛哭失声。

江文溪觉得没有必要再留下去，只是平静地说了一句："方子贺，如果你还有一点良知，就去自首，到了法庭上，将当年的事实全部说出来，至少可以少坐几年牢。"

说完，她没有理会这对不停哭泣的夫妻，一脸平静地离开了。

到了停车场，她坐进车内，一言不发，只是怔怔地看着前方。

顾廷和挑了挑眉，问她："怎么样？"

她指了指脖子上那根酷似项链的录音笔，从一进那间办公室的门，她就开始录音。

"我还真不知道，你居然还有这样的秘密武器。"顾廷和笑着发动了车子。

"IT 精品街区多得是。"她实在是没有心情说笑。

"一点幽默感都没有。"

她只是笑了笑没有答话。

车子行驶了一段，她突然说道："等一下回去，我想先去一个地方。"

顾廷和一阵疑惑，按照她的指示先去超市买了好多东西，然后车子开往快乐天使儿童福利院。

"先生，你不能进去！"前台小姐无论如何阻止，都挡不住乐天冲进方子贺办公室的势头。

面如死灰的方子贺呆坐在办公椅上，完全没有料到乐天会这样冲进他的办公室，朝他的脸上就是狠狠的一拳。

下一秒，方子贺的眼镜从他的脸上飞了出去，跌落在地，一丝鲜血自他的嘴角处渗出。

乐天揪住他的衣领，脸上充满怒气，一拳拳打在方子贺的身上。方子贺就像是没了知觉一般，任由他打。

周梦珂垂着眼泪，惊吓得用双手捂着嘴，完全不能反应眼前所发生的事。

"方子贺，我真想杀了你。"乐天粗喘着气，愤恨地直视着面前狼狈不堪的男人。

前台小姐吓得说要报警，周梦珂回过神，惊叫着："不能报警！你出去！叫他们都回去，今天提前下班。谁也不许报警！"她将前台小姐推出了门，奋力地合上门。

回转身，她看见被打得满嘴鲜血的方子贺痛苦地闷哼了几声，就再也忍不住，扑上来抓住乐天的手，不住地哭道："阿天，别这样……求你，别打他了，别打了……"

"你走开！"乐天猛然推开她，她重心一个不稳向后跌去。

方子贺见此情形，大力地推开乐天，快步走向周梦珂，将她扶起。他转身，一双眼睛布满了血丝，他嘶哑着嗓音对乐天说："别在这里浪费时间了，如果你不想你的未婚妻和江永明一个下场，就尽快找到她。他们已经动手了。"

周梦珂惊愕地紧抓着方子贺的手："哥他到现在还不肯收手？！"

"你说什么？！"乐天走过去再次抓住方子贺的衣领，手指的力道恨不得将他整个人撕碎了。

"五年前，江永明在美国找到我，回国就出了事。你以为你的未婚妻今天到过这里，就会安然无恙吗？"方子贺咧着嘴看着乐天，然后反握住周梦珂的手，脸上的笑容十分凄凉："你哥他在你来之前，就已经在事务所了。"他和江文溪的对话，她都听到了，周绍宇怎么可能没听到。

"方子贺，如果江文溪有什么不测，我一定会要你陪葬！"乐天撂下狠话，甩开门便急着离开了。

江文溪与顾廷和从儿童福利院出来，一路向北，就在车子快要出城的时

候，这时，她的手机响起了熟悉的音乐铃声。

她惊诧地看着屏幕上的名字，那个忍心很久都不跟她联系的男人居然打电话了。

他看了那本日记了吗？

她激动地颤着手按了接听键，立即听到手机里传来乐天疯狂而焦虑的声音："江文溪，你在哪儿？周绍宇要杀你。快告诉我，你在哪儿？你在哪儿？"

她难以置信地惊住了，回过神立即喊道："护城河北路。我和廷和就快要出城了。"

"我已经报了警。你叫那个警察开车小心，留意周绍宇。别害怕，我马上就赶来，我马上就来！"乐天对着电话大声喊着，脚下的油门猛踩，恨不能插上翅膀，直接飞往护城河大道。

顾廷和发现身后有人跟踪。

江文溪回头，然后惊叫出声："是周绍宇！他是个疯子，阿天说他要杀了我们。廷和，你要小心开车了。"

"嗯，我试着甩掉他。"顾廷和说完便踩了油门。

两辆车子一前一后，速度极快。

往绕城高速的方向，前面在修路，顾廷和为了避让那些路障不得不转弯，这时，另一辆车子从另一侧横撞过来。即便顾廷和转方向盘的速度再快，车子依旧直接撞上了一旁近半米高的安全岛，车头顿时跳起，车身连着翻滚了几圈终于停下了。

顾廷和觉得自己的五脏六腑都快要翻出来了，他甩了甩头，睁开眼，感觉到手臂一阵痛麻，发现自己的手臂擦破了好大一块皮，他忍着痛，用力地踹开已经变了形的车门，终于爬了出来，但在看到不停滴着油的油箱时，他震惊了。

他以最快的速度冲到车子的另一边，用力地打开车门，伸手拼命地拍打着江文溪的脸："文溪，你醒醒！车子漏油了，快醒醒！再不走就来不及了！"

江文溪哼了一声，睁开眼睛，将手交给了顾廷和。顾廷和顾不得自己手臂上的伤，艰难地将还有些昏沉的她从车里拖了出来。

"快跑。"

他扶着步调还有些蹒跚的她跑了几步，身后"轰"的一声，强大的热流涌来，他将她扑倒在身下……

乐天赶到的时候，只看见眼前刺眼的一亮，伴随着那声巨响，他想要冲向车已来不及。火光之中，只听到他绝望地惨叫："江文溪——"

尾声

尘埃落定这一生

With love
For you

怎么样的我和你能遗忘过去
为何泪水总是不听控制让我又想你
我们之间的关系隔着一层层距离
冰冷冷的玻璃隔着两颗心

三个月后

当又一次踏出那一片庄严肃穆之地时，乐天身上那背负了整整十年的枷锁终于卸下了，但他并没有觉得有多开心。

当周绍宇等人被庭警押出法庭的时候，周绍宇对着他狰狞笑着："姓乐的，就算你赢了又怎样？我依然让你做了四年牢，顶着强奸犯的戳印过了十年。哈哈哈，哈哈哈——"

王浩磊与童建成面如死灰。

他们终将为自己所做的一切而付出代价。

最后被押着出来的是方子贺，乐天双手交叠，目不转睛地看着他。

方子贺走到他的面前顿住了，一张英俊的脸庞失去了往日的光彩，他抬起无神的双眼看着乐天，无力地说道："对你，再多的歉意也弥补不了我的错。可我还是要说，我没有后悔过，因为我爱梦珂。"说完，他便迈着沉重的步伐上了警车。

一家婚纱店内

桑渝穿着一件低胸露背的婚纱从更衣室缓缓走出来，在坐在沙发上看杂志的沈先非面前转了两圈，笑着问："怎么样？好不好看？"

沈先非看着还有一个多月即将成为自己新娘的桑渝，眼眸里满是流光溢彩，可下一秒，他便皱起了眉，很委婉地问："会不会露得太多了？"

"多吗？"桑渝左看右看，没觉得哪里多了，不就是露胸露背嘛。

沈先非起身，轻轻抱住她，哄着说："换一件，好不好？"

桑渝明白是他的老古董思想又在作怪，撇了撇嘴："好吧，那你陪我去挑。"

两人刚走了几步，桑渝便顿住脚步，急急地指着对面拐角的那个女孩问沈先非："喂，你看，那不是让那个死白毛整天死去活来的小白兔吗？"

"他叫乐天，不叫死白毛，而且他的头发现在是黑的。"沈先非无奈地纠正，顺着她的目光看过去，真的是原来那个柔柔弱弱的助理。

桑渝拉下他，在他耳边了几句。他惊恐地看着面前笑得跟狐狸一样的女人，觉得太可怕了，乐天只不过是在背后说过她一次坏话，不幸被她听到之后，她一直记仇到现在。

"要不要这么狠？"他替乐天开始担心。

桑渝一脸趾高气扬："切！我这是帮他追回老婆好不好？那死白毛应该千恩万谢我才对。况且到现在曾紫乔都找不到，你也知道梓敖有多痛苦，还不全是他的错？安啦安啦，到时候，给他的伴郎红包也可以省了。"

沈先非无力地翻了翻白眼。她要不要连自己结婚的红包都这么省？

江文溪整理着手中的婚纱，时不时地看向对面正在试婚纱的一对金童玉女。

那是桑氏的桑总和皇廷的沈总，她见过几次面。他们两人是她在这间婚纱店工作两个月以来见到的最登对的一对。

在江航的时候就听说他们两人的事，现在终于要结婚了。

她涩涩地一笑，继续手中的工作。

"咦？这不是江小姐吗？你怎么会在这里？"

江文溪惊愕地看着桑渝，有些无措："哦，我已经离开江航有好几个月了……"

桑渝佯装惋惜："这样啊……那个，我想请你帮我一个忙，我的伴娘临时有事没能来，但我看她和你的身材差不多，能不能帮我试试这件伴娘礼服？"

江文溪讷讷地说："可是店里规定我们不可以试穿店内的任何一件婚纱礼服……"

"哦，没关系，稍后我会和你们主管说的。帮我试试，拜托了。"桑渝将精心挑选的婚纱塞进她的手里。

她怔怔地望着手里的"礼服"，心中疑惑，这件明明就是今年秋季新款婚纱，伴娘怎么会要穿得与新娘差不多？虽然满腹疑虑，她还是接受了，拿着"礼服"转向试衣间。

不一会儿，她穿着这件露肩露背的"礼服"从更衣室里走了出来，迎面就听见"咔嚓"几声。

桑渝兴奋地对她叫道："麻烦你再转个身，我再把背后的样子拍给我伴郎看，哦不对，是伴娘。谢谢啦。"

江文溪讪讪地转过身。

"来，再笑一笑。"

江文溪扯了扯嘴角。

桑渝心满意足地看着手机里的几张照片，她甚至将自己的老公沈先非都推下水。他站在江文溪的身后，做几个远距离的映衬，反正手机里不会看出来那侧着脸又模糊的男人究竟是谁咯。

江文溪下了班，去超级市场买了菜，然后又转向去了顾廷和的家。

"我都跟你说了多少次了，以后不用每天晚上来给我做饭，我现在好好的，又不是缺胳膊少腿。"顾廷和对在厨房不停忙碌的江文溪道。

江文溪看着他打着石膏吊着的胳膊，说："你是不缺胳膊少腿，但你现在能烧饭烧菜吗？"

顾廷和语塞，无奈地看着她将菜摆放了一桌，突然惊道："我一个人怎么吃得掉这么多？"

"怎么会一个人？不是还有那个小护士吗？我记得她今天应该不值大夜班啊，说不准过会儿就会来，她要是来了，你拿什么招待人家？"

"拜托你别瞎开玩笑好不好？哎，我真是搞不懂她那种冒冒失失的女人怎么会进医院当护士的？"顾廷和一想到那个小护士就没好气。

他的屁股白白地被她看光光也就算了，她要不要屁股和腰都分不清地连扎他两针？来取他的尿液，更用不着情绪那么高涨吧，不过是转个身，居然能把尿液全部撒在他的身上？

他真不知道上辈子是不是做了什么缺德的事，才导致住院这么惨还要受这个倒霉小护士的折磨。更气人的是，他以为出院了终于能摆脱她了，谁知道她像个苍蝇一样，骗了文溪，找到他家，害他惊悚地摔了一跤，把胳膊摔骨折了，又跑去医院打了石膏。

真是冤孽。

这时，"叮咚"一声，门铃响了。

"说曹操曹操到。你的小护士来了。"江文溪失笑。

顾廷和黑煞着脸，急急地跑去，透过猫眼一看，果然是那个倒霉的小护士。今天穿了件宽松的 T 恤，头发扎成一个球，搞得既清纯又可爱，谁知她把眼睛凑上了猫眼，吓了他一跳，连忙躲开。

"不许开门。"他气得牙痒痒，警告身后笑弯了腰的江文溪。

"可是我要回家啊。"江文溪大步流星走过去，开了门，笑眯眯地对小护士陶陶说，"啊，陶陶你终于来了，不然我还想着我什么时候可以回家呢。"

"溪溪姐啊，你今天又烧了什么好吃的？"陶陶伸头往那桌子上一看，"哇，好多菜，都是我爱吃的。"

顾廷和翻了翻白眼，咒了一声，除了吃，这个倒霉的小护士什么都不会了。

蓦地，陶陶看见沙发上摊着的报纸，她拿起来惊道："哎？这报纸是三个月前的，怎么还在看啊？啧啧啧，一想到那场事故，就让人咬牙切齿，幸好你们两人命大福大。最该死的就是害你们两人受伤的这三个家伙，长得还人模人样的，没想到是这种社会败类。还好老天有眼，法网恢恢，疏而不漏。溪溪姐，话说你男朋友真是很可怜，我听人家说坐过牢的人出狱之后会受社会排挤，他很了不起耶，不仅没有自我放弃，而且还成了江航的总经理。"

江文溪只是淡淡地笑笑。

顾廷和听着她嗲兮兮的声音，浑身鸡皮疙瘩全起来了，讽刺她："你当人人都跟你一样，除了吃就是吃。"

陶陶就当没听见他的话，指着报纸上的照片对江文溪继续说道："溪溪姐，你的男朋友还真帅，瞧，就是这副想要杀人的模样也帅得要命，这个摄影师还蛮会拍摄的。溪溪姐，你们俩什么时候结婚啊？"

"你够了没有。"顾廷和忍不住吼了一声，狠狠地把报纸夺了过来，这丫头真是哪壶不开提哪壶，尽往人家伤口上撒盐。

江文溪脸色泛白，随即对顾廷和说："我先回去了。"

出了顾廷和的家，吹着夜风，江文溪不禁打了个寒噤。

她已经快有两个月没见到他了，偶尔一通电话，一些简单的问候之后，他总是沉默不语，渐渐地连电话都少了，她真的不知道是怎么了。

之前试穿那件婚纱的时候，心里喜忧参半，喜的是，她终于有机会穿上洁白的婚纱了，感受成为一名新娘的那份激动，但忧的是，她只不过是帮人家试穿而已，身边陪伴的人不是他，再多的激动与兴奋，也只能深深地埋藏在心里。

唉，她为什么会爱上那样一个让人捉摸不定的男子……

K．O．酒吧大堂

"咦？是江文溪耶。"桑渝惊讶地望着对面。

坐在对面的乐天急忙回头，除了光柱在不停闪烁，吧台内只有他的调酒师和两位已经在那儿坐了很久的客人。他恼羞地回过头："桑渝，你是不是太无聊了？"

桑渝摇了摇杯中的酒，一脸无辜地耸了耸肩，说："我哪里无聊了？在酒吧里这样的灯光下认错人不为过吧。阿非，你说是不是？"她向身旁的沈先非轻轻依去。

沈先非只是浅浅一笑。

"懒得理你。"乐天一口将杯中的酒仰尽，又倒满了一杯。

桑渝挑了挑眉，不以为然，轻啜了一口杯中酒，忽然猛地放下杯子，指着对面惊叫出声："喂，姓乐的，你看，真的是你家那个小白兔啊，身边还跟着那个警察。"

乐天再一次迅速转头，依然看到的还是吧台内的调酒师和那两位客人。回过头，他愤怒地盯着桑渝，再一次一口灌下整杯啤酒。

桑渝掩着嘴偷笑，和沈先非窃窃私语了一会儿，然后坐直了身体，一本正经地对乐天说："这次我向你保证我真的没骗你，你家小白兔真的在你后面。"

"信你我就是白痴。"乐天没好气地回她。

"好，你不信我就算了，反正想看她的人又不是我。懒得理你。阿非，我们喝酒，气死某人。"桑渝一脸得意。

乐天迟疑了，终究还是回首向后看了去，这一次他再也忍无可忍地冲着桑渝吼了起来："桑渝，你要是没事做的话，就滚回去好好想想你结婚那晚怎么应付那些客人。"

"不知道哪个白痴连上三次当！"桑渝一脸鄙夷，不停地翻看着手机，直到江文溪穿着婚纱的照片出现，她才对身旁沈先非说，"阿非，你还记不记得我们那天去挑婚纱的时候，有遇到小白兔哦，给你看看我拍她穿婚纱的样子，是不是很漂亮？还有还有，她身后那个警察一身西装也很帅。"

沈先非不禁咳嗽了几声，嘴角微扯，无语地看着自己的老婆。

乐天一脸狐疑，但看沈先非盯着他的神情很凝重，便从桑渝的手中抢过手机。

这次桑渝没有骗他，照片上的女人的确是江文溪。他压抑着心中的茫然，一张张翻看这些照片，她穿着洁白的婚纱，脸上淡淡的微笑，身后一个穿着西装，身影模糊，隐约看见半个侧脸的男人，应该是那个警察吧。

他的手一颤，手机掉落在桌上。

"喂，我的手机！"桑渝夺过手机，不忘讽刺他，"死鸭子嘴硬！明明心中还念着那个小白兔，却偏偏要在这里装什么明媚忧伤。他们就快要结婚了，她说，她会给你送请柬的。你啊，就一个人在这里醉生梦死吧，瞧人家过得多舒爽。"

"你说够了没有？！"他"砰"地一巴掌拍向桌子，猛地站起身，另一只拳头握得紧紧的，隐隐泛着青筋。

接着，又一巴掌拍向桌子的声音响起，这一次是桑渝。

"你吼什么吼？！有本事把女人追回来，而不是天天在这里喝酒！老娘就算请伴郎，也不必要让他以练酒量为借口来借酒消愁！"

沈先非拉着她手，示意她别说了。

她甩开他的手，对着乐天又继续吼道："我跟阿非的事你应该知道，当年我是怎么样追求自己的人生和幸福，即便是过了五年，我依然没有放弃，因为我的心不让我放弃。成全？你以为你这种弱智的精神叫成全？简直傻到极点！那个警察为了你的事，为了保护她是受了伤，昏迷了一个月，需要人的照顾，但照顾不等于要照顾一辈子，更何况他现在已经醒了，已经出院了。她有亲口和你说要照顾他一辈子吗？那个警察有要她照顾他一辈子吗？你他妈的这两个月到底在鸵鸟什么？！"

沈先非连忙站起身，拉了拉她，生怕两人当场撕打起来，那场面绝对不会比那场汽车爆炸所带来的破坏力小。

乐天只是冷冷地看了她一眼，没有和她再继续争辩，一言不发，转身离开了。

每个人都有着懦弱的本质，除非到了迫不得已的地步，否则是绝不愿看清事实，宁愿继续活在自欺欺人的谎言中。

他将思念她的心思深深地藏在心里整整三个月了，如果不是桑渝无情地揭开他的伤疤，也许他就这样一直颓废地活着。

回想起三个月前那一场惊心动魄的爆炸，他的疯狂超过任何一刻，如果不是警察拦着他，他真的会杀了周绍宇他们。

江文溪和顾廷和被送往医院，幸运的是被顾廷和保护得很好的江文溪只是轻微脑震荡，睡了一觉之后，又在医院里观察了两天便出了院。但不幸的是，顾廷和因为保护江文溪，背部被爆炸后的汽车碎片所伤，脑部也受到强烈的撞击，昏迷了一个多月才醒过来。

他清楚地记得，江文溪哭着跟他说："对不起，我要留下来照顾他，他是因为我才会变成这样的……"

每天晚上，她都会守在顾廷和的病床前，沉沉睡去。她可知道，每天晚上，他会守在车内，在医院的停车场上，直到将整包烟全部抽完，才能合眼。

一个月之后顾廷和终于醒了，他拎着很多的补品去医院看他。可立在病房外，看见她开心地和顾廷和有说有笑，以及扶他坐起，倒水给他喝，那些轻微又紧张的动作，灼痛了他的心，他将东西全部放在病房外，选择默默地离开。

人逃开了，却逃不开自己的心，当他看到手机里的照片时，那种心痛而要窒息的感觉，使他再也支持不住了。

车内的气氛让他觉得越来越闷得慌，他伸手打开收音机，一个甜美中带着哀伤的女声传来：

望着你远去的背影我却失去了勇气
怎样的结局才是我们想要的
分手吗这真的是你要的吗
给你自由爱冻结此刻

怎么样的我和你能遗忘过去
为何泪水总是不听控制让我又想你
我们之间的关系隔着一层层距离
冰冷冷的玻璃隔着两颗心

用我的手触摸空气感受你最后气息
透过眼角泪滴看你离去
两颗心曾经靠得那么近
如今却要学会放弃

说放弃就应该放弃是不是不会再哭泣

说逃避再逃避是我自己不愿相信
用我的爱成全你的爱
终于放弃爱你的决定
她才是你的唯一

用我的手触摸空气感受你最后气息
透过眼角泪滴看你离去
两颗心曾经靠得那么近
如今却要学会放弃

原本想要伸手关掉这讨厌的哀伤歌曲，但听着听着，他被深深地吸引住了，歌曲中的女主角就好像他一样，字字句句都唱进了他的心底。

他和她之间也像是隔了层冰冷的玻璃，难道他要用自己的爱去成全别人，真的要放弃吗？

矛盾之间，一对情侣手牵着手从他的身旁经过，他注视着，心中有一种强烈的感觉在告诉他，就算要放弃，也要放弃得心甘。他捻灭了手中的烟蒂，迅速地往停车场走去。

第二天清晨，江文溪出门上班，下了楼，便看见那辆两个月不曾看见的熟悉的银白色跑车出现在眼前。

她咬了咬唇，心猛烈地跳动着，缓缓走向车子。

他伏在方向盘上，清晨的阳光透过车窗映照在他的头发和身上，整个人笼罩在淡淡的光晕之中。

难以言语的酸涩、感动、疼惜在内心中慢慢发酵，她眼圈微红，伸出手轻拍了拍他的肩头，喊道："喂，你怎么会这里？"明知故问。可不这样问，又该怎么样问。

乐天缓缓抬起头，艰难地睁开眼，一看到江文溪，立即激动地打开车门，紧紧扶住她的双肩，急道："你是不是要和那个臭警察结婚了？"

"哎？"江文溪睁大了双眸怔怔地看着他，眉头皱得越来越紧。他究竟知不知道自己在说什么？等了两个月的结果就是这样？

"桑渝把在婚纱店拍得照片给我看了。"他握住她双肩的手的力道不禁越来越大。

桑渝？她终于明白怎么回事，什么替伴娘试礼服，什么拍照，全是假的。那个桑总一定是看不过，替她整整这个心高气傲的男人。这个可恶的男人，如果不是桑总谎称她要结婚，怕是要一辈子躲着不现身。

她气恼地道："对，那又怎样？"

他紧紧地拽住她的手腕，将她的手腕举起，目光落在手腕上那串晶亮的水晶蝴蝶手链上，问："既然都要跟他结婚了，为什么还要戴着我送你的手链，而不是他买给你的戒指？"

这一问让她更恼了，她甩开他的手，怒道："来不及解下不行吗？"她再也没有见过比他更恶的男人，还给他，再也不要有瓜葛了。她将手链解下，奋力地扔给他，愤然转身，眼泪忍不住涌了出来。

他一只手接住手链，另一只手紧紧地抓着她的手腕，不让她离开。

"你跟他领了证没有？"

"待会儿就去领。"她一边哭着一边赌气地说。

"那就是没领。身份证带了没有？"他又问。

"带不带关你什么事？"

"上楼去拿户口簿。"他拉着她又返回楼道。

"你想干什么？"

"结婚！"他冲着她恶狠狠地大吼出声。

她怔住，眼泪顿时收住，隔了两秒，突然反应过来，又吼了回去："你说结就结，连求婚戒指都没有，谁要嫁给你！"要不要这么霸道，连求婚都这么霸。

他从裤子口袋里摸出一个盒子，取出里面的一款男女对戒，对着她得意地笑道："是你说的，有戒指就行。"说完便将戒指套入她的无名指中，然后又将那条手链系上，"跟你说过，不许摘下来的。跟我上楼！"

纠结了一晚上，他想通了。他为什么要做圣人？为什么要成全那个臭警察？就算是他帮他洗刷了冤情，保护了她又怎么样？她是他的，谁也抢不走！什么狗屁说好放弃，要他说放弃，下辈子吧！

"上楼干什么？我不去。"两个月，干柴烈火，不，是天雷勾地火。她不干，她要上班。

"你脑子里在想什么乱七八糟的？上楼拿户口簿！"

"……我有人格分裂。"

"大不了天天陪你练散打。"

"……结了婚你怎么做伴郎，这样很不负责的。"

"那个女人摆我一道，我难道不能摆她一道？谁要在她后面结婚，我偏要在她前面摆酒席。"当他是白痴呢，他才不傻，那几张照片明摆着有问题。

"……"

（全文完）

番 外

何处是归云

优雅的音乐餐厅内，严素坐在临窗的位子，桌上点燃着两对花瓶式的香薰蜡烛，烛光摇曳，火光映照在她的脸庞上，看不出情绪。

她轻轻地摇动着手中那杯香醇的红酒，似在倾听那如流水般的钢琴声，可只有她自己知道，她在想什么。

今天是她的三十九岁生日，却是最孤独的一个生日。

按照往年，都会有一个男人陪她一起度过，可是今天她却为了陈年往事与他争吵了很久。

她不知道自己四十岁生日之前是否能等到那个男人开口，原本抱着不婚主义的她，突然察觉到独自生活中那份不为人知的孤单实际上是多么的凄凉，辛苦地工作了一天，回到空荡荡的家中，所有孤独和疲惫接二连三地向她袭去，她觉得好累好累。

就在刚刚前不久，追了她很久的海龟向她求婚了。若是依她以往的个性，她一定回绝了，可是这一次她犹豫了。

最近，她一直在思考着一个问题，她是不是该找个人嫁了，毕竟她已经不小了，如今还有人接受她，她应该值得庆幸才对，可是心底深处，她依然在期盼那个她等了二十多年的男人——江怀深。

但，今天她彻底死心了。

因为他竟然残忍地叫她陪他一同去挑对戒，说是打算结婚。

会认识深哥是因为姐姐严归云。

记忆中姐姐严归云是个相当漂亮贤惠的女人，但姐姐有一场极为不幸的婚姻，也是姐姐的这一场婚姻带给她童年的阴影。

她清楚地记得九岁那年的冬天，归云历经了一整天的辛苦折磨，终于生下了一个男孩，取名许乐天，意寓他是降落人间的快乐天使。

那是严素第一次看到新生的小婴儿，皮肤红红的皱皱的，她甚至不敢去抱他，生怕摔着了他。

原本是一件非常开心的事，却因为她那个好吃懒做，又喜欢喝酒赌博的姐夫许岩松而破坏了所有的一切。归云多么期望丈夫许岩松会看在儿子的面上，好好过日子，可希望终究还是落空了。

几天不归家的许岩松突然半夜踹开了自己家门，惊醒了一屋子的人。

严素和母亲尚未从床上爬起，便听到了隔壁屋内传来姐姐归云的尖叫声。严素连忙起身，冲到隔壁，见到许岩松拉扯着归云的头发又拽又打："把钱拿出来！"

"我说了没有！"归云护着怀中的儿子被许岩松又狠狠地刮了一耳光，头撞向一旁的衣柜，整个人跌坐在地。

小乐天"哇"一声哭了出来。

严素瞧见眼前的情形，她不能任由姐姐受欺负，立刻从门外拿了一根棍子，不顾一切冲了过去，对着许岩松吼道："不许打我姐姐！"

喝多了酒的许岩松转过身，看见她手持木棍，立即像疯了一样冲过来，一把夺了她手中的木棍，拽住她的手臂："你这个小贱货，你姐姐那个贱货没钱，老子今晚就把你卖给隔壁村的李瘸子换钱。"

"许岩松你不得好死！"她死命地反抗，母亲想要扳开许岩松的手，却被他猛地推倒在地。

"再骂我撕烂你的嘴！给我走！"他拖着她。　就在她要被他拖出门的时候，归云拿起地上的棍子朝他的后脑勺狠狠地打下去。她睁大了双眼，看着他一声不哼地倒在了门口。

当晚，归云带着小乐天、她和母亲离开了这个像地狱一样的家。

从乡下到 N 市，她们整整走了两天两夜。

城市的繁华让从小生在乡下的严素兴奋了好久。归云用好容易积攒的一点钱租了一间只有七八平米的房子。剩下的钱，帮严素联系了一所学校继续读书，自己则去找了一份帮人家饭店刷洗盘子的工作，母亲便在家中带着几个月大的小乐天。

放了学，严素也会利用课余的时间帮人家做些零活，赚一点钱补贴家用。

时间过得很快，归云二十五岁，严素十四岁。

小乐天一天天长大，从刚开始的呀呀学语，到后来会叫妈妈，会叫外婆，会叫小姨。

日子过得虽苦，但比在乡下的时候过得开心。严素觉得姐姐终于摆脱了许岩松那个恶魔，就算再苦再累，都是值得的。

如果一直这样下去，该多好，可意外总是在人最幸福的时候降临。

归云工作的那间饭店老板欠了一屁股债，而不得不将饭店抵给了一家夜总会。归云犹豫不决，不知是否要去鱼龙混杂的夜总会继续洗盘子。如果不去，小乐天的奶粉钱、素素的学费又要从何而来？

这件事纠缠着归云，最终她还是下定决心，选择离开，重新找份工作，从头开始。

可是意外就在那天下午发生了，严素放了学回到家中，便看着归云披散着头发，满脸是泪地坐在家中的地上，母亲哭得更是上气不接下气地瘫坐在一旁。

当找不到小乐天时，她才知道发生了什么事。母亲带着小乐天出去玩，只是

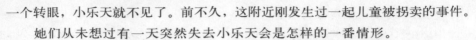

　　一个转眼，小乐天就不见了。前不久，这附近刚发生过一起儿童被拐卖的事件。

　　她们从未想过有一天突然失去小乐天会是怎样的一番情形。

　　归云沿着大街小巷，发了疯似的找了几天几夜。警察立了案，却依然无果。那一刻，严素看到了她脸上绝望的神情，仿佛整个世界都坍塌在她的面前。母亲不停地责怪自己，是她将小乐天弄丢的，一下子病得起不了床。

　　严素看着变得神志不清的归云，吓得抱着她哭个不停："姐，你千万别这样，如果你也有个三长两短，妈一定会撑不下去的。"

　　也许是她的哭声唤醒了归云，归云冲着她凄凉地一笑："对，我还有你们，如果我倒下了，妈该怎么办？你该怎么办？"

　　说完，姐妹两人抱头痛哭。

　　这件事过后，归云很快又找到了新的工作，但却是要晚上出去上班，有时候要到三更半夜才会下班回来。

　　严素奇怪是什么样的工作要这样晚？归云一再保证，她绝不会走上歪路。

　　母亲的病有了起色，再多吃几副药就没事了。

　　虽然归云的脸上恢复了往日的笑容，可严素总觉得她的脸上戴上了一层面具。

　　渐渐地，严素觉得归云变得漂亮了，头发也烫了起来，会经常给她和母亲买好多的东西。严素见到自己的新衣服、新鞋子、新书包，别提有多开心，还有好多好多她从没有吃过的零食，可是她却越来越担心归云，因为总是能在她的身上闻到一些淡淡的香气，有时候还夹杂着烟酒的味道，甚至听邻居们说姐姐在夜总会里上班。

　　她难过极了，虽然姐姐曾经有过解释，可她还是怕邻居们说的事是真的，于是对归云说，她不想上学了，不想让姐姐那么辛苦养家，供她念书，她也想像姐姐一样出去工作赚钱养家。

　　话一出口，归云便发了好大的火，第一次非常大声地冲着严素吼了起来，说："你十四岁能出去做什么？不好好念书，能出去做什么？谁跟你说我是在夜总会工作，我说了我是在饭店做服务生洗盘子，你要是不信，明天我就带你去看我洗盘子刷碗。那些客人去饭店当然要抽烟喝酒，还有一起工作的男同事也喜欢抽烟喝酒，我总不能叫人家不抽烟不喝酒。如果你放弃了学业，我这么辛苦为了什么？若不是为了你和妈能过上好日子，我早在乐天失踪的时候就一了百了了，何必还要熬到现在，时不时受着客人的骚扰。好，你不念书，随便，以后也像我这样，没本事，只能替人家刷盘子洗碗，受男人欺负，这样没出息地过一辈子。别念了，别念了。"

　　归云将严素的书包狠狠地砸在地上，将桌上的书本全扫落在地。

归云哭了，哭得很伤心。

严素吓傻了，再不敢提不上学的事，默默地将砸落在地的书本一一收起。

没多久，她们从那间七八平的房子搬进了一套小小的公寓，虽然还是租的，不大，但再不用三个人挤一张床。归云和严素一间屋，母亲一间屋，归云依然上着夜班，那间房几乎成了严素一个人的。

一天，归云带了一个年纪很轻的男孩子回来，约莫二十岁的样子，他叫江怀深。

他的脸上满是血迹，严素看着归云细心地将他脸上的血迹污渍擦净，为他上药。他黝黑端正的面颊上浮起了两朵红云。

事后，严素才知道，归云下班的时候遇上了流氓，是这位叫江怀深的男孩打抱不平，与流氓发生争执，才成了这副模样。

从那天以后，江怀深每天都会护送归云回家。久而久之，江怀深成了她们家的常客。

严素发现江怀深的目光总是会不经意地在姐姐身上逗留，有时候姐姐和他说两句话，他还会脸红。

"你喜欢我姐，对不对？"严素直接挑明了问他。

江怀深怔了怔，一双幽黑的眼眸只是望着她，并未应话。

"我警告你，别想打我姐的主意，你们男人都不是好东西。"她凶神恶煞地瞪着他。

"幼稚。"江怀深只是冷冷丢下两个字便转身离开了。

严素气得浑身发抖，她冲着他的背影大吼："姓江的，你最好别有求我的一天，哼！"

从那以后，严素发誓与江怀深誓不两立，只要有他在的地方，她绝不出现。两人这样剑拔弩张，任凭归云怎么劝都没有用。

初中升高中毕业那年，一天放学，严素和两个同学约好了去图书馆找复习资料，为了方便，她们三个人穿小路去图书馆，谁知就快要到图书馆的时候，在巷尾见到几个混混围殴一个人。

严素和同学吓得直往一旁缩去，生怕无辜被伤及。

那几个混混见有人来，便收了手，为首的那个出声警告那人，如果再敢惹事就不是今天揍他一顿这么简单。

严素听到那熟悉的声音，睁开眼睛仔细地看了一眼那个带头的混混，竟然是江怀深。

在离去之时，江怀深也看到了她，脸色一黯，低垂着头带着几个兄弟离开了。

严素僵直着身子，一路被同学拉进图书馆。看着图书馆满排的书架，她根本无心要找自己所需要的那些资料，和同学打了声招呼，便背着书包飞快地跑回家。

归云还没有下班，严素决心等她回来。

凌晨三点多，江怀深护送归云回到家。

一进门，归云便看到严素一脸严肃地坐在桌前。

严素一看到江怀深，迅速拉过归云，指着他的鼻子说："请你以后不要再来我们家，我们家不欢迎流氓。"

血色迅速地从归云的脸上褪去，她拉下严素的手，冷道："素素，就算你讨厌怀深，但他是我的朋友，你不可以这样对他。"

严素指着江怀深说道："姐，他是流氓，我今天亲眼看到他和几个流氓一起围殴一个人，他不是好人。上次他救你，说不定是他自导自演的一场戏，他对你居心叵测。"

归云咬着唇，皱着眉道："怀深不是这样的人。"

江怀深淡淡地看了看盛怒中的严素，不想让归云为难，与她告别便离开了。

江怀深离开之后，严素又对归云说："他是流氓。"

"他是我朋友。"

"但他是流氓。"

"流氓也有好人。"

"流氓打人也是好人？"

两人激烈的争吵声将沉睡中的严母吵醒了，归云不想半夜吵醒隔壁邻居，扶着母亲回屋里睡下。

从那晚之后，为了避免不必要的麻烦，江怀深送归云到住处楼下就止了步。为此，归云与严素冷战了好一段时间。

日子过得飞快，严素升了高一。一直以来，严素的成绩总是全班第一，人又长得漂亮，从初中时候开始，就有好多男生偷偷塞情书给她。到了高中，前赴后继的男生犹如过江之鲫。

因姐姐失败的婚姻，她自小讨厌雄性动物，孤傲的个性使她得罪了不少男生，为自己惹上了些不必要的麻烦。

这天放学，她被几个男生围住，其中带头的高个男生是邻校的痞子，被她拒绝了很多次，因面子挂不住，今天找了几个兄弟想教训她一下。

那位痞子男生将她逼到了墙角，说是今天不亲她亲个够本，他就跟她姓。

她使尽全力推开那个男生，才刚跑几步就又被抓到了。与那个男生拉扯之中，她扭伤了脚，她害怕地用书包拼命地打那个男生，可终是螳臂当车，很快地，她的双手被那个男生紧紧抓住举起。

那个男生得意地回头对身后的几个兄弟说："你们给我看好了，我就要亲了。拍照留念，角度可要照好看些。"

就在严素觉得绝望的时候，那个男生被人狠狠地揍了一拳，而不得不松开了抓住严素的双手。那个男生刚怒骂了一声，可当看清眼前人的时候，立即噤了声，闭上嘴，两腿打着颤，和兄弟们灰溜溜地离开了。

严素万万没有想到救她的人会是那个被她称为流氓的人。

她蹲下身捡起地上的书包，刚要起身，脚踝处那锥心的疼痛让她痛得眼泪差点流了出来。

"我背你回去。"江怀深好意地说。

"不用。"严素一口回绝，以手不停地揉着脚踝，试图减轻点痛。

"那你就蹲在这里慢慢揉吧。"江怀深看都没看她一眼，转身走了。

严素望着江怀深的背影，委屈的眼泪再也忍不住涌了出来。她咬着牙，站起身，一步一步地向前方挪去。

江怀深走了几步，气得捏紧着拳头，又回了头，冲着她吼了一声："现在给你两个选择，一个是我抱你回去，一个是我背你回去。"

"你这个臭流氓，有多远给我滚多远。"她的话音刚落，身体忽地一轻，整个人已被打横抱起，"你这个臭流氓，放我下来。"

江怀深根本不顾她的挣扎，语气冷淡："抱还是背？"

"……背啦。"严素无奈地应了一声。

江怀深背着她向她家的方向迈去。

第一次与男生靠得那样近，严素觉得胸腔内的小心脏跳得很快很快，脸也微微泛热。

直到后来她才知道，原来自己那颗萌动的少女心就是在那一刻沦陷了。

受归云所托，江怀深即便是夜总会的事再忙也会像一个尽责的保镖一样，每天下课时间准时守在学校大门外，等着严素放学。

严素虽然还是讨厌他，但不再排斥他送自己回家，不过两人一前一后总是隔着好长一段距离。

高一升高二那年夏天，严素热得睡不觉，半夜拿着一把扇子站在阳台上吹着还算凉爽的夜风。

蓦地，楼下一男一女说话的声音吸引了她。隔得不远，她注目，竟是晚归的归云与江怀深。

她正想下楼去接归云，却看见江怀深从身后紧紧地抱住归云，声音似在哀求："归云，我真的不介意。"

归云没有即刻挣脱开，声音带着些许无奈，道："深，别这样。我大你整整五岁，算起来，你要叫我一声姐姐。你知道我有过一段失败的婚姻，我还有一个下落不明的儿子，等我人老珠黄的时候，你的人生才是最辉煌的时候。"

江怀深将脸埋在她卷曲的头发里，说："我根本不在乎别人怎么想。我只想和你在一起，只要你觉得开心幸福就好。"他抬起头，"归云，相信我，我一定会赚很多很多的钱，我会好好保护你，不让你再受那些客人欺负，不会让你吃一丁点儿苦。"

归云挣开江怀深，道："深，真的别这样，到时候你就会后悔的——"

江怀深顾不得归云的挣扎，紧紧拥住她，双唇吻上她的。

立在二楼阳台上的严素，眼见着这番情景，心猛然间收缩了一下，有一种难以言语的刺痛。她不知道自己是怎么了，莫名的有种失落的感觉，心中空荡荡的，仿佛少了什么似的。

她回到屋内，躲在床上，闭上眼睛，满脑子都是江怀深亲吻姐姐的那一幕。那个流氓真的爱的是姐姐，是她的亲姐姐，有那么一刻，她开始嫉妒姐姐。为什么？为什么她会嫉妒自己的姐姐，那个人是一个流氓，是她最讨厌的流氓。

归云并未接受江怀深的爱意，而是淡然地推开了他，进了屋。

从那天之后，江怀深再没有去学校接严素放学。

严素每天除了吃饭睡觉，都是在看书学习。

一次偶然的机会，她路过一家名叫万紫千红的夜总会门口，看到他搂着一位衣着暴露的女人当众亲吻，他的手就那样毫无顾忌地放在那位小姐的胸前不停地搓揉。

心口撕裂般的疼痛让她快要窒息，这一幕比她看见他亲吻姐姐来得更加残忍。

隔了许久，他终于松开那个女人。

她抑制不住心头的火气，快步走上前，举起手就朝他的脸上狠狠掴了一耳光。

他愣住了，满脸怒气地盯着她。

她讽道："江怀深，你真是烂透了。你根本配不上我姐姐。"

骂完，她转身离开。

身旁的兄弟一个个摩拳擦掌，要替他教训她。他伸手阻止，咬着牙，紧握着拳头，愤恨地看着她离开。

严素因为学习成绩优异，被学校推荐作为交换生出国留学。

归云开心得哭了很久，不停地说终于盼到了素素出人头地的一天，开心的同时，却为那一笔可观的生活费而发愁。

严素并不开心，一是为了生活费，这笔钱不知道要从何处得来，二是原本以为自己一辈子都讨厌男人，不会喜欢上男人，可是她却悲哀地发现，她竟然喜欢上一个臭流氓，而那个臭流氓的心中喜欢的却是她的姐姐。还有，如果她出国了，有可能要很久都见不到那个臭流氓，也许这辈子都不会再见到他。

就在严素暗自神伤的时候，令人意想不到的是归云决定再婚，嫁给一个比自己年纪大一倍姓杨的老男人。

严素问归云，是不是为了她的生活费，才这样做的。

归云笑着说不是，那个男人虽然年纪大了一点，但对她很好，她想再嫁，只是找个男人照顾她而已。她很抱歉，就算她嫁了，还是掏不出那笔生活费。

严素不知道该说什么，那一晚，她坐在阳台上发了一夜呆，犹豫着是不是该放弃这次出国留学的机会。

第二放学，严素意外地在校门口见到了很久不见的江怀深。

她恶瞪了他一眼："你来干什么？"

江怀深硬拽着她到学校旁的街边公园，塞给她一个信封。

"什么东西？"她打开，意外地看见一张存折，上面竟然是十万块钱。她先是一怔，然后问他，"你什么意思？"

他看着她，淡淡地道："这里的十万块应该够你在英国那边第一年的生活费，后面的钱等你到了英国，我会陆续汇给你。"

"我不要你的钱，拿走。"她将存折塞还给他。

"你别自作多情，如果不是因为归云，我也懒得理你。我没说要白白地给你，只是借，等你以后回国了，你要连本带息还给我，借据我已经帮你写好了，你只要签个名就可以了。"他摸出一张纸，将纸和笔全部递至她的面前。

她气得脸色发青，指着他的鼻子吼道："江怀深，我就是不出国，也不要向你借钱。我以后都不想再看到你，你给我滚！从今往后，有你的地方就没有我。"说完，她转身就要跑开。

"你该不是怕还不起钱，才不肯向我借的吧？"略带嘲讽的声音在身后响起。

她猛地转过身，无法抑制地尖叫起来："江怀深，你是个流氓，你是个混蛋。我恨你！我恨你！"为什么他一点也不顾及她的感受？为什么她会爱上这个残忍冷血又无情的流氓？眼泪再也无法抑制地流了出来，她这就样毫无顾忌地放声痛哭。

"我本来就是流氓。"他也不安慰她，只是静静地看着她哭，直到最后她的脸上不再流泪，他才将手帕摸出来，递给她，道："你是归云的希望，归云把所有做不到的事，都寄予在了你的身上，你被保送出国留学，归云不知道有多高兴。如果你想看着她伤心难过，那你就留在国内。我说我借你钱，并不是我小气，因为这么多年，我知道你是什么样的个性，白白送你钱，你会要吗？如果你不想你姐姐为了这笔钱发愁，去借高利贷，那么就跟我借。我也想看看你怎样将这笔钱还给我，别让我看低了你。"

他一口气说完要说的，将手中的借条和笔再次递至她的面前，静静地等待着她的反应。

她狠瞪着含泪的双眸直视他，抹了一下有些刺痛的眼睛，一把拿过借条和笔，扫了一眼借条上的内容，签了名，然后将笔扔在他的身上，大声吼道："江怀深，我不会因为你借钱给我而感谢你。我不会让我姐姐失望，也不会让她再受苦，你等着，这笔钱我一定会连本带息还给你。"

"好，我等着。"他笑了笑，望着她怒气冲冲离开的背影，突然之间犹如泄了气的皮球。

他缓缓转过身，望向身后的老槐树。

严归云从树后慢慢走出来，走到他的跟前，对着他柔柔地笑着："深，谢谢你。"

他深深蹙起眉头，声音冷得可怕："归云，你真的太残忍了，让我亲手将这笔钱交给你妹妹。"

"深，也只有你才能让素素收下这笔钱。她喜欢你。"

"喜欢我？归云，别开这种玩笑，这一点也不好笑。你知道我的心在哪儿，归云，别这么残忍，好吗？"他的声音近似在哀求。

"对不起，可是不这样做，怎么才能将那笔钱交给素素呢？"归云轻轻地扯动了嘴角。

"值得吗？值得将自己的后半辈子都赔进去吗？"

归云伸手轻轻抚平他紧锁的眉头，淡淡地笑道："深，那是我的妹妹，我唯一的妹妹，就像你说的，素素是我的希望。我已经失去了我的儿子，素素就是我的一切。"

"归云，那十万块我想法子替你还了，好不好？跟我走，好不好？我已经离开了夜总会，和一个朋友合伙搞建筑工程，你相信我，假以时日，我一定会在这个行业崭露头角。"他伸出双手，紧紧地握住归云的双肩。

归云浅浅地笑了笑，轻轻地伏在他的胸前，道："嗯，深，你一定会成功的，我等着那一天。"

这一次她没有说出"你适合更好的女人"这一类的说辞,而是她伸出手臂,环抱着他结实的腰围,贪婪地汲取属于他独有的气息。

如果她没有比他大五岁,如果她不是堕落到去夜总会上班,如果她早一点遇见他,该有多好。可是现实总是这样的残酷,既然他有了重新开始的生活,她更不可以拖累他。

他欣喜若狂,紧紧地抱住她,就怕一放手,她便如天空中的一缕白云悄悄地消失掉。

他万万没有想到,这是归云留给他的最后的一个拥抱。

在英国的日子,面对一群白皮肤蓝眼睛的长毛老外,虽然有种说不出的孤独感,但严素就像是一只上紧了发条的铁皮跳跳蛙,一刻也不让自己闲着。她记着那笔让她耻辱的借款,她记着那个可恶的流氓,一辈子都记着。

归云的来信,是她生活的另一股动力。照片上,那个老到可以做她们父亲的男人搂着归云,归云的笑容是那样的灿烂。严素不禁想,也许,归云真的找到了属于自己的幸福。

她的幸福又在哪儿?

她想着想着,眼前浮现了一个浅浅的身影,是那个让她咬牙切齿的臭流氓。她抽出一张信纸,然后奋笔写了起来,不一会儿,当看到满满一页纸的英文,都是在骂那个流氓的话语时,她不禁轻笑出声。

臭流氓,还你钱,就是欺负你看不懂英文。

江怀深每次收到严素的信和钱,都会发愣很久。他不禁想起归云当年答应他等他,不过是希望他真的能有所作为而激励他,才随口应下的一个借口而已。

他真的在建筑行业闯出一番事业了,可归云却不肯离开那个已是花甲年纪的丈夫。

归云又开始了曾经的那一番说辞,再没几年,她就四十岁了,人老珠黄了,他的人生道路上应该还能遇到比她更好的女人才对,还有人不能没有良心,她要陪她那个曾经给过她太多帮助的丈夫走到人生的尽头。

他还能说什么?

他将钱寄给归云之后,会找人翻译那一页蝌蚪文,当明白那一页蝌蚪文究竟在说什么时,他会气得直接将信纸丢进垃圾筒内,然后将她还欠多少钱列一个清单寄回英国。

严素收到他的来信,总会激动个半天才拆开,可是她找遍信封信纸的所有角落,每次都是欠款详细清单,心底难以言语的失落刺痛着她的心。

她会咬着牙，在心中骂上千遍臭流氓。

时间过得飞快，一晃眼，几年过去了。

严素从英国回来，在机场，见到了归云和母亲。她激动地抱住她们，在她们的耳边轻轻地说着："妈，姐，我回来了。以后，我养你们。"

"好，你养我们。"归云笑含着泪，紧紧地抱住严素。

一次偶然，严素从归云的口中得知，她去了英国没多久，江怀深便离开了N市去外市，并在那里有一片属于自己的天下。

也许已经成家，也许还是一人。

严素不知道自己中了什么邪，抛弃那么多好工作，竟然独身一人去了外市，找到了几年未见的江怀深。

比起几年前，他身上那股子流氓气退了些，多了一份成熟男人的魅力。

她强抑着胸腔内不停地跳动的心，冲着他吼了一声："臭流氓，我回来了。"

"来还最后一笔钱吗？钱放下，你可以走了。"他连眼皮都没抬一下，尽忙着手中那份图纸。

她从来不知道自己的爱竟是如此的卑微，虽然很气，很想一走了之，但话到嘴边，却变了样："我回来还没有找到工作，最后一笔钱，要等一段时间。"

他抬眸淡淡地看了她一眼，讪笑："咦？蝌蚪文怎么不帮你？"

她憋红了脸，鼓起勇气："大不了我替你打工，把最后一笔钱还了。"

他再一次抬眸认真地看着她，隔了半晌，简单地道了一个字："好。"

他以为她不知道当年供她出国的钱不是他的，而是姐姐的。其实，她早就知道了，她对不起姐姐，曾经想过不念书回国，可是她却又自私地不想放弃与他的联系。

她告诉自己，就算她放弃了，可是姐姐已经付出了，如何回到过去？

她以还钱为借口，可以天天见他。

他却以还钱为借口，留下她，只为还可以与归云保持着一丝牵绊。

岁月匆匆，谁也不去捅破那最后一层纸。

江航的规模越来越大，将总部又牵回了N市。

内心高傲如严素，期待了多年的她，却在一次意外后，彻底地将内心那份爱掩藏了。

她和归云离开曾经那个家快二十年了，相隔了二十年，那个恶魔一样的许岩松竟然找到了归云，拿着结婚证书，指着归云对她年迈的丈夫说她还是他的老婆，他姓杨的一个年纪一大把的老头拐卖良家妇女，要么给他许岩松钱，要么他们就上法院。

这一纸结婚证书，不仅击倒了归云，也击倒了她想要守护的年迈的丈夫。

归云失去了理智，拿起茶几上的烟灰缸向许岩松砸去。

严素和江怀深赶到的时候，许岩松刚好晕倒在地，额角破了一道长长的口子，血很快流了出来，而归云的丈夫杨老先生早已被气得晕倒在沙发上。

江怀深没作他想，立即打了120急救电话，然后抱住浑身发抖的归云，将她抱回卧室放在床上。他为归云细细地擦去脸上的泪水，不断地告诉她，她不会有事的，他不会让她有事的。

回转身，他便捡起地上的烟灰缸，擦掉归云的指纹，命严素想尽一切办法在120救护人员来之前替许岩松止血。

很快，许岩松和杨老先生被救走了。

警察来的时候，江怀深声称烟灰缸是他砸的。

江怀深被带走了，归云像是发了疯一样拼命地哭喊着人不是他伤的，是她伤的。

江怀深没有多说什么，只是对严素浅浅笑道："好好照顾你姐姐和伯母。"

那是严素有史以来见到他对她笑得最动情最卑微的一次，是他在祈求她。泪水迅速盈满了眼眶，她点了点头，忍着心中那撕裂般的疼痛，她紧紧地抱住归云，不让她挣开。

许岩松所幸命大，捡回了一条命，但杨老先生就没那么幸运，心脏病突发，在医院里去世了。江怀深因替归云顶罪，以故意伤人罪被判处有期徒刑6个月。

这件事后，归云无法面对杨家的人，又因欠了江怀深太多太多，而一直郁郁寡欢。

数月之后，江怀深出狱，严归云因一场小感冒，而突然一病不起。

无论江怀深与严素多么费心费力，归云却已丧失了生存下去的欲念。在她即将离开人世的那段时间，江怀深一直守着她，她依在他的怀里，两个人不停地说着话。

"深，素素和我妈就拜托你了。"

"深，如果可能，一定要帮我找到我的小乐天。"

"深，如果还有来生，就算比你大十岁，我也一定不会再错放开你。"

她的手指始终与他的纠缠交握，即便是永远地合上了眼，也不愿放开。

一直守在房门外的严素，听到房间里传来的沉痛的哭声，她猛然推开房门，却是看着江怀深怀抱着已经去世的归云痛哭失声。这也是这么多年来，她

第一次见到这个坚强男人的眼泪。

他的情，他的爱，他的伤，包括他的生命，全都给了归云。

眼泪顺着她的脸颊一滴一滴无声地跌落在地，她为了姐姐的离开而痛哭，也为自己那守候多年都不曾发芽终将逝去的单相思而痛哭。

严素一口仰尽杯中的红酒，刚放下空杯，对面楼顶上的时钟发出沉鸣的报时声，她不由得望向窗外，已经午夜十二点了，她三十九岁的生日终于过了。

她站起身，含笑离开，出了门，招一辆出租车，开往自己另一处小窝。

那里，是这么多年来，她一直习惯疗伤的好地方。

下了出租车，她迈着蹒跚的步子走进电梯。

出了电梯门，她很意外地看见家门处，立着那个让她默默流了近二十多年眼泪的男人。

江怀深熄了手中的半截烟蒂，将一大束百合花递至她的眼前，道："虽然过了十二点，但还是要说一声，生日快乐。"

"三十九岁，嘻，有什么值得庆祝吗？还是你觉得提醒我又老了一岁是件很爽心的事？"她轻轻拨开那一束百合花，摸出钥匙意欲开门，可手中的钥匙仿佛是与她作对一般，怎么也插不进钥匙孔内。

"你喝多了，我来。"江怀深正要拿过她手中的钥匙，却被她一把挥开，那一束百合花就这样被挥落在地，一个红色的心形丝绒戒指盒掉落出来，可是她并没有看见。

她冲着他狂吼一声："江怀深，这套房子是我自己买的，请你以后别不请自来。滚回你自己的地盘忙你的婚礼去。"

他不怒，反笑。

因为隔了这么多年，他又看到了十几岁时，那个成天见到他就会骂他臭流氓的丫头。

他缓缓地弯下身，捡起地上那只戒指盒和百合花，再次送到她的眼前："难道你要我举行一个人的婚礼？"

她怔怔地看着他手中那个美丽的红色心形戒指盒，刹那间，胸口处在猛烈地跳动着。

她迟疑地接过那个戒指盒，打开，里面静静地躺着她精心挑选的戒指。是的，即便是知道他要与别人结婚，为别人挑选戒指，可她就是自私地把那款戒指当成是为自己挑的，就连戒指的圈号大小也是按她的无名指来挑的。

眼泪再也抑制不住地流了出来，她握住那一对戒指痛哭失声。

他微笑着将她轻轻拥入怀中。

后记

感慨万千，历经七个月的呕心沥血，我终于将《向心公转》完成了，终于有脸面对娟子大人、读者以及有事没事就要刺激我两下的惊鸿、苏素、星野樱和安思源（排名按刺激我完稿的强度大小来定。惊鸿同学比我晚挖坑至少三个月，却比我提前一个月完结；苏素同学一晚整出几万字，然后完稿；星野樱同学隔三岔五地告诉我谁谁完结了；安思源同学完结了，然后跑来丢一句"我不是来现的"）。

很多读者都觉得奇怪，为什么我会起"向心公转"这个书名？嗯，这个书名取自黄耀明和彭羚的粤语对唱歌曲《漩涡》，我觉得歌词很适合江文溪和乐天的爱情，其中更有一句歌词吸引我：世界万物，向心公转。

最初构思这篇文的时候，脑中的女主是淑女可爱再小白一点之类的，但写出来的时候，总觉得那个调调与最初的构想有点背驰，让我很没爱很没激情。后来历经几位作者的严重打击，说没爱你就弃了吧，结果我怒了，好歹也辛苦码了几万字了，弃了多肉痛。于是，我就和自己较上这劲了，我就不信这邪，越没爱越没激情的文，死活我也一定要培养爱培养出激情来。结果，显而易见，我写得很HIGH，让她们再度鄙视我。

看完此文，也许大家对江文溪的人格分裂有没有去治疗留有疑问，关于这个问题，我没有深入去说明，我不是学医的，所以对于这种异常病情也没法解答（其实就是想偷懒不说明）。每个人都有自己的两面，我觉得像江文溪这样的，不过是将自己压抑的另一面，通过另一种方式宣泄出来，只不过是我描写得夸张了点。SIGH，后面没有描述其病情，就当她有了乐天的爱，有了安全感之后自然而然就好了吧，世界之大无奇不有（让我懒到底吧）。

根据以往的速度，这文应该可以早早完结的，可是在今年五月初，我的人生陷入了最灰暗的时期，我最最最亲爱的母亲检查出了胃癌晚期，历经了整整两个半月非人的折磨，于七月二十日病逝，享年只有五十五岁……

从得知母亲是胃癌晚期的那一刹，真的觉得整个世界都坍塌在面前。也许各位很好奇，我是怎样在这种情况下，还能将这二十多万字完成的。想来，我脸上第一个出现的表情会是笑，当然是苦笑。为了缓解压力，我不得不以码字来缓解自己的压力。

为了照顾母亲，必须彻夜守在她的病床前，不能眠，记不清一个个漫漫长夜是怎样熬过来的。当翻开厚厚的一本日记本，全是自己以纸笔一笔一划写出来的狗爬字。

在此，我要特别的感谢编辑娟子大人，《美人在侧花满堂》样书一印刷出来，她便寄给了我。我开心地拿给母亲看，她看到我的书，精神好，为我高兴，因为女儿又出版了一本书。

守在母亲病床前，以纸笔拼命地手写《向心公转》，其实我更多是期望她能坚持到这本书出版，然，这个愿望对我来讲，是永远不可能实现的一种奢望。

上帝无法给你整个天堂，所以他给了你一个母亲，但为什么他却残忍地把我的母亲带走？我自认为被上帝泼了一身的沥青，人生从没这样黑暗过，只见地狱，不见天堂。

谨将此文献给我最亲爱的母亲，愿她在另一个极乐世界没有痛苦只有幸福。

感谢长期以来支持我的读者，愿你们全家幸福安康，愿我的小说能为你们带来欢乐。

2009.7.31